LA ROSE DU FLEUVE

DU MÊME AUTEUR

La Fourche à loup, Mazarine 1985, Fayard, 1991.
La Foire aux mules, Mazarine 1986, Fayard, 1991.
Les Sabots de la liberté, Payot, 1989.
L'Empreinte des sabots, Fayard, 1991.
La Grande Rivière, Fayard, 1993.

Michelle Clément-Mainard

La Rose du fleuve

roman

Fayard

*En souvenir de l'ami André Morisson,
le Sage, le Juste, qui nous a quittés avant
la fin de l'histoire...
En témoignage de fidèle affection pour
sa femme Marguerite...
À tous ceux qui l'aimaient...*

Chapitre premier

Les larmes du seigneur Boucher

Rose lavait son linge sur une roche plate qui s'avançait sur le Saint-Laurent et dont le bord plongeait dans le courant avec l'exacte inclinaison d'une planche de lavandière. Sa première lessive de femme mariée, jeunette épousée de neuf jours seulement : Rose Monneau, ou Moineau. Elle préférait Moineau. C'était ainsi qu'elle appelait Michel, le plus souvent, dans le bouleversement d'amour : « Mon Moineau ».

Elle avait attendu l'après-dîner*, pour être assurée de solitude et de tranquillité : le fermier Martineau et sa femme devaient se rendre de l'autre côté de l'île pour une récolte de blé d'Inde. Une mince récolte, le maïs ayant poussé chiche par l'incurie des deux autres fermiers de maître Lambert, qui les avait chassés à la Saint-Jean. C'était d'ailleurs son père, le seigneur Pierre Boucher, qui leur avait signifié congé : Lambert Boucher de Grandpré préférait la vie de joyeux célibataire en garnison, plutôt que la responsabilité d'une terre ! En l'attente de nouveaux fermiers, à la Saint-

---

* *Dîner* : repas de midi.

Michel, Joseph Martineau était chargé de sauver ce qui pouvait l'être de cette perdition.

Avant de partir, sa femme Madeleine avait ronchonné fort : trois fois rien de grain mal-venu, tout juste bon pour les Sauvages, et encore en voudraient-ils ? Ça devenait difficile, ces engeances...

— ... mais ça nous prendra quand même jusqu'à nuit, et, du coup, j'emmène les petites, elles sont en âge d'aider, surtout pour des épiochons de misère. Et puis, faut bien les mettre à l'ouvrage, puisqu'on n'a plus qu'une moitié de valet — sans reproche à toi, Rose. On le trouve de manque, ton Michel ! D'abord trois mois pour construire votre cabane et votre étable, et...

— Madeleine ! Le bon grand-père Boucher nous a donné deux génisses pleines, pour compense.

Madeleine Martineau avait haussé les épaules, levé les yeux au ciel, l'air de dire : « Toi, mon pauvre homme, tu trouves toujours tout bon... », puis elle avait continué :

— Et maintenant, tous les après-dîner à chasser avec ce... Enfin, que veux-tu, c'est point sa faute à lui, Michel. Je le disais encore à Marie Bernet, au sortir de messe, dimanche : vous autres, colons, vous pouvez vous dire ben chanceux ! Tandis que nous autres, fermiers, on peut jamais décider de ci ou de ça, et sais-tu ce qu'elle m'a répondu ? Hein ? Hein ?

« Non-non », avait branlé Rose de la tête. Pure politesse, parce qu'elle pensait surtout : « Va-t-elle enfin arrêter de débagouler et partir ? »

— Eh bien, elle m'a dit tout cru que, grand bienfait pour nous, ça n'était pas non plus monsieur Lambert qui décidait sur sa terre. Et elle m'a rajouté... t'écoutes, oui ?

« Oui-oui », en silence, et même essayant d'allumer une étincelle d'intérêt dans les yeux : sinon, Madeleine

Martineau risquait remonter le courant et repartir de la source.

— Bon. Elle m'a rajouté : crois-tu pas que le seigneur doit en pâtir gros, de son Lambert ? Dans une si belle famille... Enfin, pas vrai — et j'en suis venue d'accord avec elle —, sur quinze enfants, c'est forcé qu'y en ait un de moindre réussite. Mais, quand même, son deuxième garçon, ça doit le...

Joseph Martineau avait réussi à arrêter le flot :

— Ton premier garçon à toi, si tu l'oublies à tant mouliner la jasette, il pâtira gros, lui pareil, de pas avoir le tétêt en sortant de sa dormie !

— Seigneur-Dieu, mon Irénée, mon Jésus de sucre !

Elle avait couru vers sa maison, en était ressortie portant le poupon endormi, et avait continué la phrase interrompue :

— ... le contrarier fort, notre bon grand-père Boucher ! Puis, Marie Bernet m'a appris, mais ça je sais pas si je te le dis, ça risque t'étonner fort, elle m'a dit que, supposément...

— Madeleine ! T'as trop de langue pour guère de tête, comme la Bernette. Viens-t'en, asteure* !

Jamais Rose n'avait entendu Martineau parler sur ce ton à son épouse : il était homme patient et bonasse de caractère. Madeleine Martineau avait obéi sans piper mot, ce qui n'était point non plus dans son tempérament.

Rose avait été soulagée de les voir s'éloigner. Ne s'était pas posé de questions sur ce qui « risquait l'étonner ». Michel, gagé domestique chez eux depuis son arrivée de France, l'année passée, avait appris à

---

* *À cette heure* : à présent, maintenant.

connaître Madeleine Martineau, et Rose en était prévenue : quoique brave personne au fond, la fermière était une femme inlassable de caquet, mêlant parfois sucre et vinaigre dans ses débords de paroles.

Ainsi, dès le lendemain du mariage, elle avait demandé à Rose :

— Si t'as des affaires à laver, ma mignonne, gêne-toi pas avec moi. Un morceau de plus ou de moins, ça me porte pas peine, puisqu'à tous les jours je décrasse les drapeaux* de mon Irénée...

Et, chaque matin, depuis : « T'as rien à laver, donc ? », et chaque matin, « Non, merci... », répondait Rose, de plus en plus agacée, mais se forçant toutefois au sourire. Elle n'avait pas voulu se plaindre à Michel d'une aussi choquante indiscrétion : il lui restait deux ans encore avant d'obtenir une concession sur laquelle il serait son propre maître. Mieux valait ignorer le vinaigre et le sucre de Madeleine Martineau, et demeurer en bons termes. Et d'ailleurs, l'hiver allait venir, qui encabanerait chacune en son logis, la fermière et la femme de son domestique. Alors, juste eux deux, Michel et Rose Moineau, dans le chaud de leur maison, en quasi-solitude, dans l'île cernée par le grand froid d'hiver.

Le drap taché de sang attendait depuis huit jours, bouchonné dans un sac. À présent, Rose l'avait si fort savonné, frotté, battu, que la grosse toile grise, étendue sur l'herbe au soleil, semblait presque aussi blanche qu'une nappe d'autel sous la lumière crue de cette fin d'été, plus vive et brûlante qu'en beau cœur de juillet.

---

* Langes.

Le drap serait sec et plié dans le coffre bien avant le retour de la Martinelle.

Elle prit ensuite une chemise de Michel. Avant de la tremper dans l'eau, elle la mordilla. La flaira. En caressa son visage. Elle y trouvait l'odeur de son homme, l'odeur d'amour et de nuit. Elle se sentit rougir de honte — un peu — devant ce comportement de femelle, et non point d'honnête femme en sacrement de mariage ; mais, surtout, elle se troublait, et s'enflammait, et sentait battre le sang au plus profond de son corps dans le désir que la nuit arrivât vite.

Dieu ! Si quelqu'un l'avait vue en train de respirer, humer, embrasser goulûment cette chemise ! Elle fut tout de suite rassurée : pas un canot sur le Fleuve, entre l'île Saint-Joseph et Boucherville.

Boucherville... quelle éternité de bonheur ne s'était-elle pas écoulée depuis qu'elle avait quitté le village au soir de son mariage... Comment sa vie de tranquille jeune fille avait-elle ainsi basculé ?

Elle avait cru connaître le comble des délices de chair aux rares baisers de Michel sur sa bouche, dans sa bouche, du temps de leurs fiançailles si étroitement surveillées par sa mère : « Je veux que les gens de Boucherville, ils disent qu'Anne "la Parisienne" a bien élevé sa fille en vertu... » Juste quelques baisers à la hâte, à la cachette, et sous la table les mains qui se cherchaient, s'enlaçaient en caresses douces, en délicieux frissons de chatouillis sur la paume, entre les doigts...

Si proches et si lointains à la fois, ces élans contenus des deux fiancés ! Tout comme paraissait enfoui au fond des temps, pour Rose, et cependant revécu comme d'hier, « le 1er de septembre 1688 », jour de leur mariage.

Étaient-ce alors le même Michel, la même Rose qui se tenaient roides comme empesés dans la chapelle Sainte-Famille de Boucherville ? Sans même oser couler l'un vers l'autre un regard, ayant été chapitrés par la mère de Rose : « Droit devant vous. Comme des bûches ! » Sans rien manifester, sans un sourire, sans lumière de bonheur dans les yeux en entendant : « Ce jour a été marié Michel-Jean Monneau (ou Moineau, le curé avait marmonné sur le nom...), âgé de trente ans, meunier de son métier, soldat de la compagnie de Monsieur de Monic, avec Marie-Rose Jaudouin, âgée de dix-sept ans... »

« Soldat de la compagnie de Monsieur de Monic... » Ces mots, au contraire du bafouillis sur Monneau, ou Moineau, avaient résonné, fermes et bien détachés, aux oreilles de tous les paroissiens de Boucherville. Rose, sans apparemment sortir de sa rigidité, de sa quasi-torpeur, en avait ressenti une vive fierté que sa mère avait dû éprouver, elle aussi. La fille aînée d'Anne « la Parisienne », de la veuve Jaudouin, épousait un soldat, et non le domestique d'un fermier, domestique d'un domestique, en somme !

Tout aussitôt, Rose avait regretté cette bouffée de gloriole. Son Michel, il n'avait été qu'un soldat de malencontre et d'infortune. Les compagnies franches de la Marine n'avaient représenté pour lui qu'une chance d'échapper aux galères — ou à la corde — dont il était menacé dans son Poitou natal. S'il avait toujours rêvé de la terre canadienne, jamais il n'avait pensé y venir en militaire de la Franche-Marine. Il se disait avant tout un homme de la terre, des bois, des eaux... Le jeune meunier poitevin, qui vivait en pays d'intolérance, d'injustice, de misère, et avait osé s'en révolter, s'était trouvé plus qu'heureux d'être réformé et gagé comme domestique, sitôt que débarqué : il en avait été infiniment soulagé. Oui, Rose, à peine éprouvée cette sotte vanité, s'en était fait honte et reproche.

Du temps qu'elle revivait en pensée ce matin de leur mariage, l'eau était redevenue lisse et claire comme un miroir sur le fond de gros sable gris. Elle se pencha avant de reprendre à laver, à agiter cette transparence et la troubler de volutes savonneuses.

— Tu es belle, ma Rose du Fleuve...

Dans le retrait de sa solitude, elle parlait à voix haute, souriant à son reflet. Elle prononçait les mots de Michel. Tentait de se regarder avec la vision que Michel avait de sa Rose, sa Rose du Fleuve... Des yeux clairs, gris-bleu, changeants, que soulignaient à présent des cernes mauves. Une face encore marquée d'enfance, joues lisses et pleines qui se rousselaient de taches de son en été. Des cheveux couleur de châtaigne, coiffés en tresses de fillette — non, non, pas de chignon ! avait supplié Michel —, nattes longues et épaisses qui faisaient contraste avec un visage portant en telle évidence les traces de l'amour : les yeux creusés, et la bouche, surtout la bouche, déjà charnue de nature, aujourd'hui plus renflée encore par trop de baisers !

— Tu es belle, ma Rose du Fleuve...

Elle se tournait d'un côté de l'autre pour voir son profil, le nez droit, la ligne mince du cou. Elle enleva, et remit, et enleva encore son chapeau de jonc, puis le posa en auréole sur sa tête : il lui allait bien. Serait-elle belle, vraiment ?

Se penchant encore davantage, le bout des nattes à traîner dans l'eau, elle entrebâilla sa chemise pour regarder sa poitrine : des seins fermes de rondeur, qui disaient déjà femme la petite Rose de dix-sept ans... La petite Rose, toujours en retrait derrière la splendeur de sa mère, comme effacée par la perfection d'Anne « la Parisienne », voilà que l'amour de Michel lui faisait découvrir une beauté qu'elle avait jusqu'alors ignorée.

— Tu es belle, la Rose du Fleuve...

— Rose ! Rose ! Viens !

Ces hurlements derrière elle ! Malgré le ton inhabituel, elle avait reconnu la voix. Elle se retourna. Il l'appelait depuis la lisière du bois avec des gesticulations, des grimaces, des trépignements. « Viens ! Viens ! »

Seigneur, quel pantin ce Jean-Baptiste, pensa-t-elle avant de lui répondre :

— Bien le bonjour, Jacques Boucher ! Grand flanc-mou, tu peux pas t'avancer à moi ? Tu vois pas que je suis à ma laverie ?

Elle tourna le dos au garçon, se mit à savonner. Elle espérait que Jean-Baptiste ne l'avait pas observée durant qu'elle faisait ses mines en se mirant dans le Fleuve. Ou, pis encore, lorsqu'elle avait enfoui son visage dans la chemise de Michel ! Elle n'en avait pas fini de moqueries, si tel était le cas : les jumeaux Boucher étaient des lurons à la langue bien affûtée !

Elle cria par-dessus son épaule, sans le regarder :

— Si tu veux me causer, à toi de faire route. D'abord j'ai de l'ouvrage, puis, dans le bois, c'est tout plein de maringouins*. Alors, t'arrêtes de bramer « viens ». C'est toi qu'approches, Monsieur Jacques Boucher, ou sinon tu déguerpis, mauvaise graine !

Elle entendit des gargouillis de cris ou de rires bizarrement aigus, puis le silence revint : elle avait eu le

---

* Moustiques.

dessus ! Elle pouvait se permettre de tutoyer et bousculer en paroles les jumeaux Boucher, de deux ans moins âgés qu'elle. Étant la plus proche du manoir, à Boucherville, la maison Jaudouin avait reçu quasiment chaque jour la visite des deux garçons. Aussi aimables que turbulents, autant cajoleurs qu'étourdis, ils venaient y quérir recours pour dissimuler leurs bêtises à leurs parents : le seigneur et la seigneuresse appliquaient de fermes principes d'éducation, de travail et d'économie.

— Jean-Baptiste a fait un raccroc à sa chemise, tu peux raboudiner*, Rose ? Sinon, notre mère va le tanner...

— Jacques a faussé le fer de bêche, vous pouvez en prêter une, dame Jaudouin ? Sinon, notre père va l'étriller...

« Dame Jaudouin » allait quitter Boucherville pour une autre concession, à Rivière-des-Prairies. Trouveraient-ils la même indulgence chez les nouveaux voisins du manoir ? Rose en doutait. Ils étaient pourtant si attirants, si touchants d'amour fraternel, les jumeaux Boucher ! Tellement complices que, jouant de leur absolue ressemblance, ils s'évitaient l'un l'autre les corvées qui les rebutaient : ainsi, Jean-Baptiste passait toujours le Fleuve pour apporter sur l'île les ordres de son père, alors que celui-ci désignait toujours Jacques en vue de l'endurcir contre sa peur de l'eau.

Personne, jamais, ne s'était avisé de la supercherie. Seuls Rose et Michel savaient à quoi s'en tenir. Cependant, ils disaient toujours « Jacques » à Jean-Baptiste, quand il venait sur l'île, afin d'éviter tout écart de langue devant Martineau — et devant sa femme, surtout ! La javasse aurait vitement dévoilé l'astuce aux

---

* Raccommoder grossièrement.

bonnes commères de Boucherville, l'amenant de fil en aiguille jusqu'aux oreilles du seigneur.

Rose rinça la chemise sans se presser. Elle restait attentive aux bruits derrière elle : le garnement était capable de surgir dans son dos en poussant ce hurlement d'Iroquois avec lequel il l'avait souvent surprise et fait crier de saisissement : « T'as eu grand'peur, pas vrai ? » D'autres fois, il lui tirait les tresses en grondant férocement : « Voilà un beau scalp pour ma squaw ! »

Cette fois, elle l'attendait ferme, et il allait recevoir en retour une torchée de linge mouillé sur la figure ! Elle se sentait en enfance, soudain, prête au jeu et au rire.

Et elle s'en trouvait déçue, elle n'entendait rien, plus d'appels, aucun bruit de pas. Elle se retourna. Jean-Baptiste était toujours là : voilà qu'à présent il était étendu de son long, à plat ventre, et se cognait la tête avec les poings. Quelle autre singerie préparait-il ? Rose replongea la chemise dans l'eau, la sortit toute ruisselante, et se dirigea vers le grimacier. Ses pieds nus, sa légèreté ne tiraient pas le moindre craquillement de l'herbe sèche.

Il avait dû l'entendre, cependant : au lieu des cris de surprise et des rires que Rose attendait, il poussa un hurlement, comme d'infinie souffrance, en recevant la dégoulinade du linge que Rose tordait au-dessus de sa tête. Puis il se releva, le visage caché entre les mains. Et, montrant qu'il entrait dans le jeu, supplia : « Non... non... non... »

— Ça te fraîchit les idées, hein, Jacques ? Ça te remet la cervelle en aplomb, pas vrai, vilain ratoureux* ? Montre ton museau ! Tu verras comment Rose,

---

* Espiègle, qui joue des tours.

Rose Moineau, elle marche aux ordres du sieur Jacques Boucher de Montizambert... de Montizambert... de Montizambert...

Elle ponctuait chaque « Montizambert » avec des claques de linge mouillé et des éclats de rire. Depuis trois mois, le seigneur Pierre Boucher avait donné une terre — du moins son nom — à chacun de ses jumeaux : Jacques était « de Montizambert » et Jean-Baptiste « de Niverville ». Ces noms imposants et compassés paraissaient d'une telle drôlerie, s'appliquant aux deux gentils canaillous, qu'ils étaient les premiers à s'en gausser, loin des oreilles de leurs parents et de leurs frères aînés. Ces derniers, Messieurs les fils, étaient tous sieurs de quelque endroit, et très fiers de cette allonge au simple nom de Boucher.

Cette fois encore, Jean-Baptiste se mettait à l'unisson de la moquerie. De furieuses secousses de rire qui lui agitaient tout le corps. Des rauquements de gorge, comme s'il était près d'étouffer et de pâmer sous les taquineries de Rose et les claques humides dont il préservait son visage avec ses mains toujours crispées.

— Allez, fais voir ton museau. Moi j'arrête, j'ai de l'ouvrage. Puis, tu causes vitement, pour ce que tu veux me dire.

Jean-Baptiste écarta enfin les mains. Montra un visage figé en pierre, des yeux fous. En vérité, il était effrayant. Et incorrigible, aussi : voilà qu'il se livrait à une diablerie encore inconnue de Rose.

Si terrible, l'expression de Jean-Baptiste, que Rose dut se forcer un peu pour lui rire au nez. Qu'allait-il lui raconter d'histoire à faire grand'peur ? Le Fantôme de la Tempête ? Le Survenant du Mardi-Gras ? Même à plein jour, Rose abominait ces contes qui lui frissonnaient la peau.

— Bon, ça va faire* ! Moi je joue plus, Jean-Baptiste.

— Jacques ! Jacques !

— Hé ! Je sais bien qu'il faut te dire « Jacques », icitte ! Mais c'est toi qui me tourneboules, avec tes babouineries. Qu'est-ce que tu veux, à toute fin ?

— Michel... Michel...

— Quoi ? Pour ça, que tu me fais perdre mon temps ? Michel (tu dois le savoir, non ?) il est à la chasse avec Louis-Marie. Quelque part je sais point où, dans les îles. Si c'est pressé ce que t'as à lui dire, alors tu le cherches. Mais c'est grand, les îles Percées, j'ai doutance que tu le trouves. Enfin... Bonne chasse quand même, sieur Jacques de Montizambert !

Il hurla et bondit en arrière, comme en extrême frayeur que Rose ne le giflât à nouveau avec la chemise. Puis s'enfonça à vive course dans le bois en criant toujours. Elle crut le voir lancer un bâton.

Elle, en revenant vers le Fleuve, elle riait toute seule à revoir la scène : pas un moment il n'avait arrêté sa mascarade ! Elle reprit à laver en pensant qu'il aurait fait un bon baladin à pantomime sur les foires, le sieur Jean-Baptiste-« Jacques » Boucher !

Elle était certaine qu'il ne trouverait pas Michel. Aucun aboi de chien, aucune détonation pour guider Jean-Baptiste dans sa recherche.

De son passé de braconnier en Poitou, Michel avait conservé l'habitude et le goût du piège, de la trappe, de la fronde. Le compagnon de chasse que le seigneur lui avait donné s'accordait au mieux avec lui dans ces

---

* Ça suffit.

traques silencieuses : même approche contre le vent, même flair et même patience...

Et ils s'entendaient aussi sur bien d'autres points, ce qui ne plaisait guère à Rose. « Louis-Marie m'a raconté que... Louis-Marie m'a montré à... » Pour l'instant, elle laissait couler. Les chasses étaient fructueuses, partagées avec équité : la moitié pour le manoir, un quart pour Martineau, un quart pour Michel. Encore trois mois pour la salaison et le fumage, puis un mois à enneiger*, et la viande d'hiver serait assurée. Rose comptait alors faire comprendre à Michel — trop naïf, et trop nouveau au pays pour en juger — qu'un Huron demeurait un Sauvage, même un bon baptisé catholique, comme Louis-Marie, serviteur du seigneur Boucher.

Elle avait cependant eu peine à ne rien montrer de son agacement et de ses craintes, la veille au soir, au retour de Michel. Il lui avait annoncé avec un accent de vif contentement :

— Louis-Marie m'a confié son ancien nom, et je suis seul à le connaître, tu peux voir s'il m'estime ! À toi je vais le dire, je sais que tu garderas le secret — comme pour ce filou de Jean-Baptiste ! C'est un beau nom : Sondaka, l'Aigle. Et qui lui va bien, je t'assure. Il distinguerait un merle d'une rive à l'autre du Fleuve. Ou ... un moineau !

De sa plaisanterie il riait à pleine bouche, à pleines dents ; Rose l'aurait mangé de baisers en d'autres circonstances. Elle avait seulement répondu en se forçant au sourire tranquille et à la voix doucette :

— Ah bon ? Il s'en souvient donc ?

—————
* Conserver dans la neige.

Puis elle avait détourné la conversation : déjà les oies passaient ? Toutes grasses, et fournies de duvet ; l'hiver allait être au gros froid...

Non, Rose n'aimait pas ce Louis-Marie, bien nommé « l'Aigle » dans la sauvagerie de sa naissance ! De l'aigle il avait en effet le fixe et sombre regard, son nez busqué en bec d'oiseau de proie ajoutant encore à la ressemblance. Et cette façon effrayante de surgir, dans le même silence que ses armes barbares : les flèches, la hache, la lance... Son baptême dans la Sainte-Église ne lui avait pas fait oublier qu'il était Sondaka, l'Aigle. N'avait pas effacé sa véritable nature, de fausseté et de violence, dont Rose craignait le danger pour Michel.

Elle espérait à présent posséder assez d'emprise sur son époux pour contrebattre l'autorité du bon « grand-père Boucher » et séparer Michel de son inquiétant compagnon de chasse. Elle avait conscience que cela serait difficile : dans l'adresse du Sauvage et du braconnier, le seigneur devait voir une chance d'économiser des munitions trop utiles contre les Iroquois pour les gaspiller sur des lapins, des oies, des caribous !

Cela paraissait à Rose le comble de l'injustice : les fils, les gendres du seigneur et leurs amis, eux, faisaient joyeuse prodigalité de poudre et de balles à la chasse ! Éclataient en bouillie de chair, de sang, de tripaille, les menus gibiers qu'ils laissaient pourrir sur place pour le seul plaisir de viser juste.

Michel, lui, n'éprouvait nulle amertume d'une telle inégalité de traitement. Les plus simples, les plus élémentaires des droits en terre canadienne, comme la pêche, la chasse, et même — Rose trouvait cela presque risible — même l'abattage du bois, paraissaient à Michel, juste arrivé du vieux pays, comme une impensable liberté ! Un exorbitant privilège ! Il s'en émerveillait toujours :

— Bien sûr, ma Rose, je le savais avant ma venue en Nouvelle-France, grâce au livre du sieur Pierre Boucher que me lisait mon ami Maurillon*. Mais, entre l'imagination et la vision en réalité, il y a... il y a tout l'océan que j'ai traversé ! Toute la différence entre mon ruisseau de Cathelogne et la Grande Rivière ! Tu comprends cela, ma belle Rose du Fleuve ?

Sa Rose du Fleuve, en continuant de laver son linge, elle comprenait surtout qu'il lui faudrait agir avec astuce pour faire admettre à son Moineau qu'il existait aussi « toute une différence » entre un Français et un Sauvage ! Qu'il ne convenait pas de lier amitié avec un Huron, surtout lorsque celui-ci gardait souvenance d'avoir été Sondaka, l'Aigle.

Elle se leva pour tâter le drap. Il était sec, brûlant de soleil, odorant de la menthe qui persistait à demeurer verte et parfumée sous les plus fortes chaleurs. Elle se mit à le plier, quoique le retour de Madeleine Martineau ne fût pas déjà à craindre.

Elle se tenait debout face au Fleuve. Lissait contre elle les pliures de la toile en regardant le courant. Elle aperçut un canot qui venait de Boucherville, ne s'attarda pas à l'observer : sans doute des gens du manoir — ils étaient deux — qui allaient rejoindre d'autres messieurs à la chasse ; Rose avait entendu des détonations du côté de l'île à Pierre, avant l'arrivée de Jean-Baptiste...

---

* Voir *La Grande Rivière*, Éditions Fayard, 1993.

Si elle restait ainsi, rêveuse devant le Saint-Laurent, c'est qu'elle aurait voulu le voir enfin avec les yeux de Michel qui s'obstinait à lui en montrer ce qu'il appelait « les splendeurs ».

— Ne vois-tu pas, en beau mitan, on le croirait d'argent pur. Et là-bas, dans l'anse de Varennes, par le reflet des nuages, il vire au rose. À main droite, à cause des roches, il devient noir. Quelle beauté, Seigneur, quelle beauté !

Elle aurait voulu dire « oui », mais valait-il de faire péché de mensonge pour de l'eau ? Une eau qu'elle connaissait depuis toujours, coulante et vive aux beaux jours, figée de glace en hiver. Et chaque fois qu'il essayait de lui montrer le Fleuve et ses « splendeurs », Michel finissait par dire :

— Va, j'arriverai bien un jour à te persuader. N'ai-je pas réussi à te faire admettre que tu étais belle ?

Elle ne savait que répondre à un tel argument. Bien entendu qu'un visage, une tournure, une toilette, elle pouvait en apprécier les attraits. Ainsi, depuis son plus petit âge, elle avait jugé sa mère comme la plus belle des femmes. Et Michel, dès qu'elle l'avait vu, en septembre de l'année passée, il lui était apparu « beau », lui aussi — cependant, elle avait jusque-là fait silence sur cette admiration : il était indécent d'exprimer qu'un homme pût séduire par ses beaux yeux, sa carrure et son sourire.

Pas d'indécence à dire la beauté du Fleuve : juste un petit brin de folie, une gentille excentricité que Michel tenait sans doute de son ami de jeunesse, ce « Mauril-lon » — un baron, Jacques de Sainte-Maure de Montau-zier — qui devait, comme toute la noblesse du vieux pays, à ce que Rose en savait, avoir les mains pleines de pouces*, et du temps de reste pour trouver « splen-

---

* Être paresseux, incapable.

dide » un large courant d'eau fraîche bonne à la boisson, à la soupe, à la lessive, à la réussite des cultures, à la facilité des déplacements : car le Fleuve était une route aussi, une route liquide que fendaient en ce moment les rames d'un canot se rapprochant de l'île.

Le Fleuve était utile, c'était aujourd'hui encore la seule conclusion de Rose — qui avait fini de plier son drap sans avoir décelé la moindre beauté dans le flot du Saint-Laurent, ni sur ses rives !

D'ailleurs, mieux valait qu'elle se remît à sa lessive en baissant la tête et faisant mine de ne pas avoir aperçu la canot : il lui paraissait avoir reconnu, de loin, Pierre Boucher le fils aîné, dit « Boucher de Boucherville », et son beau-frère Le Gardeur de Tilly. Tous les deux graves messieurs, proches de la quarantaine, qui impressionnaient grandement Rose. Dieu merci, ils étaient plus distants que Monsieur Lambert et ne lui adresseraient pas la parole si elle semblait ne pas les avoir remarqués !

Elle se pencha sur l'eau après avoir rabattu son chapeau sur son profil droit — du côté où accostaient toujours les canots et les chaloupes venant de Boucherville. Elle aurait eu grand'honte de montrer à ces messieurs son visage marqué par trop d'amour. Eux, ils avaient de tranquilles et grasses épouses dont jamais, sûrement, ils n'avaient mordu la bouche.

Le clapotement des rames devenait de plus en plus net, jusqu'à laisser entendre les cascadelles qui s'égouttaient entre deux attaques des palmes. Puis le clapotement des rames se tut : Rose baissa plus profond la tête et frappa son linge sur la pierre à grand bruit du battoir.

— Marie-Rose !

Elle ne pouvait continuer à feindre de n'avoir rien vu. Ni surtout de ne pas entendre la voix grave, impérieuse, de la seule personne qui la nommait par l'entier de son nom de baptême : le seigneur Pierre Boucher lui-même.

Elle se releva en essuyant ses mains mouillées sur son jupon. Oublia la révérence, dans le bouleversement où la mettait l'arrivée du seigneur. Une révérence de principe que le seigneur, d'ailleurs, n'exigeait pas, mais qui mettait toujours un fugitif éclair de satisfaction dans ses yeux, vite suivi d'un « Allons, allons, je n'en mérite pas tant... »

Il n'avait rien remarqué. Il se taisait. N'avait pas même répondu au « bonjour, monsieur » que Rose avait chevroté.

Le bord du chapeau, elle l'espérait, ombrait suffisamment son visage pour y cacher l'inavouable, l'impensable, devant l'austère seigneur de Boucherville qui avait fait quinze enfants, mais sûrement d'autre manière ! Et, sur sa tenue, rien à reprocher : Dieu merci qu'elle s'était refusée à suivre les conseils de Madeleine Martineau qui, par les grosses chaleurs, ne portait pour tout vêtement que sa chemise — comme d'ailleurs son mari —, assurant qu'on était benaise, mais benaise, le corps tout fraîchi de l'air qui venait par en dessous ! Le seigneur réprouvait fort ces impudiques façons, et Monsieur le curé mettait aussi en garde, depuis la chaire, contre ces incessantes invitations au péché, les sans-jupons et les sans-brayets, et ceux qui pourraient les voir en cet état* !

Cependant, aurait-elle été « en cet état » que le seigneur, aujourd'hui, ne s'en serait pas aperçu. Il ne la regardait même pas, il semblait ailleurs, loin parti. Il

* Peine perdue ! En 1719, monseigneur de Saint-Vallier faisait encore les mêmes objurgations.

promenait sur les alentours un regard qui paraissait tourné au-dedans, un regard perdu comme celui des morts avant qu'on leur fermât les yeux. Si bizarre, l'attitude du seigneur, qu'elle finit par oppresser Rose ; elle se força à parler la première, contre tout respect et bonnes manières.

— Je suis toute seule icitte, monsieur. Les Martineau sont au blé d'Inde, et mon mari, il...

— Je sais. Allons chez toi, Marie-Rose. Mon gendre ?

— Oui, père ?

— Tenez-vous dans le canot, à l'abri de la roselière. Vous m'avez bien compris ? Et vous m'appelez, au besoin.

— Certainement, père.

« Oui, père... Certainement, père... » Un homme aussi important que le sieur Le Gardeur de Tilly se tenait, vis-à-vis de son beau-père, dans la même attitude de déférence que le moindre des colons. Et Rose croyait comprendre enfin les raisons d'une visite aussi inattendue : le seigneur, qui avait permis à un simple domestique la construction d'une maisonnette et d'une grange-étable, dépochant même de ses propres deniers, voulait à présent vérifier que ses ordres avaient été exactement suivis. Que les bâtisses, si modestes fussent-elles, obéissaient aux plans qu'il avait lui-même tracés, comme il l'avait fait pour toutes les maisons de Boucherville. Le « bon grand-père Boucher » veillait certes au bien de tous, sans lésinerie, mais le seigneur Pierre Boucher, le fondateur de Boucherville, tenait à cœur que ses exigences — même s'il les appelait « conseils » — fussent suivies dans les moindres détails.

— Presse-toi, mon enfant, je te prie. Je voudrais au plus vite revenir au manoir.

Rose ramassa son linge en hâte. Veilla cependant à

séparer le propre du souillé, et l'humide du sec, dans son panier d'écorce.

— Laisse, mais laisse donc. Tu y verras plus tard. Viens-t'en.

Rose précéda le seigneur, laissant une partie de sa lessive à l'éparpille sur la rive : Pierre Boucher, qui mettait au plus haut point les vertus ménagères, l'incitait lui-même à cette négligence dans la précipitation qu'il montrait, tout en répétant encore derrière elle : « Allons, vite ! »

Elle s'efforçait de revoir l'état dans lequel elle avait laissé la maison après le dîner. Écuelles et pots séchaient sur une claie, dehors... Les braises couvaient à l'étouffe sous la cendre... Le plancher était balayé propre, la table et les bancs torchonnés, le lit-cabane fermé depuis le matin (mais le seigneur aurait-il poussé sa minutie d'inspection jusqu'à en ouvrir les portes, qu'il eût vu la catalogne* impeccablement tendue sur une paillasse lisse comme la main). Et le coffre... le coffre ? Michel y laissait volontiers, sur l'abattant, des hardes à la valdrague... Non, elle se rappelait, elle avait rangé, plié, et il était parti à rire, allez, sa Rose, belle Rose, elle ne le changeait pas des manies de sa mère et de ses sœurs, là-bas en Poitou, au moulin de la Bêchée. Mais elle, au moins, la Rose du Fleuve, elle ne criassait pas en harpie chaque fois qu'il bouchonnait ses vêtements n'importe où, à la n'importe comme, plutôt que les ranger en bonne place. « Mais ça viendra peut-être un jour ! » avait-elle répondu. Et lui, avec une picorée de baisers ponctuant ses mots, que... ça... l'étonnerait... fort... mais... lui rappellerait... le pays !

Tranquillisée sur l'opinion que le seigneur allait avoir

---

* Couverture tissée, faite de bandes d'étoffe usagée.

de ses capacités ménagères, Rose courait presque, d'autant qu'il répétait toujours, la voix hachée d'essoufflement : « Vite ! Vite ! »

Ce ne fut qu'en arrivant au proche du seuil qu'elle pensa : « Doux Jésus ! La fenêtre ! »

Michel, sur un seul point, n'avait pas respecté les « conseils » du seigneur : il avait ouvert, face au Fleuve, un petit fenestron.

À Boucherville, aucune maison ne prenait jour vers l'eau, et personne n'en éprouvait d'ailleurs manque, ni besoin. Seul le manoir possédait une ouverture, une seule, qui donnait sur le Saint-Laurent. Elle n'avait été ménagée que dans un but de surveillance, en cas d'attaque iroquoise par le Fleuve.

Lui, Michel, ce n'était pas la crainte des canots ennemis qui l'avait porté à cette fantaisie, puisque jamais on n'avait vu d'Iroquois s'aventurer sur les îles Percées. Mais il la voulait tellement sous ses yeux, à tout temps et toute saison, sa Grande Rivière, qu'il avait même fait la dépense insensée d'un carreau de vitre. L'autre lucarne, à l'opposé, était raisonnablement garnie de papier huilé, comme aux maisons de Boucherville.

Une très petite fenêtre... Un tout minuscule carreau au milieu du cadre de bois... Rose avait peur, cependant, lorsqu'elle s'écarta pour laisser entrer le seigneur. Sitôt qu'il aurait passé le seuil, grand-père Boucher allait « conseiller » d'aveugler cette lucarne avec de solides rondins, bien bousillés* de glaise et de paille, « dans votre intérêt, mes enfants, l'eau n'apportant au logis que miasmes néfastes à la santé, et moisis, autant méfaisants à la provision qu'au meuble... » Jean-Baptiste avait déjà

---

* *Bousiller* : calfater les interstices.

moqué sur ce ton, avec ces mots, en imitant son père.
C'était bien l'avis de Rose pareillement, mais, pour
l'instant, elle se chagrinait et désolait en pensant à la
déception de Michel.

Le seigneur tira lui-même un banc. S'y assit, ou plutôt
s'y laissa tomber. Il ne disait mot, ne regardait rien. Et
pourtant, ses yeux étaient tournés vers ce fenestron qu'il
ne voyait pas.

Allait-elle devoir encore parler la première ? Le
silence, l'immobilité du seigneur l'impressionnaient
davantage, ici, dans sa maison. Pourquoi se taisait-il,
changé en statue d'église, alors qu'il la pressait si fort
— vite, vite !... — l'instant d'avant ? Son estomac se
noua, elle sentit monter un gargouillement d'entrailles.

— Voulez-vous boire du breuvage de menthe, monsieur ? Le soleil tape si dur, aujourd'hui !

Le silence, toujours. Pas même un signe de tête pour
« oui » ou « non ». Elle proposa encore du petit-lait, il
était au bon frais dans le caveau, ou alors de l'eau, juste
de l'eau, vu qu'il n'y avait chez eux rien de boisson*...
Et pareille indifférence figée du vieil homme. « Pour sûr
il est bien mal, pensa-t-elle, il va peut-être passer, pof,
d'un seul coup ! »

— Je peux appeler votre... je veux dire Monsieur
votre gendre Le Gardeur de...

— Non ! Il doit rester posté où je lui ai dit.

_____

* Toute boisson alcoolisée, bière ou vin. *Boisson forte* : alcool.
Breuvage : toute boisson sans alcool. La distinction existe toujours
au Québec.

Dieu merci, il sortait enfin de son vide à la tête. Mais combien il restait pâle, malgré les coulées de sueur dans le profond de ses rides !

— As-tu vu... Jean-Baptiste, cet après-dîner ? Jean-Baptiste !

Le ton et le regard affirmaient que c'était bien Jean-Baptiste, et non Jacques, que le seigneur demandait. Houlà ! Quelle grosse sottise avait-il faite, cet écervelé, pour que son père, en plein de la chaleur, se déplaçât lui-même pour le chercher ? Jean-Baptiste qui, plus précoce sur ce point que Jacques, faisait l'œil à l'amourette devant les jolies filles : en aurait-il amené une avec lui, sur l'île ? Non pour se méconduire, juste pour la galanter* tranquille... ? Le seigneur se montrait d'une telle rigidité pour le moindre manquement sur les mœurs que Rose ne pensa pas faire péché de menterie en se portant au secours du jeune coq :

— Non, monsieur. Je viens de voir Jacques, comme d'habitude. Il cherchait après...

— Tais-toi, Marie-Rose ! Tais-toi, je t'en supplie !

Le seigneur s'était levé en criant « Tais-toi ! » avec une brusquerie telle que le banc avait basculé. Puis il avait reculé vers le fond sombre de la cabane, dans l'encoignure du lit. Il avait semblé à Rose que des larmes, et non de la sueur, marquaient son visage. À présent, elle ne le distinguait même plus. Seule lui arrivait une vieille voix cassée de désespoir.

— C'est Jean-Baptiste que tu as vu, tu le sais bien, ma petite enfant. Il t'a parlé ? Que t'a-t-il dit ?

Rose s'apprêtait à répondre, en toute vérité cette fois, tant l'attitude du seigneur révélait affliction plutôt que

---

* Dire ou faire des galanteries.

colère... Mais la porte s'ouvrit à cet instant : Madeleine Martineau entra, en grande agitation. Rouge, le chignon défait, et haletant comme si elle avait couru. « Ne manquait plus que de ça ! » se dit Rose en voyant la chemise collée de sueur sur les gros seins, sur le ventre... Et le poupon Irénée que la mère tenait sur sa hanche la retroussait jusqu'à la touffe !

Madeleine Martineau n'avait pu voir le seigneur, toujours rencogné dans l'ombre, et, malgré les regards et les mimiques de Rose sur la toison ainsi exposée, elle ne se rendait pas compte de l'urgence à rabaisser sa chemise. Elle hurla, explosa en cris aigus, dramatiques, bouleversants :

— Ma pauvre ! Quel grand malheur ! Quelle horreur que j'ai vue de mes yeux !

— Michel ? Je le savais, je le savais, avec ce...

Madeleine Martineau eut juste le temps de répondre « Non... non... » au gémissement de Rose... Le seigneur se précipita vers elle, la saisit aux épaules, la secoua, et la grosse femme paraissait une poupée de chiffe sous sa poigne, les yeux, la bouche tout ronds ouverts d'effarement. Irénée se mit à brailler, Rose le tira à elle, le prit dans ses bras. La chemise retomba... Mais ce n'était pas sur cette indécence de maintien que le seigneur s'était encoléré ! Rose serrait contre elle un enfançon tout chaud vivant, comme Michel — vivant, merci mon Dieu, merci ! — tout en assistant à une scène impensable de violence et d'emportement.

— Tu n'as rien vu, femme Martineau. Rien, tu m'entends ? Rien ! Rien !

Pierre Boucher le sage, le bon grand-père Boucher semblait prêt aux coups, il était blanc comme plâtre, et la bouche tirée d'un rictus effrayant.

— Tu n'as rien vu. Ni toi, ni ton homme. Tu ne sais rien ! Rien !

Ce n'était plus la voix d'un vieillard à bout de chagrin, c'était un tonnerre qui emplissait la pièce, la foudre qui tombait en menace : rien ! rien ! rien ! Puis le seigneur parut se reprendre, revenir à raison. Il demanda plus bas :

— Et tes fillettes ?

— Sur leur tête, et devant le Bon Dieu, elles n'ont pas vu. Et pensez que je leur ai rien dit de cette abomination, pauvres anges ! Baille-moi de l'eau, ma bonne Rose. Puis, excusez, monsieur, faut que je m'assoye, j'ai plus de jambes. Donne mon Irénée, les cris ça l'épeure. Doux, doux, mon beau mignon...

Rose tremblait si fort qu'elle répandit davantage d'eau sur la table qu'elle n'en versa dans la mogue*. Après ce fracas dans la maison, cet orage de cris, le silence était tombé comme une glace figeant la violence d'un courant. Dans ce calme revenu, Rose peu à peu raccrochait l'un à l'autre les événements incohérents survenus cet après-dîner, et tous s'ajustaient dans une effroyable logique.

L'aimable, l'insouciant Jean-Baptiste avait bien amené une jeune fille sur l'île — mais c'était pour la violenter, et peut-être en était-elle morte. « Quel grand malheur, quelle horreur ! » La voix de Madeleine Martineau résonnait encore pour Rose dans l'épais du silence. Et Jean-Baptiste, sans doute avait-il eu conscience de son crime, et remords, et folie de désespoir : ainsi s'expliquaient son attitude insensée devant Rose, et le secours qu'il cherchait en criant : Jacques !... Jacques !... Michel !...

Dans l'apparence du calme revenu après cette dévastation, Rose trouvait encore l'écho de la voix emplie de menaces : tu n'as rien vu, femme Martineau ! Rien !

* Verre à boire, en terre vernissée.

Rien ! Le bon grand-père Boucher, le vénérable fondateur de Boucherville n'était que mensongère façade, apparence de vertu : ce qui l'avait jeté hors de lui, bien davantage que l'indignité de son fils, c'était la peur qu'elle fût révélée. Tu n'as rien vu ! Rien ! Rien ! Le nom respecté des Boucher ne serait pas sali... Le seigneur, déjà, par vanité personnelle, ne faisait-il pas semblant d'ignorer que Michel-Jean Moineau, accueilli depuis un an par son honorable famille, n'était autre que Michel Jamonneau, poursuivi au vieux pays, quoiqu'il fût bon catholique, par la vengeance du curé de sa paroisse d'Augé ? Il ne savait rien ! Rien ! Comblait même de générosités, lui, le rongeux de balustre*, un défenseur des protestants opprimés en Poitou !

Rose se désespérait dans la touffeur de sa maison qui portait des relents de sueurs âcres : celles des effrois, des menaces, des lâchetés... Elle entendait seulement, pour dire la douceur de vie, le bruit de succion d'Irénée qui avait trouvé le sein de sa mère. Mais le seigneur, et Jean-Baptiste, et l'atroce curé Bruslon, d'Augé en Poitou, n'avaient-ils pas été eux aussi de tendres et innocents poupons à la mamelle ?

L'éternité de ce silence habité de noires pensées... Rose fut presque soulagée lorsque le seigneur parla enfin.

— Rentre chez toi, femme Martineau. Et tiens ta langue. Mais, j'en suis certain, tu te bâillonneras plutôt, après m'avoir entendu. À Saint-Michel, ton homme va acheter une concession de quatre-vingts arpents à Trois-Rivières.

Pas davantage que Rose elle ne comprenait, la « femme Martineau ». Elle changea Irénée de côté, le

----

* Homme pieux jusqu'à l'excès (à ronger la balustre du prie-Dieu).

petit tétant dans le vide : juste ce geste machinal d'une mère, malgré l'hébétude du regard qu'elle posait sur le sieur Boucher.

— Mais... on n'a point l'argent devant nous, monsieur. Pas avant trois grosses années. Et rien qu'une petite, ça sera. Quatre-vingts ! Jamais on n'aura de quoi, on peut pas espérer de ça...

— Martineau aura l'argent. À la condition que tu gardes bouche cousue dès à présent, car je connais ta maudite langue. Et rappelle-toi : j'ai des oreilles dans tout le pays. Une concession, cela peut se retirer pour incapacité du colon. Martineau... était là, lui aussi, quand... ?

— Non, monsieur, non.

— Mais... tu le lui as raconté ?

Elle fit seulement un « oui » désolé, de la tête.

— C'est mieux ainsi. Il saura te faire taire, il y a tout intérêt. Tu me comprends ?

— Oui, notre bon grand-père. Je me sens pas trop d'aplomb, je crois pas que je peuve entendre messe à Boucherville, d'ici qu'on quitte.

— J'en aviserai Monsieur de Caumont. Tu es raisonnable. Et ton homme, courageux, travailleur. Nul ne s'étonnera sur vos... économies.

Madeleine Martineau était sortie en disant qu'elle était bien chagrine quand même, et son homme pareillement, et que tous deux diraient gros de prières, et que... Le seigneur avait grondé : « Vas-tu te taire enfin, et partir ? »

Puis il s'était à nouveau assis et gardait le visage entre ses mains. Il porta enfin le regard sur Rose :

— Que t'a demandé Jean-Baptiste ?

— Il cherchait après Michel. C'est tout.

Le saint homme Pierre Boucher allait-il la menacer, elle aussi ? Lui clouer le bec par des promesses de bel avenir, comme avec la Martinelle ?

— Vraiment tout ?

— Oui, monsieur. Et je lui ai répondu qu'il risquait guère trouver Michel, et je lui ai dit : Bonne chasse quand même !

Elle avait parlé sèchement, malgré la crainte qu'elle éprouvait : quoiqu'il feignît de l'ignorer, le seigneur connaissait le passé de Michel, et pouvait encore le perdre.

— Bonne chasse ! Mon Dieu, pitié ! Comment se comportait-il ? Ma petite enfant, je t'en prie, je t'en supplie, c'est un père crucifié qui te le demande, Marie-Rose...

Le seigneur pleurait à sanglots, tordait, broyait les mains de Rose dans les siennes : un vieillard accablé de chagrin se tenait devant elle, et non plus l'impérieux maître de Boucherville qui, l'instant d'avant, ordonnait « Tais-toi ! » à Madeleine Martineau. Rose eut confusément l'impression qu'elle s'était méprise, qu'un autre drame avait eu lieu, plus terrible encore qu'elle ne l'avait imaginé. « Comment se comportait-il ? » Rose était dans un tel bouleversement, tant d'émotions contradictoires l'avaient si fort secouée qu'elle répondit au seigneur dans l'entière vérité de ses impressions.

— Ma foi, monsieur, il se conduisait en fou, c'est la raison que j'ai cru une jouerie. Il se tapait la tête, et criait : « Jacques !... Jacques !... » et « Michel !... » Mais je vois bien, maintenant, il se rendait compte qu'il avait mal fait. La jeune fille ?... Il ne l'a pas... ? Elle n'est pas... ? Il pourra réparer, en la mariant. C'est bien vilain, monsieur, je sais, et je comprends que ça vous déconvienne, mais...

Depuis un moment, le seigneur la regardait comme si elle s'était exprimée dans un incompréhensible baragouin.

— La... jeune fille ? Mais... que crois-tu ? Tu l'as pensé capable de... Et tu le lui as dit ?

Rose se mit à pleurer. Hoqueta que non... bien sûr... elle n'avait pas cru à ça sur l'instant... elle aimait trop Jean-Baptiste pour imaginer... si... si... mauvaise action de... de sa part...

Elle s'arrêta de parler, toussa et se moucha, tout étranglée de sanglots. Puis se força à continuer d'une voix plus calme, parce que le seigneur, visiblement, ne comprenait rien de ce qu'elle racontait.

— Non, monsieur, je n'ai rien pensé, ni dit de ça. Mais c'est vous, de la façon... terrible que vous avez parlé à maîtresse Martineau, c'est vous, je vous en demande pardon, qui m'avez donné à... croire là-dessus. Moi, quand je l'ai vu se conduire en sans-dessein*, se rouler par terre, se cogner la tête des poings, j'ai seulement eu idée d'une nouvelle singerie qu'il m'inventait — excusez, monsieur... —, parce qu'ils sont beaucoup ratoureux, vos bessons, surtout lui, Jean-Baptiste, mais toujours sur la gentillesse. Alors voilà, excusez, je lui ai ri à la figure et je... je l'ai tapé avec une chemise mouillée. Il continuait de crier : « Jacques !... » et « Michel !... », et puis il s'est ensauvé dans le bois, il criait toujours comme un perdu, et ça m'a semblé qu'il jetait quelque chose dans les fardoches**, qu'il avait pas en arrivant, comme un bâton ça m'a semblé. Voilà. C'est tout, monsieur, je vous en fais promesse.

---

* Fou, imbécile.
** Les broussailles.

Le seigneur Boucher prit Rose par la main. Doucement, l'attira contre lui. Doucement, lui parla d'une voix
lointaine, comme on entend dans les mauvais songes de
la nuit. Rose comprenait ce qu'il disait sans pouvoir
cependant donner la moindre réalité à ses paroles. Non,
non ! Elle devait sortir du cauchemar... Non, non ! Elle
allait s'éveiller auprès de Michel... Elle serait toute tremblante et pleurante, mais son Michel la consolerait de
l'épouvantable vision apportée par le diable dans son
sommeil...

Elle s'éveilla. Mais c'était sur l'épaule du seigneur
Boucher qu'elle pleurait, et lui ne la consolait pas, il
parlait d'un double, intarissable chagrin, et continuait de
raconter l'horreur en priant Rose et Michel de pitié et
de secours.

Il ne s'arrêta qu'à l'appel de son gendre, au travers
de la porte :

— Père ! Veuillez m'excuser. Il est temps de revenir
au manoir. Songez que votre présence, plus que jamais,
y est nécessaire.

Le seigneur ouvrit lui-même le battant. Ne fit pas
reproche à son gendre d'avoir quitté la roselière où il
lui avait assigné de rester.

— Oui, vous avez raison, Le Gardeur, il faut partir.
Marie-Rose sait ce qu'elle a à faire, et son époux s'y
emploiera avec elle. Je leur donne toute confiance. Je
connais cette enfant depuis son plus jeune âge, et je tiens
Jamonneau pour un cœur droit et secourable ; il l'a
prouvé, en France.

— Jamonneau ? Plutôt Moineau, père...

— Jamonneau ou Moineau, qu'importe ? C'est le
même honnête homme. Marie-Rose... pour Jean-
Baptiste, bien sûr, tu ne m'as pas vu.

Chapitre 2

Les deux fusils de la Franche-Marine

C'était une chasse exceptionnelle ! De la plume et du poil enfouissaient Michel et Louis-Marie jusqu'au ventre, dans le canot où ils se tenaient agenouillés. Demain, Rose et maîtresse Martineau en auraient pour la grande journée à plumer, épiauter et étripailler ! Au manoir, la seigneuresse, ses filles, ses brus et ses servantes s'en tireraient plus vite, vu leur nombre : quand même, Michel prévoyait qu'il ne ferait pas bon, demain, tournicoter autour des femmes, trop joyeuses occupées à préparer ce saccage* de provisions pour l'hiver... L'accueil serait au sourire, ce soir !

Ils étaient allés d'île en île, traversant les chenaux dans le canot d'écorce que Louis-Marie dirigeait avec une ahurissante maîtrise, évitant au dernier moment les enchevêtrements d'arbres morts, les affleurements de roche. Michel s'était contenu pour ne pas gueuler : « Attention ! » comme il faisait aux premiers temps de leurs équipées de chasse. Louis-Marie jamais ne lui en avait fait reproche. Ne s'était jamais moqué : sans dire mot, il montrait du doigt le vol des outardes ou des hérons, le sillage de la loutre ou de l'ondatra que les

* Très grande quantité.

cris de Michel avaient alertés et fait disparaître. Silencieux à présent, Michel. Même s'il devinait, sur le visage impassible du Huron, une bravade à retarder de plus en plus la torsion de poignet qui épargnait de choc et naufrage !

Leur dernière navigation les ramenait à l'île Saint-Joseph. Il faisait clair encore. Une belle journée qui s'achevait. Le poids du gibier enfonçait le canot presque jusqu'au plat-bord : le braconnier de la Bêchée, le Sauvage huron avaient eu plus de chance — ou montré plus d'adresse — que les messieurs du manoir. Presque sitôt partis, Michel et Louis-Marie avaient entendu trois coups de fusil quasi simultanés, puis plus rien : les messieurs avaient abandonné. Louis-Marie avait esquissé un haussement d'épaules, ou plutôt un frémissement qui marquait cependant un mépris amusé pour de si piètres chasseurs, malgré leurs bâtons à poudre !

— Tu me laisseras en bout de l'île, Louis-Marie. Martineau doit y être encore, avec sa charrette. Et toi, tu auras moindre peine à ramer par le travers du courant pour regagner Boucherville dans le canot allégé de moitié.

— Bien sûr. Bien sûr.

Avec si peu de mots, sans bouger un muscle de sa face, Louis-Marie exprimait son absolue certitude que Michel avait peur, dans cette embarcation sauvage tirée vers le fond par la lourdeur de la charge.

Michel le laissa à cette conviction, peu flatteuse au demeurant, mais pouvait-il avouer à Louis-Marie — à Sondaka, l'Aigle — qu'il voulait au plus tôt revoir sa Rose, sa femme, son amour ? Qu'il se trouverait plus vite à la serrer dans ses bras — même si Martineau en avait fini de l'ouvrage — s'il courait à travers l'île après avoir débarqué de ce foutu canot qui avançait avec une désespérante lenteur ? Le gibier, il reviendrait le prendre plus tard ; il suffirait de le dissimuler sous des branchages pour le préserver des bêtes de rapine.

Une belle journée qui s'achevait. Mais quelque chose d'inexplicable le poignait au cœur, soudainement. Rose. « Ma Rose du Fleuve... »

Rose avait tournicoté un long moment dans sa maison, bras ballants, tête perdue, après le départ du seigneur.

Puis elle était sortie sans rien penser d'autre qu'à ranger sa vaisselle du dîner, petite vaisselle de jeune ménage : deux écuelles, deux cuillères, une louche en bois, une chaudière*. Elle avait tout frotté avec une vieille chiffe de toile — vieille, mais propre et blanche, sa mère l'avait bien élevée, pour ses filles Rose ferait de même —, torchonné longtemps, avant de prendre conscience qu'elle essuyait des ustensiles secs, encore chauds de soleil.

Elle replaça les écuelles avec un soin maniaque sur la planche auprès de la cheminée. Uniquement préoccupée de ne pas en ébrécher l'émail, l'esprit vide de tout autre souci.

— Quatre écuelles émaillées, dans leur neuf...

En répétant ces mots du contrat de mariage, Rose s'éveilla brusquement de sa léthargie. Et réentendit alors le seigneur Boucher :

— C'est le fusil, qu'il a jeté. Essaie de le trouver avant nuit. Et mets celui de ton homme à la place.

---

* Tout récipient de cuisine en métal, même petit.

Elle sortit en précipitation, tous ses souvenirs revenus, et le chagrin...

Il faisait doux dans le bois de hêtres et de chênes. Doux et humide sous le couvert des arbres : les maringouins tournoyaient en épaisses volées ; elle frappait son visage, ses bras, puis finit par les ignorer : quelle importance d'être demain défigurée, bouffie, démangée de piqûres ?

Elle accrocha le fusil de Michel à une basse branche ; il la gênait dans sa recherche. Elle tenta de se rappeler : dans quelle direction Jean-Baptiste avait-il lancé ce qu'elle avait pris pour un bâton ? Folle insouciante qu'elle était à ce moment, elle riait à si bon cœur, elle n'avait pas accordé attention à cela !

Elle écorchait ses mains aux broussailles griffues qu'elle écartait. Ses pieds nus fouillaient l'épaisseur des feuilles pourries, de l'humus, faisant remonter au jour les gluantes vermines souterraines. Rose éprouvait d'habitude un insurmontable dégoût pour ces grouillements pâles. Jamais elle ne se serait aventurée dans le bois, en cette saison, sans sabots, les orteils fouissant la terre ! Aujourd'hui, les tortillements des vers, les fourmillements de pattes des cloportes la laissaient dans l'indifférence.

Elle aperçut, au profond des fardoches, dans l'enchevêtrement des verdures, quelque chose de long et de rigide. Elle rampa, se coula, se déchira le visage ; du sang coulait de son front... Du sang, mon Dieu, tout ce sang dans l'horreur de ce jour... Qu'importaient les égratignures de son visage, les minces coulées rouges qui lui brouillaient la vue !

Elle pensait attraper un fusil, métal rigide, crosse de bois dur... et saisit une branche depuis longtemps tombée et pourrie, qu'une ronce de l'année avait investie de ses jeunes pousses, enfouie sous ses entrelacs... une branche qui s'effrita en poussière lorsqu'elle la tira vers elle... qui s'éparpilla en sciure poudreuse, exhalant l'odeur douceâtre du bois mort... l'odeur de toute mort...

Elle hurla comme si elle s'était trouvée à tirer un cadavre, un bras qui lui serait resté dans la main. Elle se sortit de la broussaille, sans plus un cri ; elle entendait les chants d'oiseaux, l'éraillement sec des déchirures à son jupon, à sa chemise, et elle suppliait en silence : « Vite, reviens, Michel... Michel... »

Michel et Louis-Marie avaient enfin pris pied sur l'île : Michel s'efforçant de masquer son soulagement, et le jeune Huron se chargeant de trier le gibier avec une rapidité et une justesse dans le partage qui étonnaient toujours Michel. Trois outardes ? L'unique oiseau d'une part était compensé par deux tourtes en supplément. Cinq canards ? Louis-Marie évaluait leur poids d'un simple coup d'œil, en jetait trois d'un côté, deux de l'autre. Michel avait certitude que le recours à une balance n'eût pas apporté plus exacte répartition.

Avec les Martineau — elle, surtout, la criailleuse — il en allait tout autrement. Rose se tenait toujours en retrait derrière Michel, à ces moments, parce qu'il se serait laissé tondre la laine sur le dos, assurait-elle, et sa présence empêchait la Martinelle d'aller trop gros à la triche : lui, Michel, il ne pouvait pas savoir qu'un lièvre de par icitte, même petit de taille et de poids, c'était plus viandu qu'un lapin, et de chair meilleure à la conserve, qui ne sentait ni goûtait rance jusqu'après un an dans le sel !

D'entendre en sa mémoire les paroles de Rose, de l'imaginer demain, à l'aube, cou tendu et regard vigilant sur le partage de chasse, éloigna Michel de cette étrange oppression qui l'avait saisi tout à l'heure.

— Eh bien, en voilà d'une belle réussite ! Mais comment fais-tu, dis donc, pour si vite et si juste trier ? Supposément, tu as une romaine* dans la tête. Maîtresse Martineau, elle, c'est à voir pousser l'herbe, du temps qu'elle tarde à décider : Et je ferais peut-être bien de prendre ci plutôt que ça, pour les petites ça serait mieux de tendreté, et je...

— Tais-toi !

Louis-Marie avait juste posé l'index sur sa bouche pour ordonner le silence — alors que, depuis un instant, il s'était relevé et semblait trouver grand intérêt aux hésitations de maîtresse Martineau ! — « Tais-toi ! », et vite, l'arc en main, roide tendu, et une flèche qui fusait, sitôt suivie d'une deuxième, leurs sifflements presque confondus dans la même déchirure de l'air.

Michel se retourna. Nul gibier en vue, deux flèches pour rien ; pour la première fois, Louis-Marie venait d'ajuster le vide, de tirer le néant. Michel s'en ressentit comme une revanche : Sondaka, l'Aigle, pouvait lui aussi rater son coup ! Lorsque cela arrivait à Michel, le Huron ne disait rien. Juste une brillance plus vive de l'œil et un lent battement de paupières signifiaient... non pas le mépris, non, pas jusqu'à cet extrême... mais soulignaient quand même que lui, Sondaka, l'Aigle, ne manquait jamais sa cible ! À Michel il fallait le truchement de la parole pour exprimer d'aussi fines nuances de satisfaction, sans toutefois offenser :

— Je vais chercher tes flèches durant que tu termines, Louis-Marie. Elles ont dû planter en terre, der-

* Ancienne balance.

rière les buissons. Là-bas, loin. Cette force que tu as dans les bras...

— J'y vais avec toi. Elles n'y sont pas seules plantées. Mais j'ai bien failli manquer, au caquetage de ta langue, trop agitée de parlement, comme celle de la dame Martineau.

Derrière les buissons, les flèches fichaient au sol deux caribous de même couleur que les feuilles roussissantes de l'automne proche.

— Mais... que faisaient-ils là ? Je croyais qu'à l'habitude ils ne sortaient des bois qu'au cœur de l'hiver ; ce sont bêtes craintives de l'homme.

— Ils venaient au pacage. Et même à la mangeoire. Regarde.

Devant eux, à quelque cent pas, la charrette de Martineau était à la délaisse, cul-versant au sol, et les épis de blé d'Inde s'étaient épandus à bas. Le taciturne Louis-Marie riait à se taper les cuisses, répétant : « Regarde ! regarde ! », gesticulant à grands bras, montrant le maïs abandonné, puis les caribous que cette manne avait attirés.

Michel, à nouveau, ressentit l'inexprimable et dévorante envie de retrouver Rose...

Rose cherchait toujours. Il n'avait pas pu lancer si loin, quand même, puisqu'elle avait vu son geste. Un fusil, ce n'était pas léger de pesée, elle avait pu s'en rendre compte en portant celui de Michel. C'était moins aisé à garrocher* qu'une volée de blé d'Inde aux poules ! De *maïs*. Michel disait souvent : maïs. Il aimait

---

* Jeter, lancer.

ça, le maïs, et la sagamité** surtout, parce que toujours il se ressouviendrait — à ce qu'il disait, mais Rose ne le tenait pas en doute —, oui, toujours, jusqu'à son plus vieil âge et dans l'éternité, il se rappellerait leur premier baiser au-dessus de l'âtre où Rose tournait la sagamité, dans la maison de sa mère.

Et alors, il allait manger quoi, ce soir, son homme ? Elle n'aurait temps de rien lui apprêter, ni graine ni viande. Des noix vertes, du pain, du caillé, ça ne faisait point souper après la fatigue d'une chasse, toujours à galoper derrière un Sauvage !

Dieu bon ! À quoi pensait-elle, folle ? Au souper qui n'attendrait pas Michel à son retour... Comme si l'appétit lui resterait quand elle allait raconter depuis le tout début du drame ! Elle s'obligea à y revenir, elle aussi, pour demeurer en vigilance dans sa recherche, et non point se perdre à des idées de cuisine. Le seigneur avait parlé longtemps, mêlant ses larmes à celles de Rose...

... ils sont à table dans la salle, pour dîner, au manoir de Boucherville. La seigneuresse est absente à la tablée des femmes. À celle des hommes manquent les jumeaux. Tous trois sont allés à Ville-Marie rendre visite à des parents de cousinage, qui sont âgés et souffrants. Les jumeaux sont gentils garçons, épris d'affection pour ces vieilles gens. Leur père donne-t-il permission qu'ils demeurent quelques jours près d'eux ? ont-ils demandé avant le départ...

— J'ai refusé, Marie-Rose. Les ai traités de mols et de paresseux, les soupçonnant de vouloir échapper aux tâches du domaine, nombreuses en cette saison.

** Bouillie ou soupe plus ou moins épaisse à base de maïs écrasé et de viande ou de poisson séché.

... à la table des hommes, il n'est sujet que de chasse. Discussion... à la limite de dispute. Le ton est haut monté. Le capitaine Le Verrier, présentement logé chez le seigneur, ainsi que le cadet Rochemont prétendent avoir aperçu un ours, le matin même, derrière la ferme du manoir. Ignace Boucher, qui les accompagnait, confirme en hochant la tête. Le seigneur se récrie fort de l'improbable, sinon impossible présence de la bête, si près de la bourgade. Le fils aîné se trouve de pareil avis. Rajoute même...

— Sans maligne intention, j'en suis sûr : « Vous avez cru voir, Le Verrier ! Cru voir ! » Hélas, Marie-Rose, l'infirmité porte à d'ombrageuses irritations...

... le capitaine Le Verrier, des compagnies franches de la Marine — il est arrivé par le même convoi que Michel —, est borgne. Lui, assure avoir perdu l'œil au combat ; d'autres, dont le seigneur n'est pas, croient plutôt à une rixe après-boire. Quoi qu'il en soit, devant lui, il est des mots qu'on ne doit point prononcer. « Vous avez cru voir... » Le Verrier prend furieusement à témoin Ignace Boucher : « Enfin, monsieur, vous n'allez pas vous dédire ! », et aussi le petit cadet Rochemont qui sert dans sa compagnie : « Et toi, jeune morveux, tu as cru voir, ou tu as vu ? »

— Mon fils Ignace est bon comme le pain, tu le sais, Marie-Rose : il n'a pas voulu porter un camouflet à Le Verrier en doutant sur sa vue. Et le petit Rochemont, dix-sept ans à peine, comment aurait-il pu rebecquer contre son capitaine ?

... oui, ils l'assurent l'un comme l'autre, ils ont fait rencontre d'un ours, le matin même. Rochemont, d'une voix ferme : « Une femelle, impossible de se méprendre. » Ignace Boucher, moins tranchant, le dit un peu roux... un peu noir... Les jumeaux et leur mère arrivent pendant la discussion. Se coulent à leurs places, sans doute étonnés que le chef de famille ne leur signale pas, même d'un haussement de sourcils, qu'ils viennent de manquer aux exigences du père comme de l'époux quant à la ponctualité aux repas. Que le *Benedicite* a été dit sans eux. Que les convives en sont déjà au rôti. La seigneuresse demeure au silence prudent. Mais les jumeaux, eux, ne peuvent contenir longtemps de se mêler à la conversation. Se gardent bien, cependant, d'y apporter trop de vivacité...

— Les eussé-je fait taire, à ce moment, que rien ne serait arrivé ! Pourquoi Dieu frappe-t-Il si cruellement la passagère faiblesse d'un père ? Marie-Rose... Je les ai laissé parler !

... sur un ton préoccupé, Jean-Baptiste fait remarquer : « Un ours ? Cela peut faire gros dégâts dans nos cultures et nos élevages ! » Cependant, il baisse les yeux, on y verrait trop franchement l'excitation et le plaisir. Jacques lui fait écho d'une voix soucieuse : « Ce serait peu de chose encore. Mais imagine, avec tous ces petits enfants dont le Bon-Dieu bénit les familles de Boucherville ! » Il s'adresse à son jumeau, mais c'est son père qu'il regarde bien clair en face, d'un œil à l'innocence et à la vertu sincères. C'est à son père qu'il demande : « Pouvons-nous laisser courir ce risque à des enfants ? » Le capitaine Le Verrier exulte :

le seigneur n'a pu rien faire d'autre que « non, non », de la tête. « Il faut être nombreux pour cette chasse », reprend Jean-Baptiste. Et Jacques appuie : « Oui, cela peut être fort dangereux, à trois. » Visiblement, les jumeaux ont envie d'être de la partie ! « Qu'en pensez-vous, ma chère ? » La pauvre seigneuresse, encore sous le remords de son retard, montre un visage de désolation : elle trouve ses jumeaux trop irréfléchis, trop étourdis pour la chasse. Cependant, elle se force à répondre : « Ce que vous déciderez sera sage, mon ami, comme toujours. »

— Pourra-t-elle un jour me pardonner ? Te rappelles-tu, Marie-Rose, combien elle avait été bouleversée quand les jumeaux t'ont saluée à coups de fusil, le matin de ton mariage ? Ils s'étaient d'abord visés l'un l'autre !

... le seigneur hésite encore : il ne croit en rien à la présence d'un ours. Le Verrier le fixe de son œil unique, toute l'acuité de deux yeux concentrée en un seul, qui signifie : « Doutez-vous aussi sur mes capacités de militaire à distinguer un allié d'un ennemi ? Doutez-vous aussi sur ma parole, moi qui suis venu défendre votre chère colonie contre l'Iroquois et l'Anglais ? » Le seigneur se décide enfin : « Qui ira à cette chasse ? » — et ses yeux interrogent : vous ? vous ? vous ? Pierre, le fils aîné ? « Je dois me rendre chez le notaire, père. » Le fils Ignace se le rappelle juste, il lui faut urgemment assister deux colons en contestation de bornage. Les gendres ont fort à faire pour corder*

---

* Mesurer à l'aide d'une corde.

les derniers abattages de bois. Et le seigneur ne chasse plus depuis longtemps... « Alors nous, nous, père ? » Les jumeaux ne cachent plus leur joie. La seigneuresse, pauvre malheureuse mère, serre ses mains à se blanchir la jointure des doigts.

— J'ai dit oui, Marie-Rose. Et mon épouse pareillement, sur un signe que je lui fis de la tête.

... les jumeaux ne possèdent en propre que de vieilles pétoires. « Pourquoi pas des mousquets ? » soupire Jean-Baptiste. Jacques, plus conciliant, assure que c'est très bien de même, toujours ce Jean-Baptiste il trouve à redire ! Qu'à cela ne tienne, décide Le Verrier : le petit Rochemont, étant d'une navrante maladresse, va échanger son fusil de la Franche-Marine contre celui de Jean-Baptiste. Au moment du départ, Jacques montre assez, par sa mine à chagrin, que lui aussi, il « trouve à redire » sur son fusil hors d'âge, comparé à l'arme superbe prêtée à son frère. « Pour la prochaine chasse, ce sera mon tour de prendre le fusil de Rochemont ! »

— La prochaine chasse... Marie-Rose, pardonne-moi de te déchirer doublement le cœur, toi dont le père fut tué par accident de chasse. Mon petit Jacques était revenu au sourire, en partant. Les jumeaux ont crié : « Merci, père ! »

... bien évidemment, ils ne trouvent pas d'ours autour de Boucherville. Le capitaine Le Verrier en montre un dépit irrité. Dans l'excitation et l'envie de se servir du fusil de Rochemont, Jean-Baptiste propose de passer sur les îles pour y tirer au moins du gibier d'eau. Un canot est vite détaché de la rive. Mais Jacques hésite à passer le Fleuve sur une embarcation si légère...

— Tu le sais mieux que personne, Marie-Rose, puisque toujours Jean-Baptiste venait dans l'île en place de son frère.

... et Jean-Baptiste le moque ; il n'est qu'un poltron, un chie-en-culotte ! Ils sont en vraie dispute pour la première fois, s'insultent l'un l'autre. Mais Jacques cède vite, embarque en riant, disant que l'on verra bien qui, d'entre eux, aura le plus peur...

— Sitôt mis le pied sur l'île, Jacques s'enfonce dans la roselière, prétendant faire lever les oiseaux. Hélas, Marie-Rose ! Seigneur, donnez-moi la force de continuer...

... des butors, des bécassines s'envolent. Puis les chasseurs entendent, droit venant sur eux, le bruit d'une lourde course, des grognements ; les trois fusils sont déchargés en même temps. Ce n'est pas le grondement d'un ours touché à mort qui suit la rafale de tirs : c'est le râle d'agonie de Jacques, sitôt éteint. Et Jean-Baptiste s'enfuit en hurlant : « Ah ! Mon Dieu ! Je suis mort ! »

— Toi qui les connaissais bien, Marie-Rose, tu as dû remarquer que mes jumeaux avaient entre eux de ces mystérieuses relations, comme s'ils étaient même personne...

... le corps de Jacques, Le Verrier et Rochemont le retrouvent à quelques pas devant eux. Les fusils de la Franche-Marine, tirant d'aussi près, ne lui ont pas donné temps de souffrir : deux blessures affreuses, à la tête et au cœur, l'ont tué sur le coup. Le petit Rochemont, lui, n'a touché que de quelques grenailles, à l'épaule.

— Ma malheureuse épouse connaissait mes jumeaux mieux que moi, elle les savait farceurs, impulsifs, quand je les croyais sages et raisonnables comme leurs frères et sœurs. Jacques a voulu effrayer son frère sans moindrement réfléchir au danger qu'il courait. Jean-Baptiste et Rochemont ont tiré à l'aveuglette, pareille-ment inconscients, vu leur jeune âge. Mais Le Verrier ! Un homme fait, sachant Jacques dans les roseaux, comment a-t-il pu commettre une telle imprudence ? Marie-Rose, voilà ce que je te demande...

... puisque, par la grâce de Dieu, elle a vu Jean-Baptiste jeter le fusil, il faut qu'elle le retrouve : il va puer de poudre longtemps. En même place, elle mettra celui de Michel...

— Ton mari ne l'utilise jamais, n'est-ce pas, Marie-Rose ?

... ensuite, elle devra nettoyer, graisser le fusil qui a tué Jacques, et le suspendre au râtelier. Ainsi, lorsque Jean-Baptiste reviendra vers Michel — parce que le seigneur en est sûr, il reviendra —, dans la démence de désespoir où l'enfant se trouve, Michel sera peut-être capable de le persua-der qu'il n'a pas tué son frère lorsqu'il retrouvera, à la place où il l'a jeté, un fusil qui n'a pas tiré depuis longtemps...

— Et surtout, surtout — je vous en garderai une éter-nelle reconnaissance, à Michel et à toi, Marie-Rose... —, trouvez prétexte de garder Jean-Baptiste près de vous pour cette nuit. Jacques sera inhumé demain matin aux premières lueurs de l'aube. Je ne veux pas que Jean-Baptiste voie... ce que Le Verrier et Rochemont ont rapporté... ce que nous allons mettre en terre : une tête fracassée, une poitrine ouverte par deux fusils — deux ! — des Compagnies franches de la Marine. C'est moi qui répondrai devant Dieu de vos mensonges — et même parjures, s'il le faut —, c'est moi qui m'en confesserai à Monsieur de Caumont. Si vous réussissez à convaincre mon pauvre Jean-Baptiste, Le Verrier, par la faute duquel le drame est arrivé, est d'accord pour prendre tout sur lui : maudit homme, je lui ai promis de... Oui, Le Gardeur, vous avez raison, il faut partir... Marie-Rose sait ce qu'elle a à faire, et son époux s'y emploiera aussi. Bien sûr, tu ne m'auras pas vu de la journée...

Rose avait traversé l'entière largeur du bois jusqu'à arriver sur l'autre côté de Saint-Joseph, en vue de l'île de Montréal. Toujours plus saignante des épines de ronces, des fardoches touffues qu'elle avait continué de fouiller. Ses nattes étaient défaites, ses vêtements en pendrille de loques. Folle qu'elle était, tant éperdue d'horreur et de chagrin ! Ce ne fut qu'en apercevant au loin les toits de Pointe-aux-Trembles, sur l'autre rive, qu'elle comprit sa déraison : elle cherchait encore le fusil à une demi-lieue de l'endroit où elle avait vu Jean-Baptiste le jeter ! Elle revint sur ses pas en courant. Et si, du temps qu'elle venait de perdre, Jean-Baptiste était déjà retourné pour voir Michel ?

Il fallait se presser. Pas traînasser, à présent. Sa mère allait gronder : « Mauvaise fille, elle dirait, te voilà en belle nature, toute graffignée profond, bouffie des maringouins, mangée des mouches noires* ! Puis, crois-tu être assez fournie de hardes pour les mettre pareillement en décadence, les réduire à la charpie ? »

Elle était ardente à la colère pour la tenue, sa mère, la belle Anne, Anne « la Parisienne » ! Et, supposément, la méchante Rose allait recevoir une grêlée de petites gifles, paf d'une joue, paf de l'autre, pour lui apprendre à ne plus courailler dans les bois ! Ne plus fourrager comme une Sauvagesse dans les ronciers crochus ! Ne plus écraser nu-pieds les vilaines vermines à maladies qui ne mangeaient rien d'autre que la saloperie des bêtes crevées-pourries, qui rongeaient même sous la terre les pauvres morts, jusqu'au sec de leur ossement... Oh ! Seigneur ! Jacques !

Et Jean-Baptiste... Et le fusil...

Le fusil se balançait doucement dans le vent du soir qui se levait. Dodelinait, retenu par la bandoulière, à mi-hauteur d'un grand fayard**. Rose aurait pu le voir, depuis l'endroit où elle lavait, lorsqu'elle s'était retournée à l'appel du seigneur Boucher. Le fusil qui avait éclaté la tête de Jacques ou percé son cœur, le fusil brimbalait comme une innocente branche cassée par le vent du soir : à quinze pieds, au moins, au-dessus de la tête de Rose !

Elle enleva son jupon, son débris de jupon qui l'aurait quand même entravée dans l'escalade. Noua serrés entre ses jambes les pans de sa chemise. Elle était en doute de réussir, c'était trop haut, trop haut...

---

* Très petits insectes (toujours présents dans les forêts du Québec) pourvus de mandibules qui arrachent des morceaux de chair, provoquant des saignements.
** Hêtre.

Dès qu'elle eut agrippé la première branche, elle fut certaine d'y parvenir : une vigueur jusqu'alors inconnue d'elle la possédait, la poussait, la hissait. Sans en éprouver nulle douleur, elle sentait le sang qui coulait sur la chair tendre de ses cuisses, râpées à vif par l'écorce. Elle put même, sans moindrement être étonnée, se tenir à la seule force des jambes, serrées autour du tronc, pour étirer ses bras, décrocher le fusil, en resserrer la courroie qui balait sur son épaule trop menue.

C'est en descendant qu'elle commença à souffrir des morsures du fût rugueux, de leur brûlante acidité... Et pareillement âcre, piquante, cruelle, l'odeur de poudre du fusil qui avait tué Jacques Boucher...

Il fallait remonter, cependant, pour accrocher en même place le fusil de Michel. Tout pareil à l'arme de mort, oui, il était possible de s'y méprendre et de tromper Jean-Baptiste... Mais saurait-elle, toute seule, nettoyer, graisser le canon, si Michel rentrait tard de sa chasse ?

N'y pas penser. Remonter. Redescendre. Elle avait mal à hurler, elle ne gémissait même pas ; juste en elle une plainte, une prière : « Michel... Reviens... Reviens vite... »

Michel regardait les caribous, partagé entre l'admiration pour l'adresse de Louis-Marie et la désolation pour le retard que cette prise de dernier instant apportait à son retour : il allait falloir écorcher, éventrer, étriper sur place les bêtes. Louis-Marie avait déjà planté son coutelas : juste une mince ouverture, comme une boutonnière, dans le flanc encore agité de frémissements, une entaille longue d'un doigt à peine, dans laquelle il fouillait de la lame. Il la retira, plongea la main, sortit un lambeau rouge sombre, tout fumant, qu'il coupa en deux parts égales.

— Mange. Le courage, la force du caribou, et l'Esprit qui l'animait demandent d'être ainsi honorés. Aataentsic, notre mère la Terre, s'offenserait de ne pas être remerciée pour l'offrande qu'elle vient de faire : à son fils, Sondaka, elle a donné deux autres de ses enfants.

— Mais... quoi ? Que me chantes-tu là ?

Michel tenait à deux doigts, loin de lui, le morceau de foie dégouttant le sang, contact écœurant et tiède sur la peau... Manger ? Rien qu'à l'idée, le cœur lui soulevait !

— Mange, ami, je t'en prie. Car tu es mon ami, n'est-ce pas ? Mange, ou plus jamais Sondaka ne trouvera le caribou sur sa route de chasse : notre mère la Terre est méchante de rancune. Pour moi, fais-le pour moi... Je vais te conter ce qu'il advint au père du père de mon père. Cela fait bien des lunes que...

— Non, te fatigue pas, je vas le manger.

— Merci.

Que le diable les emporte, ce Huron, sa mère la Terre et aussi son arrière-grand-père ! Louis-Marie le renfermé, le taiseux, Michel l'avait entendu une seule fois marmonner l'interminable récit des tribulations de l'un de ses ancêtres, au cours d'un affût. Et cela avait duré, duré à l'éternité sans que Michel osât l'interrompre, crainte de le vexer. Aujourd'hui, tant pis, il était trop pressé de revenir auprès de Rose. Et, bienheureusement, loin d'être outragé d'avoir eu la parole coupée, Louis-Marie l'avait remercié !

Michel goba le foie d'une seule aspiration... tandis que le Huron, lui, le mâchait longuement, le tritouillait en bouche, les yeux fermés comme à la Sainte-Table ! Michel se ressentit en vive colère : aussi bien il aurait pu garrocher cette dégoûtation sans que son compagnon s'en aperçût !

Son dépit s'en exprima avec vigueur alors que, d'habitude, il prenait grand soin de ne pas contrarier Louis-Marie dans ses manières, même les plus bizarres. Les jugeait même astucieuses, adaptées à chaque situation, et trouvait profit à les imiter. Mais, jusqu'à avaler une liche de foie toute crue, vivante arrachée de la bête !

— Je te croyais chrétien, Louis-Marie. Je t'ai toujours vu bien priant et communiant à la messe. Est-ce par simagrées ? Par obligation que t'en fait le seigneur Boucher, et que tu n'oses refuser ?

— Mais non ! Penserais-tu donc à une lâcheté de ma part ?

Il eut l'air violemment outragé, d'abord, avec ses yeux de pierre noire fixés sur Michel. Il ne lui manquait que les mataches* de guerre pour être tout pareil à l'Iroquois prêt à l'attaque. Puis il se mit à rire.

— Pas toi, non. Je vais te dire, mais n'en souffle mot à personne, pas même à ta jeune femme qui s'en trouverait en scandale. Voilà, je crois ferme au Bon-Dieu de la messe, aux Saints, à la Bonne-Vierge, au Fils et au Saint-Esprit. Mais si l'arc se brise à la chasse, ne vaut-il pas mieux avoir secours de la lance et de la hache ? C'est pareil pour les dieux : plus ils sont, et plus on possède de chances contre les diables et les mauvais esprits. Tu n'as pas recraché l'offrande ?

— Non. Mais c'était à dégueu**... heu... Enfin, je veux dire... heu...

— Ne dis rien. L'hostie, vraie chair du Christ, n'est guère bonne non plus. Cela colle au palais comme glu,

_____

* Peintures rituelles sur le visage.
** « Dégueuler » n'avait pas alors le sens trivial qu'il a pris par la suite.

impossible de l'avaler d'une seule coulée, comme toi tu viens de le faire pendant que je me recueillais.

Louis-Marie s'activait déjà à lier les pattes des caribous et à encorder leurs bois avec des lanières de peau. Comment avait-il été créé, cet homme, que ce fût par le Bon-Dieu ou sa mère la Terre ? Il était d'autre façonnement que Michel, il était doué d'autres sens mystérieux, impénétrables pour le meunier poitevin. Comme là-bas, au pays, ce vieillard que l'on nommait La Grolle et qui lisait dans les pensées... C'était la question que Michel se posait en écoutant Louis-Marie et en obéissant à ses ordres.

— J'ai besoin de toi encore, et t'en demande excuse, pour traîner un des caribous vers le canot. Tu es en hâte de revenir chez toi, et cette perte de temps, je la compenserai en t'aidant à dissimuler le gibier que tu comptes laisser sur place. Il faut ajouter des pierres sur les branchages, j'ai vu les traces de deux carcajous, un mâle et la femelle pleine. Les hommes blancs les ont appelés fort justement gloutons, tu ne trouverais guère restes de la chasse, demain. Tire d'un mouvement régulier, je te prie. Par les saccades de tes gestes, la peau va s'érailler. Ta jeune femme et dame Martineau, rassure-les, pour leur caribou : je reviendrai l'avant-midi, demain, afin de l'écorcher et couper proprement les cuissots pour faire les mocassins avec leur cuir. Nous y voilà. Doucement, pour embarquer la bête... Non, le canot ne coulera pas d'un poids supplémentaire de deux cents livres. Je n'y prendrai pas place, je vais le pousser en nageant. Et toi, mon ami, cours vers elle !

Sur ces mots, Louis-Marie s'était glissé dans le Fleuve et quittait la rive.

— Louis-Marie !

Le Huron arrêta son battement de jambes ; juste un frémissement de ses muscles pour maintenir l'embarcation immobile dans le courant.

— Comment sais-tu même ce que je ne dis pas ?

— J'ignore comment je sais. Mais je sais. Hâte-toi, puisque tu as si grand désir de retrouver l'aimée.

Louis-Marie s'éloigna ; à peine des gouttelettes marquaient-elles son sillage, tant sa nage était souple, sans effort apparent. La Grande Rivière le portait dans une caresse d'eau ; sur ses jambes, sur tout son corps, il devait ressentir la tendresse du sang vivant d'Aataentsic, sa mère la Terre...

« Hâte-toi. » De nouveau, ce toquement au cœur, cet affolement dans l'esprit : Rose, ma Rose ! Il courut sans plus penser à rien d'autre que la retrouver. Les bras dressés de la charrette lui semblèrent soudain comme un grand geste de désolation qu'un maléfice aurait figé.

Leur maison vide, et porte ouverte... Chez les Martineau, volets clos déjà... Michel avait frappé, criant :

— Rose ? Est-elle chez vous ? Rose ? Allez-vous répondre ?

Le silence, d'abord, malgré la tambourinade de coups de poings, de coups de pieds, malgré les appels. Puis la voix de Martineau :

— Non, mon gars ! Puis, arrête ce cibouère de crisse d'hostie de vacarme ! Ma femme à moi, elle est en attaque de nerfs, alors taise ta goule, et cherche la tienne ailleurs ! Supposément elle est guère loin, va, mon gars !

La voix colère s'était adoucie, sur la fin. Guère loin, bien sûr : Michel tentait de s'en persuader. Guère loin... Mais il aperçut le linge sur le bord du Fleuve, moitié dans le panier, bien plié, et moitié à l'éparpille, sur

l'herbe. Cela semblait si peu à Rose, proprette et ran-
geuse jusqu'à l'excès... Le Fleuve ! Le Fleuve ?
Impossible : en cet endroit, près de la rive, il n'y avait
pas plus de deux pieds en profondeur. Allons, il tombait
fou : sa Rose, son épouse, si nouvellement femme et si
jeune... Sa Rose qu'il avait tenue sans presque dormir
depuis leur mariage, elle s'était trouvée en besoin de
sommeil, elle était au fond du lit refermé, la pauvrette,
toute chaude et engourdie à la sieste. Il allait la serrer,
caresser, et lui raconter ces peurs, ces pensées noires qui
l'avaient tracassé à longueur d'après-dîner — si tarau-
dantes que Louis-Marie les avait pu voir sur son visage,
et non point les lire par sorcellerie dans sa tête !

Lentement ouvertes, les portes du lit-cabane, afin que
leur grincement ne portât pas Rose au choc d'un réveil
brutal. Lentement, doucement... Il souriait par avance au
bonheur de la retrouver, pelotonnée, fatiguée d'amour,
dans l'ombre de leur lit.

Le lit était vide, froidement lisse, couverture tirée ; le
lit désespérait d'absence, d'abandon... Michel en
referma les portes, elles claquèrent fort de la brutalité
du geste, et lui, tout bas répétait : Rose, Rose, et du
regard interrogeait le minuscule univers de leur maison,
comme si les objets pouvaient lui répondre en ayant
gardé trace du dernier geste qu'elle avait fait. Rose !
Rose !

Le fusil ! Le fusil n'était plus accroché à son râtelier
au-dessus de la cheminée. Cette fois, il hurla le nom à
pleine gorge, à désespoir de tripes, en jaillissant hors de
leur maison.

Elle l'avait entendu : il la voyait courant vers lui depuis le bois. Vivante. Vivante ! Mais demi nue, ébouriffée, saignant de tout le corps, et défigurée de visage. Si longue, interminable course... Dieu, qui que ce soit, il le retrouverait, le châtrerait, le ferait périr d'indicibles souffrances. Un Iroquois ? Non. Eux tuaient, ne violaient pas. Un soldat. Des soldats. Tant de soldats sans femme, avides comme loups...

Ils tombèrent à genoux face à face, elle pleurait : « Oh ! Michel... Michel... », et lui ne savait que répéter :

— Oui, je suis là, ma douce belle, je suis là, je suis là...

Elle s'accrochait à son cou, à ses épaules. Il n'osait pas toucher, pas serrer contre lui cette chair tant aimée, labourée de griffures profondes ; il avait mal en elle, mal pour elle... Il referma quand même ses bras, la pressa trop fort, à la faire gémir de souffrance : il ne voulait surtout pas qu'elle l'imaginât en dégoût de son corps profané par une autre semence. Il l'aimait, il l'aimait... Un Dieu juste pouvait donc permettre cela ? Comme elle avait dû se débattre, et résister, et l'appeler à son secours !

— Michel... Vite, parce qu'il va revenir, je le sais... Il faut retourner dans le bois et ramasser son fusil, je l'ai laissé tomber quand je t'ai entendu m'appeler. Et vite nettoyer son fusil, bien le graisser, que ça ne sente rien la poudre, et puis...

— Oui, m'amie, ma douce, je le ferai. Calme... Calme...

Sa petite Rose déparlait, déraisonnait de ce qu'elle venait de subir. Juste ces mots pour signifier encore quelque chose : SON fusil ! SON fusil ! Il ne reviendrait pas, non, le criminel, mais *son* fusil allait permettre de le démasquer ! Il suivit Rose qui trouvait encore force de courir vers le bois, il voyait le sang qui coulait sur ses jambes... À tendre voix, comme questionnant sur un infime détail, il demanda :

— Qui t'a fait mal, ma Rose ? Tu le connais ? Un soldat ? Un habitant* de Boucherville ?

Si doucement parler, alors que rugissait en lui la fureur de vengeance !

— Dis-moi qui, ma petite belle, pour me faire plaisir... Ma mignonne, ma gentille femme...

Il ne put feindre ni se contenir plus longtemps, il hurla :

— Qui t'a fait ça ? Qui t'a fait ça ?

Rose leva vers lui des yeux étonnés, prunelles moitié cachées par l'enflure des paupières.

— Mais... que crois-tu ? Oh ! mon Dieu, non, Michel, personne ne m'a... Quoi te donne à penser que...? Oh ! Je comprends...

Comme prise en faute, elle tentait de rabattre sur sa poitrine, sur ses jambes, les restes de sa chemise. D'une voix qu'il reconnaissait à présent éloignée de démence, elle dit que ça n'était rien d'autre que les branches épineuses des fardoches, et le tronc d'un grand arbre qui l'avaient toute déchirée, la peau, le jupon, la chemise... Lui, Michel, il devait arrêter de rouler ces yeux de fou, quelque chose d'horrible était survenu, mais pas à elle, non, pas à elle !

— Écoute, c'est affreux, Michel...

Non, il n'écoutait pas ! Pas à elle ! Pas à elle ! Peu lui importait ce que Rose disait sur le terrible, l'affreux « quelque chose » dont « quelqu'un » venait d'être victime. Il n'écoutait rien d'autre que cette voix en lui qui remerciait, qui pleurait, qui gueulait : Pas à elle ! Pas à elle !

---

* Paysan.

Il dut se retenir pour ne pas saisir Rose et la rouler contre lui à terre, en criant sa joie.

Qui donc soutenait l'autre en revenant vers leur maison ? Lui, il savait seulement qu'il venait de ramasser un fusil, que le canon en était chaud encore et sentait fort, et que ce n'était pas le sien ; dans le désordre de son esprit, il avait quand même remarqué une infime éraillure sur la crosse, qui ne marquait pas son fusil. C'était bizarre, un si minuscule détail qui émergeait pourtant de son bonheur sauvage à savoir Rose épargnée par l'horreur...

— Tu ne m'écoutes pas, Michel. Assieds-toi, je vais reprendre, mais vite, je t'en prie, nettoie ce fusil. Vite !

Elle avait elle-même ouvert la porte. L'avait amené jusqu'au banc. S'était mise à fouiller le coffre, en avait tiré l'écouvillon, le pot de graisse, et les avait posés devant lui, sur la table.

— Vite, Michel ! Presse-toi, enfin ! Et arrête de trembler. Il va revenir, je te dis. Vite ! Vite !

Comme elle était forte, sa Rose du Fleuve ! Tout en le bousculant de paroles, elle passait une chemise propre, un jupon bien tiré jusqu'aux pieds, elle refaisait ses tresses, se passait la débarbouillette mouillée sur le visage.

— Qui... va... revenir ? Qui ?

— Oh ! Dieu-Seigneur, tu n'as donc rien entendu de ce que je t'ai dit ? Rien ? Jean-Baptiste, qui va revenir ! Il a tué son frère par accident. Tu me comprends, cette fois, oui ? Voilà, écoute ce qu'on doit faire, et du même temps, nettoie vitement ce fusil. Ou alors, je m'y mets, moi !

Comme elle était forte, sa Rose du Fleuve ! Il ne parvenait pas à ouvrir la boîte de graisse...

— Quoi ? Ce n'est pas possible ! Pas possible !

Un homme. Son homme... Avec toute cette énergie et ce courage qu'elle lui connaissait, voilà qu'il se montrait à elle comme un enfant désemparé ; voilà qu'elle se sentait plus solide que lui ! Presque il lui faisait honte, à trembler de même, en acharnant ses grandes mains sur le taquet de la boîte qu'il poussait à contresens !

— Quoi ?... Oh ! mon Dieu ! Jean-Baptiste... et Jacques... quelle abomination ! Mais pardonne-moi si je n'ai pas entendu d'auparavant ; c'est à cause d'avoir eu si grand'peur pour toi. Ça m'a... je ne sais pas te dire... Je t'écoute, maintenant !

« Pardonne-moi ! » Pardonner quoi ? De tant aimer ? De trop aimer ? C'était d'elle-même que Rose avait honte à présent, en recommençant son récit. Lui, il avait retrouvé la sûreté de geste, le coup d'œil précis, la rapidité à la tâche : le fusil se trouva en place au râtelier bien avant que Rose eût terminé de raconter.

Michel l'avait parfois interrompue d'une question précise lorsqu'elle s'emmêlait d'explications ou que les sanglots brouillaient sa voix. Un moment de silence lorsqu'elle eut fini de parler. Puis la voix calme de Michel, malgré les larmes dans ses yeux qu'il essuya d'un revers de manche. Voilà... ils allaient faire... ils allaient dire...

Ils allaient faire et dire mensonge, jusqu'au parjure s'il était nécessaire. Rose, avec Michel, en tombait d'accord : le Ciel avait accablé deux enfants innocents d'une trop injuste cruauté, aujourd'hui. Eux, le seigneur Boucher leur demandait de jurer devant Dieu, en péché mortel, que Jean-Baptiste n'avait pas tué son frère. Qu'il n'avait pas PU le tuer, puisque son fusil n'avait pas tiré.

« Tout comme un autre jour. Sans rien changer de nos habitudes. En premier, ramasse ton linge... »

Sur ces mots, Michel était sorti afin de panser* les bêtes. Revenu à la rassurante maîtrise de lui-même, il avait d'abord fait leçon à Rose sur ce qu'il convenait de dire lorsque Jean-Baptiste reviendrait. Quelque chose, dans son regard, paraissait comme un doute sur un possible retour de Jean-Baptiste. Il n'en avait cependant rien exprimé, et Rose lui en était reconnaissante : elle aussi craignait que Jean-Baptiste en arrivât à se détruire par l'insurmontable douleur. Mais les mots auraient pu donner corps à cette ultime atrocité, les paroles auraient pu être entendues par les démons d'enfer. Se taire, surtout, se taire, et aussi ne plus songer que Jean-Baptiste, peut-être, en ce moment, roulait dans le courant du Fleuve, tout pâle tout bleu tout noyé... Même les pensées devaient faire silence !

« En premier, ramasse ton linge. »

Rose s'obligea à marcher tranquille vers la rive. À ramasser sans hâte les morceaux encore épars sur l'herbe, et non à les jeter à patatras dans la corbeille. Bien pliés, bien triés, bien rangés. Comme les idées dans sa tête, à présent.

En revenant du même pas assuré vers la maison, elle entendit Michel dans l'étable. Il parlait à Rousse, leur génisse : allait-elle venir à bout de le faire au printemps, son veau ? Si elle continuait pareillement à ruer, se démener comme une diablesse, jamais elle n'aurait de lait ! Pas comme cette bonne vieille Gentile, que c'en était bonheur pour Rose de voir son lait pisser si dru dans le seau deux fois le jour.

---

* Nourrir.

Rose sentit qu'ils étaient deux à s'épauler, qu'ils étaient forts de leur entente, et que, peut-être, leur amour d'homme et de femme mènerait jusqu'à réussite la machination si difficile imaginée par le seigneur Boucher pour tromper Jean-Baptiste et l'épargner au moins d'une part de son chagrin.

« Tout comme un autre jour... » Si Jean-Baptiste était arrivé à l'instant, il aurait vu une jeune et active ménagère occupée à la préparation du souper.

« Du vite fait. Après la laverie, pas vrai, une femme n'a point le temps de fricoter grand'chose. Mais, quand même, ça doit tenir au corps, pour un homme. Moi, je me contenterais de bluets*, d'un rien de sirop et de lait caillé. Ma mère, Dieu merci, m'a appris tout ce qu'il convient de faire au ménage et à cuisine quand on est en responsabilités de femme mariée. »

Rose s'obligeait à parler dans sa tête, à formuler mots et phrases sur des préoccupations ordinaires qui devaient emplir sa cervelle, n'y laisser aucun vide où auraient pu se couler la mort de Jacques, la folie désespérée de son frère.

« Du tôt-fait. Mais faut que ça soye flatteur à son goût, quand même. Ça non, il n'est pas difficile à contenter, Michel : il a vu si gros de misère en Poitou ! Mais moi, j'ai mon amour-propre redressé quand je lui vois les yeux brillants, par gourmandise de ce que je cuisine. De l'anguille... Coupé menu-menu, c'est vite de cuisage, l'anguille salée. Et il a goût sur ça, à n'y pas croire ! Trois fois le jour il en mangerait ! Depuis tantôt un an qu'on se connaît, souvent de fois il m'a dit...

---

* Myrtilles.

— Tu vois, ma Rose : c'est aussi à cause des anguilles que je voulais venir en Canada dans mon jeune âge. Le seigneur Boucher, dans son livre, disait qu'un homme en avait pris cinquante milliers, pour sa part. Moi, je gageais que c'était impossible, et on disputait sur ce nombre avec Maurillon qui pariait possible, lui.

Rose resta le couteau en suspens au-dessus du billot à trancher. Elle ne devait pas, en ces moments de drame, évoquer « Maurillon », Jacques de Sainte-Maure de Montauzier, le petit baron. Il s'appelait Jacques... Et il était mort, depuis longtemps pauvre squelette sous une dalle de l'église d'Augé. Mort... à peu près au même âge que...

« Bon. L'eau bouille à gros dans la chaudière, je mets l'anguille. Ce qu'il aime aussi, Michel, dans la soupe d'anguille, c'est trois-quatre cuillerées de graisse, rondes-pleines, sans ménager, voilà ! Parce que, chez lui, au vieux pays, c'était la soupe maigre à tous les jours ou presque, même aux orties des fois, quelle horreur ! Puis je vas mettre le restant de pois du dîner, pour épaissir, voilà ! Asteure, tailler le pain dans les écuelles... Depuis tantôt un an qu'on se connaît, souvent de fois il m'a dit...

— Tu vois, ma Rose, moi qui étais meunier, en Poitou, jamais je n'y ai mangé d'aussi bon pain. Ici, le pain me fait ressouvenir de la brioche que Maurillon volait pour moi, quand sa nourrice en cuisait au château.

Rose sursauta, s'entama le pouce par la brusquerie du mouvement. Pourquoi revenait-elle encore à Maurillon ? Était-ce parce que Michel lui en parlait chaque jour, et sans apparente tristesse, de cet ami défunt depuis si longtemps ? Elle le sentait comme de la famille, aussi proche d'elle que les jumeaux... « Je suist-y malhabile, donc ! Pas trop minces, les tailles de pain, pour Michel. Moi, je les aime fines, à voir le couteau au travers : des manières de petite demoiselle riche, à ce qu'il prétend. Lui, quasiment, faut que sa cuillère tienne debout dans l'écuelle. Il dit qu'il en a trop mangé en France, des soupes claires ! Ça fait qu'asteure il se rattrape, ses estomacs n'ont plus de fond. Il ne réclame pas, sa deuxième assiettée finie, non. Mais moi, je me rends compte qu'il a encore appétit si je lui rajoute un brimborion de mangerie, après. Des œufs bouillis... ou une omelette... les trois canes fournissent bien en ce moment, mieux que les poules. Et il est gourmand, sur les œufs ! Depuis tantôt un an qu'on se connaît, souvent de fois il m'a dit...

— Tu vois, ma Rose : chez nous, à la Bêchée, la volaille ne pondait pas pour les Jamonneau. Les œufs, c'était pour la redevance au château de Vieux-Viré*, ou pour mettre à couver, et le reste pour les vendre. Petits drôles, avec mon frère Jacquet, ça nous est arrivé d'en friponner au nid, frais pondus, pour les gober. Pas souvent, même si on trouvait bon, vu que notre mère se désolait sur ces poules qui chantaient l'œuf sans l'avoir fait ! Vers mes quinze ans, j'en ai encore volé, et sans remords pour les pleurs de ma mère. Il me semblait que ces œufs, par moi dérobés, par moi donnés, auraient pouvoir magique d'amitié et viendraient à guérir la maladie de poitrine de Maurillon...

---

* La Bêchée faisait parti du fief de Vieux-Viré.

Rose laissa tomber l'œuf qu'elle s'apprêtait à casser dans un poêlon. Le jaune en resta bien rond sur le sol, parmi les éclats de coquille...

Pourrait-elle tenir, sans hurler, jusqu'au retour de Michel ? Pourrait-elle lui demander, comme on fait pour conjurer un mauvais sort, de lui parler de son ami Maurillon ? De le faire revenir un moment à la vie, en paroles, comme... comme... Jacques ? Il s'appelait Jacques... de Sainte-Maure... de Montauzier. De Montizambert... Montizambert, plutôt... Il y avait des filaments rouges sur le jaune d'œuf bien rond, par terre. Elle les distinguait parfaitement ; et les os cassés, tout autour, elle les voyait aussi, au ras de ses yeux... Pourquoi donc elle s'était couchée sur le plancher ? Envie de dormir...

— Rose ! Rose !

... et pourquoi Michel cornait-il si fort à ses oreilles ? Elle était réveillée, pourtant ! Juste encore les yeux fermés. Lourds, lourds à ouvrir, les yeux... Et... que lui prenait-il soudain, à son gentil mari, pour la gifler de même, la gifler, que sa tête en ballottait d'un côté de l'autre ?

Elle prit soudain conscience qu'il lui tapotait seulement les joues, presque en caresse. Que, d'un bras, il la maintenait assise contre lui, en suppliant à douce voix : « Rose, Rose », sans cri ni brutalité. Elle ouvrit les yeux, s'accrocha un peu à lui pour se relever, et s'écarta vite de son soutien. « Tout comme un autre jour... Sans rien changer de nos habitudes... »

— Je suis une pauvre incapable, ma mère serait morfondue de me voir ! D'abord, je m'entame le pouce en taillant le pain. Puis j'échappe* un œuf, et je ripe dans le blanc — c'est gras, l'œuf de cane... Alors j'ai dû cogner le coin de table en tombant, ça m'a tout étourdie. Bon, le fricot sera tantôt prêt. Je ferai une petite omelette, du temps que tu mangeras ton deuxième plâtras de soupe.

Comme elle était forte sous son apparente fragilité de fillette, la petite Rose !

Michel la voyait, livide encore de sa pâmoison, se forçant à manger, s'obligeant à parler d'une voix gaie et assurée. Son affolement, son désarroi, Michel ne les discernait plus que dans les regards qu'elle jetait du côté de la porte, toujours close dès le crépuscule pour éviter les insectes de nuit que la lumière et la chaleur de l'âtre attiraient. Elle avait demandé à Michel, avant de tirer le battant :

— On pourrait laisser la porte ouverte ?

— Non. Ce serait montrer que nous l'attendons. Hier au soir, rappelle-toi, il est venu pendant que nous soupions. Et il lui a fallu frapper. Faisons tout comme à l'ordinaire.

— Bien sûr. Tu as raison.

Maintenant, les regards de Rose disaient aussi clairement que des mots : « Jean-Baptiste est peut-être là à l'écoute, aux aguets... » Dans ses beaux yeux, ses yeux changeants comme les eaux du Fleuve, les lueurs des flammes mettaient d'habitude de troublants éclats dorés, comme aux prunelles des chats. Des scintillements d'étoile qui donnaient à Michel l'envie de la saisir, de l'étreindre, de la poser toute vêtue dans le lit,

---

* Laisser tomber par maladresse.

comme il l'avait fait pour la nuit de leurs noces. À présent, sous les paupières gonflées de piqûres, les yeux de Rose ne brillaient pas pour l'amour et les caresses ; les yeux de Rose, dans leur désolation, démentaient le ton vif, l'enjouement de ses paroles. Dieu ! qu'il l'aimait, dans ce courage...

— Alors, comme ça... Oh ! Michel, raconte-moi encore, c'est ma préférence dans tes histoires de là-bas... Alors, comme ça, avec ton ami Jacques de Sainte-Maure, Maurillon comme tu dis toujours, le commencement de votre affection, c'était...?

— Eh bien, je l'avais laissé se suspendre à une aile du moulin, et...

— Non ! Pas ça ! Ensuite, quand il est redescendu !

— Rosette ! Coquine ! Alors, ça a été un coup de pied au cul. Et un bon, tu peux croire. Ça l'a boulé dix pas plus loin, le Maurillon ! Enfin, je veux dire, avec respect : le baron de Sainte-Maure de Montauzier. On en a ri, on en a ri, après !

Rose riait aussi, en l'écoutant, à pleins éclats, à belle gorge — tout en gardant des yeux tragiques.

— Voilà ! Voilà ce que j'aurais dû faire, moi aussi, pour cette comédie que je t'ai racontée. Mais, pas vrai, moi je ne suis qu'une toute menue personne, et lui il est plus grand, plus lourd qu'était ton Maurillon. Alors, je l'ai juste battu à coups de chemise mouillée, ce babouin de Jean-Baptiste. Enfin, je veux dire, avec respect : le sieur Jean-Baptiste Boucher de Niverville !

Michel mesura à plein la vaillance de sa petite épouse aux efforts qu'il dut faire pour se tirer du gosier des « ha ! ha ! ha ! » suffisamment sonores pour qu'on les entendît derrière cette porte que Rose surveillait toujours tout en parlant :

— Houlà ! Ma mère, tant fière d'avoir si bien élevé sa fille ! Si elle nous entendait rire, et jaser de même ! Surtout que j'en ai oublié de te fricasser l'omelette... Combien d'œufs je te mets ? Deux ? Trois ?

Il s'apprêtait à répondre : « Non, merci, pas d'omelette... », quand il vit le regard de Rose : elle lui faisait savoir en certitude que Jean-Baptiste était là, qu'il les entendait, et elle continuait à parler gaiement :

— Tu n'en veux pas quatre, tout de même, grand galoufre ? Seigneur, il me mangera la maison ! Bah ! Je me sens encore appétit, je t'en volerai un petit bout sur le bord, bien rousti. Tu préfères à quoi ? À l'oseille ? Au persil ? Aux cives ? Tu ne dis rien, tu veux l'omelette à tout, c'est ça ? Eh bien ! avec un gourmand de même, on viendra à ruine de provisions loin avant la fin d'hivernage, et...

Puis elle changea de ton, passant de l'enjouement à la colère :

— Non, mais ? C'en est, des façons ? Tu entres sans frapper, maintenant ? Malappris ! Michel, dis-lui, toi, que ça ne se fait pas !

Jean-Baptiste Boucher se tenait à l'embrasure de la porte. Michel eut à peine le temps de prendre conscience du chevrotement de sa voix, d'en être humilié face à l'assurance de Rose dans cette abominable et nécessaire comédie.

— Oui. Elle a raison. Ça ne...

— Jacques est mort ! Je l'ai tué.

Rose fit encore front : il avait bu, n'avait-il pas grand-d'honte ? Un Sauvage, supposément, qui l'avait saoulé à l'eau-de-vie... Fallait s'attendre à tout, de leur part...

Il répondit avec un calme plus effrayant que ne l'eût été une agitation de cris et de pleurs. Il avait tiré, et puis entendu son frère qui disait : « Ah ! Mon Dieu !

Je suis mort ! » Il s'était sauvé, et, dans sa course, il avait vu Le Verrier et Rochemont sur la rive, qui portaient vers le canot le corps de Jacques tout recouvert, même la tête, comme dans un linceul, par la tunique militaire de Rochemont. Il avait tué Jacques, et il venait vers Michel chercher secours pour mourir, lui aussi.

Rose partit dans une crise de nerfs, avec des hurlements, des larmes... Michel y devina une feinte ; elle ne se montrait en pitoyable faiblesse de femme que pour donner à son homme le temps de se ressaisir, de trouver la force de parler.

Lorsqu'elle se calma enfin, Michel s'approcha de Jean-Baptiste qui s'était assis sur le banc et paraissait aussi inerte et insensible qu'une statue.

— Jean-Baptiste... Les deux autres... ont-il tiré ?

— Non. Moi tout seul.

Michel pensa qu'il remercierait plus tard le Ciel pour ce bienheureux égarement du pauvre enfant qui allait rendre plus facile leur mensonge de miséricorde. Un seul coup de feu : or il ne pouvait pas venir du fusil qu'ils iraient ensemble rechercher...

Chapitre 3

La barrière du Fleuve

Rose priait, les yeux fermés, mains jointes :
« Faites, Bonne-Vierge, que Michel s'en revienne du chantier avant nuit. Que le Fleuve se prenne vite. Qu'on ne reste plus de même, sans voir âme qui vive. Vierge-Marie, j'ai peur, j'ai peur, toute seule la longue journée, accordez que... »

Rose s'arrêta brusque dans cette prière qui montait jusqu'au cri : en s'entendant plaindre ainsi, à gémissements aigus, elle se sentait apeurée davantage encore. D'ailleurs, il lui arrivait de penser qu'elle agaçait la Sainte-Vierge par ses supplications, plutôt qu'elle ne l'apitoyait.

Qu'avait-elle donc à rechigner, Rose Jaudouin, épouse Moineau ? Ne l'avait-elle pas espérée, attendue, cette solitude sur l'île, avec son Michel pour unique compagnie ? Ce qu'elle ignorait alors, c'était l'importance des travaux qui le tiendraient dehors, loin d'elle, tant que le profond hiver ne serait pas venu pour l'encabaner au foyer.

Combien elle regrettait à présent le départ des Martineau ! Dire qu'il lui aurait fallu une centaine de pas, guère plus guère moins, pour pousser la porte de la Martinelle et — malgré les odeurs de pisse, de lait aigri

— trouver réconfort avec l'exubérance de la grosse femme, ses jacasseries, l'agitation de ses fillettes, les brailleries ou les rires de son poupon ! Vide, la maison Martineau. Effrayante de silence. Abandonnant l'espace au fracas du Fleuve...

Dès le début de novembre, les glaces étaient arrivées. Cependant, elles ne restaient toujours que des glaçons* charriés dans la violence contraire du courant. Le Fleuve résistait à l'embâcle, cette année-là, comme une bête luttant pour s'échapper du piège avec des soubresauts, des cris, des souffles rauques. Allait-il céder enfin, se laisser immobiliser sous sa carapace d'hiver ? Cela faisait plus d'un mois qu'il se débattait, se refusait à l'emprisonnement ! Plus d'un mois — Rose entaillait des coches sur un bâton — que l'île Saint-Joseph était cernée, enclose, barricadée par la colère du diable Saint-Laurent se défendant contre le carcan du gel.

Louis-Marie l'avait prévu (ou peut-être avait-il jeté un sort ?). Dès la fin de septembre, il l'avait annoncé : le ciel s'écroulait en torrents d'eau sur le pays des Outaouais, et la Mer Douce**, où naissait la Grande Rivière, enflait comme une femme fécondée. Elle allait enfanter d'un flot si puissant qu'il repousserait les glaces venues du nord, et que le combat durerait longtemps. Dieu ! Qu'elle le haïssait, Sondaka, l'Aigle ! Depuis plus d'un mois, et sans doute à cause des sorcelleries de ce Sauvage, depuis une éternité de jours Rose et Michel n'avaient pu se rendre à Boucherville, personne n'était venu les visiter sur l'île. Et elle, Rose, demeurait esseulée, Michel s'acharnant à son bois :

---

* Le terme s'appliquait à des blocs de glace, certains de forte taille.
** L'ensemble des cinq Grands Lacs américains.

encore plus, toujours davantage de bûches, de billots, de planches, de bardeaux ! Comme une folie qui l'aurait saisi, une fringale jamais assouvie ! Cependant, il s'y donnait à si bon cœur, il en éprouvait une telle joie que Rose se serait fait hacher comme chair à pâté plutôt que de lui avouer son effroi : il aurait pu y supposer un regret de l'avoir épousé.

Elle était taraudée aussi par le souci qu'elle se faisait au sujet de Jean-Baptiste. Le soir du drame, Rose et Michel s'étaient contraints à chercher longuement le fusil à la lueur d'une torche de résine. Ils avaient laissé Jean-Baptiste le découvrir lui-même : « Là-haut... Là-haut... » Michel s'était chargé de l'escalade : « Tu vois bien, la douleur t'a égaré. Renifle ce canon : il n'a pas tiré depuis longtemps ! » Et Jean-Baptiste s'était mis à délirer... Les seuls mots sensés qu'il eût alors prononcés, dans son bredouillis de désespoir, avaient été : « Il est mort... Je ne l'ai pas tué... pas tué... pas tué... »

Michel l'avait ramené au manoir, à la mi-matinée, dans une brûlure de fièvre, un égarement d'esprit qui avaient fait craindre pour sa vie durant deux semaines. Revenu à la raison, il avait ensuite canoté chaque jour, pour passer sur l'île. Grandi, amaigri, méconnaissable. Doux et humble, empli de compassion pour le capitaine Le Verrier. Lorsqu'il l'évoquait, il semblait réciter une leçon : le malheureux, disait-il, était trop accablé de remords pour qu'on lui gardât rancune. D'ailleurs, ses chers parents avaient écrit dans ce sens au Conseiller royal : bien loin de demander réparation d'argent, comme il était d'usage pour les accidents de chasse, ils le déchargeaient de cette mort et l'assuraient que ni poursuite ni plainte ne seraient engagées contre lui. Le Verrier avait même quitté Boucherville, sitôt consignés ses aveux, craignant d'aviver chez la famille, par sa présence, la douleur dont il était cause, le malheureux...

Rose et Michel l'écoutaient chaque jour, répétant les mêmes mots, sur le même ton. Ils approuvaient de la tête : oui, un malheureux. Juste une interrogation qui resterait sans réponse... Rose se rappelait les paroles du seigneur : « Le Verrier prendra tout sur lui. Maudit homme, je lui ai promis de... » Et l'arrivée de son gendre l'avait interrompu. Qu'avait promis le seigneur Boucher ? Mais bah ! Quelle importance à le savoir ? L'essentiel, ce à quoi Rose et Michel s'étaient si fort acharnés, n'était-il pas que Jean-Baptiste se sentît innocent de la mort de son frère ?

Que devenait-il, à présent, Jean-Baptiste, arrêté par cette barrière de glaces entrechoquées ? Lui qui trouvait un tel réconfort à bavarder avec Michel lorsque celui-ci parvenait enfin à écarter de la conversation le « malheureux capitaine Le Verrier* » ? L'un et l'autre évoquaient alors des souvenirs heureux, des souvenirs qui ressuscitaient soudain deux jeunes garçons morts en la fleur de l'âge : un petit baron malfait, boiteux, de vieille et grande noblesse française, et le robuste fils d'un seigneur canadien dont le père, à Mortagne-au-Perche, n'avait été qu'un pauvre paysan-menuisier. Deux

---

* Quoique piètre militaire (Louis XIV, dans une lettre personnelle, le blâme de son défaut de zèle au service), Le Verrier monta régulièrement en grade au Canada, et fut même fait chevalier de Saint-Louis. Il ne put cependant obtenir le poste de gouverneur de Trois-Rivières qu'il avait sollicité : Pierre Boucher, entretemps, était mort.
Les dépositions de Le Verrier, de Rochemont et de Jean-Baptiste Boucher ne furent faites devant Mathieu Gaillard, conseiller royal, que le 16 octobre, soit cinq semaines après l'accident.
Le curé de Caumont, qui n'avait pas administré les sacrements *post mortem* à Jacques Boucher, fut remplacé dès le 20 septembre par M. Guybert de La Saudraie.

enfants défunts que tout séparait : l'origine, le temps, l'espace, et qui revenaient à la vie ensemble, rieurs, complices, fraternels.

À ces conversations, Jean-Baptiste reprenait goût à l'existence : son frère resterait toujours présent à son côté, tout comme Maurillon le demeurait pour Michel. Rose craignait fort qu'au manoir, dans le recueillement du deuil et des prières, Jean-Baptiste ne tombât dans la profonde mélancolie. Personne ne lui rappellerait les moments joyeux, on y parlerait de Jacques comme d'une âme élue, au Paradis : « Seigneur, que Votre volonté soit faite... » Et Jean-Baptiste ne pourrait plus sourire, crainte d'être accusé de sécheresse au cœur, en évoquant son jumeau, cet autre lui-même qui continuait de vivre sur cette terre par le souvenir...

Rose monta sur le coffre, elle était trop petite de taille pour atteindre la lucarne. Elle dut souffler longtemps sur la vitre que le givre blanchissait. Dans le minuscule rond de transparence, elle n'apercevait rien d'autre qu'une bouillasse d'embruns, traversée d'éclats de lumière irisés comme dans un arc-en-ciel. C'était superbe, assurait Michel, le soleil se jouant sur les glaçons ! Elle, cela lui faisait peur davantage encore, elle ne voyait dans ces rondes de couleurs qu'une diablerie, une nargue de la Grande Rivière pour lui dire : « Pas aujourd'hui encore, que tu auras de la belle visite* ! Toute seule à long de journée avec tes frayeurs, aujourd'hui encore, et toujours peut-être, la Rose du Fleuve ! » Avant de descendre, Rose tira le volet sur la lucarne : ce carreau de vitre était comme un œil, elle ne voulait plus rencontrer ce regard fixe et froid.

---

* Visite agréable, vivement souhaitée.

Elle s'encapota chaudement pour sortir. Avant nuit tombée, il lui fallait s'occuper des bêtes : tirer le foin, traire Gentile, agrener la volaille, nourrir les cochons. Ce serait la tâche de Michel lorsque le bon hiver l'aurait enfin fixé à la maison et à ses proches entours.

Pour l'instant, elle avait exigé de s'en occuper elle-même, présentant des arguments raisonnables : lui, il avait suffisance d'ouvrage, et il allait la mettre en vexation s'il ne la croyait pas capable de se conduire en bonne habitante* ! Surtout — mais elle s'était gardée d'en faire état —, les animaux la rassuraient de leur chaleur, de leurs bruits, de leur vie. Pour un peu, si l'amour-propre ne l'avait pas retenue, elle aurait passé l'entière journée au milieu des bêtes, dans la grange-étable !

Ce soir, tout serait à l'ordre au retour de Michel. Comme toujours, après l'avoir embrassée, mignotée dans le cou, décoiffée de caresses, il allait demander :

— Ça va ? La journée s'est passée à ta convenance ?

Et, comme toujours, elle allait répondre :

— Parfait-bien. Le temps galope trop vite, à peine si je l'ai vu passer !

Quand même, ce soir, peut-être ferait-elle la grimace, s'il l'appelait Rose du Fleuve. Peut-être ne pourrait-elle retenir sa langue et demanderait-elle de ne plus lui donner ce nom, parce que ce Fleuve était un monstre ! Un monstre !

Elle minaudait d'avance, souriante, câline :

— Ne m'appelle plus de même. S'il te plaît, Michel...

---

* Paysanne.

Michel posa la cognée pour souffler un instant. Et, surtout, pour évaluer du regard, une fois de plus, la richesse qui était sienne : à lui ces rondins, bûches, billots de hêtre, de merisier, de frêne, d'érable. Une fortune de bois à vendre en belles cordes* aux bourgeois de Ville-Marie ! Un bonheur de feu pour le jeune ménage de Rose et de Michel ! Sans compter les ustensiles, les outils, le menu mobilier qu'il allait pouvoir façonner au cœur de l'hiver... Une berce, peut-être ? Jésus ! Aucun nouveau-né, en Canada, fils de riche marchand ou fille de seigneur, n'aurait plus beau berceau, ouvré de tant d'amour, que le premier enfant de cette lignée qu'un meunier poitevin allait planter sur les bords de la Grande Rivière !

Il se remit à l'ouvrage : la lune était pleine depuis trois jours, et ce soir encore le clair du ciel lui permettrait de travailler longtemps, après soleil couché. Sa petite courageuse femme, heureusement, n'était pas sujette aux peurs et angoisses dans la solitude. Toujours souriante et gaie à son retour, la Rose du Fleuve ! Pour lui, pour elle, chaque coup de la cognée mordait le bois avec un bruit qui chantait au cœur de Michel.

Il se revoyait, en jeunesse, glanant le bois mort — le seul auquel les tenanciers avaient droit. Il se rappelait les trois tisons croisés sous la marmite, dans l'âtre de la Bêchée, vite écartés et étouffés de cendres, sitôt la soupe cuite, afin d'en économiser les brandons. Bien sûr, le froid en Poitou n'était pas si long, si mordant qu'ici, en Nouvelle-France. Cependant, l'humidité stagnant au fond du vallon rendait l'hiver pénible à la mesquinerie du feu, surtout pour les femmes de la maisonnée qu'un travail de force n'échauffait pas.

---

* *Une corde* : environ quatre stères.

Rose, dans leur maison, cet hiver, pourrait coudre, ravauder, brocher* sans avoir à souffler sur des doigts gonflés, crevassés d'engelures, afin de les dégourdir à la passagère tiédeur de l'haleine. Pour elle, pour lui faire douce vie, chaque entaille de la hache ! Cette fortune, cette bénédiction de bois, à peine serait-elle rognée du vingtième, une misère de redevance, pour l'entretien du fort, de la chapelle et du moulin à Boucherville.

Le seigneur ne s'était pas déplacé lui-même pour indiquer à Michel les conditions du travail qu'il devrait désormais assumer. Moins d'une semaine après la mort de Jacques, Pierre le fils aîné — Boucher de Boucherville — était venu visiter les Martineau qui se préparaient au départ. Puis il avait entraîné Michel dans une marche à travers l'île. Sans un mot, d'abord. Tête baissée, mains croisées-décroisées dans le dos, avec une visible nervosité. Il avait attaqué la conversation en brusquerie :

— Il est hors de question que tu quittes l'état de domestique au service de mon frère de Grandpré, sur son domaine, pendant deux années encore. Mais...

Le ton de Monsieur le fils aîné n'avait pas plu à Michel, lui portant comme un écho de la dureté tranchante de Pastureau, le fermier-général qui régentait à la Bêchée. Michel l'avait interrompu rêchement :

— Je suis encore soldat, monsieur, et tenu à mes engagements. Votre frère croit-il que je m'en vas déserter à la course** ? Je resterai le domestique du fermier qui remplacera Martineau, rassurez-le sur ce point.

* Tricoter.
** La traite des fourrures avec les Indiens faisait l'objet de contrats. Les « coureurs des bois », eux, agissaient en toute illégalité.

— Laisse-moi donc parler. Têtes de pioches, hein, les Poitevins ? C'est ici leur réputation, et tu n'y faillis pas.

La voix s'était adoucie. Ne soulignait même pas, dans son intonation, à raillerie plutôt qu'à remontrance, l'incongruité du valet coupant la parole au maître. Signifiait plutôt, par cette ironie piquante, si inhabituelle chez Monsieur le fils aîné, un embarras à s'expliquer et à en venir au fait.

— Mais mon frère Lambert, comment dire, tu le connais ? Il est plutôt... voyons... plutôt soldat qu'-homme de la terre. Peu... peu sûr de jugement et de méthode sur la tenue d'un fief... Trois fermiers sur l'île Saint-Joseph, c'était... c'était extravagant. Notre père a su le persuader qu'un seul y suffisait. Cependant — fort justement, comme toujours — notre père pense qu'il pourrait s'écouler deux ou trois ans avant que mon frère de Grandpré installât un nouveau fermier sur l'île. Notre père a estimé qu'en l'attente de ce moment, le travail que toi et ton épouse fournissez sur ce domaine devra recevoir sa juste compensation. Notre père a donc décidé que...

Le seigneur Pierre Boucher avait pensé... estimé... décidé... que le domestique de son fils de Grandpré serait traité de même façon que les colons de Boucherville, vu l'ampleur du travail qu'il fournirait. Il devrait payer un denier* par arpent en culture au sieur de

---

* L'unité de monnaie était la livre. Une livre valait vingt sols ou deux cent quarante deniers. À titre d'exemple, un domestique pouvait recevoir jusqu'à douze livres par mois. Une poule valait sept sols, une vache trente livres.
La seigneurie de Boucherville était la plus généreuse de Nouvelle-France pour ses colons.

Grandpré, en ce qui concernait la rente. Pour le cens, le vingt-sixième des grains. Et le vingtième, pour le bois de communauté. Il ne s'agissait bien entendu que d'un contrat verbal, afin que fussent préservés les droits légitimes du sieur de Grandpré sur le fief lui appartenant.

— Tu ne dis mot ? Douterais-tu sur la parole d'un Boucher ?

Non, Michel ne doutait pas. Il se trouvait seulement dans l'incapacité de répondre, tant l'offre lui paraissait démesurée de faveur à son égard. Le seigneur Pierre Boucher avait évoqué, devant Rose, l'« éternelle reconnaissance » qu'il garderait pour le secours apporté à Jean-Baptiste. Rose, une fois passées les grandes affres de bouleversement, lui avait confié :

— Tu sais, je pense qu'on sera tranquilles, désormais. Le mauvais Bruslon ne pourra plus te faire crocher jusqu'en Nouvelle-France. Le seigneur m'a fait comprendre qu'il t'en protégerait, même connaissant ton nom véritable, parce que... comment a-t-il dit ?... tu t'étais montré en France un cœur droit, droit et secourable, oui, voilà ses propres mots. C'est un poids en moins pour nous. Pauvres bessons ! Ce n'est pourtant pas pour ça qu'on est venus en aide à Jean-Baptiste : le sentiment qu'on avait pour lui suffisait...

C'était à tout cela que Michel avait pensé, tête baissée, et silencieux, devant le fils aîné du seigneur. Pouvait-on payer ainsi le sentiment, comme on paie pour l'achat d'un bestiau ? Et puis, tout aussitôt, il s'était dit qu'il s'en mordrait longtemps les doigts s'il refusait avec arrogance une telle offre. Avait même pensé que c'était en somme peu de chose, comparément à la concession promise à Martineau. Pierre Boucher le fils s'était impatienté :

— Enfin, qu'est-ce donc qui t'arrête ?

— Rien, monsieur, rien. J'accepte. Je pensais seulement aux jumeaux. Nous les aimions fort, mon épouse et moi, et...

Monsieur le fils aîné avait détourné les yeux, regard fuyant comme s'il eût assisté à une indécence de conduite, et vite interrompu Michel pour des précisions de détails. Le bœuf, la charrue, le principal des outils et instruments, étant propriété de son frère de Grandpré, restaient à l'usage de son domestique ; pareillement la moitié des récoltes de la présente année et le troisième du cheptel. Ledit domestique s'installerait dans la maison de ferme, plus vaste que sa modeste cabane, dès le départ dudit Martineau, et...

— Ça non, monsieur ! Ça, jamais !

La réponse était partie à la rafale, cette fois, coupant net le jargon de notaire que le sieur Boucher de Boucherville dévidait avec une complaisance rengorgée.

— Tiens donc ! J'en aviserai mon père, qui croyait te faire obligeance par cette proposition. Sur quelle raison, un refus aussi catégorique ?

— Ma foi, monsieur, sur la raison que mon épouse trouve que ça pue, chez les Martineau ! Elle pense que l'odeur doit avoir infecté profond : le plancher, les cloisons, jusqu'aux bardeaux du toit ! Qu'une vie n'y suffirait pas à écurer ! Elle dit que la Marti... enfin, que maîtresse Martineau est une Marie-Torchon* qui, sans doute, ne vide le pot de commodité, sauf le respect, monsieur, qu'à pisse débordée.

Monsieur le fils aîné avait d'abord froncé l'œil. Puis fait remarquer qu'un tel jugement, dans sa véhémence trop crue, manquait à la décence et à la charité chré-

---

* Femme malpropre, désordonnée.

tienne. Michel s'était apprêté à tenir ferme sur sa position, il connaissait suffisamment sa ménagère pour imaginer les hauts cris qu'elle aurait poussés, de cette « obligeance ». Il n'en avait pas été besoin : Boucher l'aîné, après réflexion, avait déclaré que de tels arguments pourraient être entendus de son père à la condition que lui, il les rapportât en termes moins... plus... en termes mieux choisis. « Mieux choisis », avait-il appuyé par deux fois.

— Et, ce détail réglé, tu peux donc te considérer désormais sur ta terre, du temps que mon frère de Grandpré trouve un autre fermier. Cela devrait te porter, selon mon père, à peu près au moment où tu obtiendras ta propre concession.

Louis-Marie avait été premier informé— en exceptant Rose — de la nouvelle condition faite à Michel. Le Huron l'avait d'abord regardé avec stupéfaction. Puis s'était parlé à lui-même : son ami français devait avoir la tête emplie de brume froide ! Abandonner dix livres de bel argent compté chaque mois — lui n'en recevait que cinq, déjà une fortune — et pour quoi ? contre quoi ?

— Contre ma terre, Louis-Marie, et ce qu'elle me rapportera.

Michel avait appuyé sur « *ma* » terre, quoiqu'il sût y être seulement un colon de passage.

— *Ta* terre ? Tu n'es donc pas différent des autres hommes blancs ? Est-ce aussi *ton* ciel, au-dessus de *ta* terre ? En ce cas, il va te falloir sauter haut : un nuage est en train de manger *ton* soleil !... Et la Grande Rivière ? Cours vite, elle emporte *ton* eau ! *Ta* terre ! Vas-tu l'enrouler comme une peau d'orignal et l'emporter partout avec toi ?

Les sarcasmes de Louis-Marie n'avaient pas entamé la satisfaction de Michel, même s'il se sentait souvent le cœur lourd de sentiments contradictoires : ces avantages, ne les devait-il pas à la mort inacceptable d'un jeune garçon ?...

La nuit était venue. Michel aimait la nuit ; si longtemps elle avait été son unique espace de liberté, au vieux pays ! Nuits de braconne, de faux-saunage, nuits de ces deux étés où Maurillon lui racontait le ciel, les étoiles — « les mêmes qu'en Canada, je t'apprends. » L'une d'elles, scintillante, toute bleue, Michel l'avait baptisée « l'étoile Maurillon » dans l'exaltation de leur miraculeuse amitié, autrefois.

L'étoile bleue venait de se lever, pâlie par le clair de lune. La cognée, à présent, frappait avec un bruit rageur : Michel pensait que le Bon-Dieu, là-haut, tenait une drôle de balance, fléau faussé et poids truqués ! Depuis longtemps, depuis sa jeunesse dans le malheureux Poitou, il lui arrivait de se dire, parfois, que Dieu n'était vraiment pas juste. Qu'il distribuait à l'aveuglette, sans tenir compte de valeur ou de démérite, le bonheur ou l'affliction, l'infortune, l'opulence, les larmes, le rire, le sang... Intolérable, la mort du généreux petit baron de Sainte-Maure ! Inadmissibles, la tête et le cœur éclatés de Jacques Boucher ! La promesse de félicité éternelle en Paradis ne tenait pas Dieu quitte des hasards de Sa justice sur cette terre !

Michel prit conscience qu'il s'acharnait sur le même tronçon de bois depuis un moment, jusqu'à l'avoir réduit en copeaux. Il se signa, dit son acte de contrition. Ainsi faisait-il chaque fois qu'il se surprenait à accuser Dieu en pensées. Ainsi faisait Sondaka, l'Aigle, en mangeant le foie du caribou, pour éloigner de rancune sa mère la Terre... Michel, par précaution, fit un autre signe de croix après ce bizarre et choquant rapprochement d'idées.

Il s'était longtemps tenu à l'ouvrage, il lui fallait se hâter au retour. Il se mit à courir. Qu'avait-il à se plaindre, lui, à présent, des ambiguïtés de la Providence ? Il allait retrouver sa femme, dans sa maison qui sentait bon le bois neuf, la soupe chaude, le feu d'érable, la chandelle. Qui sentait bon la Rose du Fleuve...

Tous les hommes de Boucherville étaient rentrés à leur foyer depuis deux heures, peut-être trois. Lorsque Rose avait quitté la grange-étable, une rafale avait porté jusqu'à ses oreilles, étouffé, assourdi, le son de la corne qui rythmait les journées de travail de la bourgade : au lever, puis au coucher du soleil, le bedeau de la chapelle Sainte-Famille soufflait dans la corne — la paroisse étant encore trop pauvre pour s'offrir une cloche. Combien Rose aurait aimé l'entendre, cet appel au repos du soir, si son Michel y avait obéi ! Tout au contraire, elle en avait frissonné. N'y avait perçu qu'un beuglement sinistre, vite effiloché dans l'espace, le vent, le grondement du Fleuve.

Attendre. Volets baissés. Porte fermée. Encore Rose, cette fois, s'était-elle retenue d'y mettre la barre. La veille, à peine avait-elle eu le temps de débarrer entre le moment où elle avait entendu les pas de Michel et l'instant où il était entré. C'eût été lui avouer sa peur, s'il l'avait trouvée ainsi claquemurée ! Et il était trop tard, à présent : par prétention, par vaine fatuité, Rose savait qu'elle s'était elle-même entortillée dans le piège. Elle aimait tant qu'il la trouvât solide, faisant face à toute situation. Une petite femme courageuse, digne épouse d'un Français qui avait cent fois bravé la mort et les galères, et non une fillette épouvantée par la solitude. Elle ne pouvait plus renoncer dans ce faux-semblant, et détruire cette image d'elle qu'elle avait donnée à Michel. Il lui fallait tenir deux ans encore, deux ans au moins, sur cette île, avant de se retrouver dans la sécurité d'un village, la chaleur d'un proche voisinage, dans leur concession de Pointe-aux-Trembles.

Tout était prêt, ce soir encore, pour feindre la belle assurance. La soupe bouillottait : du lard, du chou, des pois. (C'est qu'il faut te nourrir à ta mesure, pas vrai, mangeux d'ouvrage ?) Dans le petit four à pain qui s'ouvrait au fond de l'âtre, une couque à la rhubarbe restait à bonne tiédeur. (Autant gourmand qu'une fille, hein, mon bûcheron ?) Les écuelles, les cuillères, le potet empli de lait étaient disposés à l'avance sur la table. (S'agit pas de te faire attendre, tu dois avoir les dents dans les babines*, il est loin en souvenir, ton dîner de chantier !) Et même, près de la chandelle, un tricotage en cours était bouchonné, une broche fichée dans le peloton de laine, comme si la tricoteuse venait juste de l'abandonner.

Tout était prêt : une femme raisonnable, bonne maîtresse de maison, semblait avoir attendu le retour de son mari sans autre impatience que d'amour. Et une fillette de dix-sept ans marchait en long et en large, gémissait et retenait à toute force de pleurer — les larmes laissant des traces. Vite arpentée, la maison, même à trotte-menu ! Un moment, Rose tourna autour

---

* Avoir très faim.

de la table, à longues enjambées, sabots claquant sur le plancher, et c'était comme une fuite sans issue, un tournis de folle qui la terrifia davantage encore.

Elle s'obligea à s'asseoir. À poser ses mains sur la table, bien à plat, pour en maîtriser le tremblement. À regarder avec les mêmes yeux qu'au jour de ses noces la maison qu'elle avait vue d'abord au soleil d'été. Tant admiré alors, ce « chez nous » que la porte ouverte éclairait jusqu'au moindre recoin, lorsque Michel avait saisi sa mariée sur les bras pour lui faire passer le seuil. « Arrête-toi, arrête-toi, que je regarde ! » Si merveilleuse découverte pour Rose, bien calée solide contre la poitrine de Michel !

Une seule pièce, bien sûr, et modeste de taille : vingt et un pieds sur onze*. Une cabane, peut-être, pour laquelle son frère aîné Tit-Claude avait cependant montré tout son savoir-faire de charpentier, et où Michel s'était révélé un vrai bon compagnon, plein d'astuces et d'inventions, aux dires mêmes de Tit-Claude, que Rose connaissait avare de compliments et exigeant sur la qualité du travail. « Ton futur, petite sœur, il a le goût et la main pour tout faire avec pas grand'chose ! Faut qu'il en ait mangé, de la misère, en France, pour tailler au couteau, en rien de temps, des chevilles de chêne, plutôt que d'acheter des clous ! »

Michel souriait des éloges de Tit-Claude. Répondait qu'au moins la misère de France, elle lui servirait en Canada pour l'économie ! Qu'à moins dépenser chez le cloutier, il pourrait mieux parer sa femme en menues coquetteries !

Ni supplications ni sourires n'avaient pu tirer au frère et au fiancé de Rose le moindre détail sur l'agencement

---

* Environ 6,80 m sur 3,50 m.

et le meuble de sa future maison. Seulement au soir des noces elle avait pu l'admirer. Toute propre et lustrée — sa mère y avait travaillé huit jours — elle offrait à la jeune mariée une coulée de lumière sur la table de pin blond, une douce brillance sur les portes du lit, sur le coffre, les bancs, les planches d'étagères, les escabeaux... Claire, luisante de bois neuf et de cire, la maison de Rose ! Et nue. Sa mère, chère femme, avait voulu la laisser libre dans l'organisation de son foyer, comme elle l'avait laissée libre de son cœur. Les hardes, le linge, la vaisselle, les ustensiles de ménage, Rose en avait été prévenue, ils l'attendaient dans un coin de la grange afin qu'elle les rangeât à ses idées et convenances.

Était-ce la même maison ? Les flammes de l'âtre, la lueur de la chandelle laissaient des coins obscurs, faisaient bouger des ombres... La douce maison du soleil de leurs noces, en cette nuit d'attente, s'était changée en une grotte maléfique, une caverne habitée de fantômes... « Non ! Non ! C'est juste ma cape ! » Des figures grimaçaient sur les rondins des murs... « Le bois... les nœuds du bois... Je le sais bien, pourtant ! »

Rose sentait venir les larmes ; elle décida d'aller à l'étable. Elle pourrait trouver une raison plausible à sa présence parmi les bêtes, même à cette heure tardive : la volaille s'épiaillait, elle avait pensé au renard, ou encore la génisse qui donnait du sabot sur le bat-flanc, ou... ou n'importe quoi de menterie qui lui viendrait, mais surtout pas la vérité, surtout pas qu'elle avait fui cette maison, construite avec tant d'amour par Michel, pour se réfugier auprès des vaches et des cochons ! Elle tremblait en allumant sa lanterne. Elle tremblait en ouvrant la porte. Et davantage encore en la refermant et en mettant la barre.

Elle avait aperçu une silhouette, un homme assis, immobile, à quelques pas devant la maison. Et ce n'était pas Michel, et ce n'était pas non plus une illusion comme, l'instant d'avant, l'ombre mouvante de sa cape ou les nœuds grimaçants sur les rondins des cloisons.

C'était un Iroquois, elle en était certaine. Nul autre être humain n'aurait pu passer la barrière du Fleuve ; seuls ces effroyables guerriers en étaient capables : ils pouvaient, disait-on, sauter de glaçon en glaçon comme des diables.

Elle n'hésita pas longtemps avant de débarrer la porte : elle voulait mourir dehors, avant Michel. À la retrouver sans vie, elle savait qu'il ne lutterait pas et se laisserait égorger sans longs désespoirs et souffrances.

Elle sortit, calme, résolue, sur le pas de la porte. L'homme — mais pouvait-on dire « homme » d'un tel monstre ? — se leva. Resta droit planté comme statue, à la même place. Et ce fut une éternité de silence et d'attente — même si Rose eut du même instant conscience qu'elle avait eu le temps d'un seul soupir avant d'entendre :

— Le salut à vous, dame Moineau. J'attends votre époux dehors, comme il est convenable dans vos façons. Ne rebarrez pas la porte : il saurait que vous avez peur. Est-il tombé en déraison, de travailler à grande nuit ? Je vais aller à sa rencontre, ainsi ignorera-t-il que vous m'avez vu, si vous jugez bon de ne pas le lui dire.

Rose n'avait plus peur. Se sentait seulement en violente colère : ce Sauvage, ce Louis-Marie qui l'avait moquée avec les mots choisis, les phrases recherchées des Jésuites qui l'avaient élevé ! Qui avait évoqué une possible folie de son Michel ! Dieu, qu'elle le haïssait, Sondaka, l'Aigle...

La maison, sa maison n'était plus hantée d'ombres terrifiantes : le courroux de Rose y replaçait l'ordonnancement tranquille des meubles, des objets, dans la demeure d'une femme de bonne race qu'un Huron venait de mortifier par ses ironiques propos ! Elle n'était même pas soulagée à la pensée qu'elle avait ouvert la porte pour mourir ; elle ne s'en trouvait qu'irritée davantage, d'avoir été bernée par un Huron !

Faire bonne figure. S'étirer la bouche en ce qui pouvait ressembler à un sourire. Et même questionner avec un accent d'affabilité : « Veux-tu encore de la soupe, Louis-Marie ? Si tu refuses, je penserai que tu n'as pas trouvé à ton goût. »

Aurait-elle cru un jour se faire obligation de parler à un Sauvage, avec politesse et avenance, comme on s'adresse à une belle visite de parent ou d'ami ?

Dès l'entrée de Michel, suivi du Huron, Rose avait su qu'elle devrait se forcer à faire comédie de gentillesse et de joyeuse hospitalité. Le visage de son mari était si large épanoui, sa voix sonnait d'un tel plaisir !

— Regarde qui nous vient, Rose ! Ah ! Quand je l'ai reconnu, le cœur m'a sauté de joie. Mais, tu vas rire : un moment, l'apercevant de loin, je l'ai pris pour un Iroquois ! Oui, tu peux te moquer, ma Rose, comme Louis-Marie l'a fait quand je lui ai raconté ma méprise. Heureusement qu'il m'a huché* d'avance !

Certes, Rose riait, mais en elle le rire grinçait de rancune : à son égard, Louis-Marie n'avait pas eu la même attention. Faible petite femme, juste armée d'une

---

* Hélé, appelé.

lanterne, elle ne représentait pas pour lui le même danger qu'un robuste bûcheron ; il avait dû se délecter de sa panique lorsqu'elle avait fermé la porte !

Michel continuait de parler avec animation ; la présence de ce grand Sauvage, torse nu sous la veste en peau de daim, cette présence incongrue dans leur tranquille maisonnette le comblait visiblement de joie.

— Et je savais que tu serais contente aussi, Rose. Depuis si longtemps nous sommes sans nouvelles ! Louis-Marie nous en apporte. Et autre chose aussi, mais... surprise ! D'abord il nous faut manger. Non, Louis-Marie, tu ne refuses pas, tu me ferais... tu nous ferais outrage ! Ma femme, elle prétend qu'au retour du travail, je serais capable de manger un cheval à condition de lui ôter les fers ! Alors elle accommode toujours pour dix... au moins ! Pas vrai, Rose ?

Comme il semblait heureux, son Michel ! Était-il possible de rabattre cette joie en montrant grise mine ?

— Bien sûr. Je prévois toujours large.

— Alors, tu mets une autre écuelle. Heureusement, pour la table, j'ai prévu large, moi aussi !

Rose, cette fois, avait dû se contraindre fort pour réprimer un sursaut et continuer d'afficher un sourire forcé jusqu'au rictus ! Un Sauvage, à sa table ? Chez elle, à Boucherville, il en venait parfois, du vivant de son père, pour aider au levage des charpentes. Selon la saison, ils mangeaient dans la cour ou dans la grange, assis par terre en cercle et piochant de la main au même pot — bien nourris, d'ailleurs, gourmands de viande et de gras que sa mère leur cuisait en abondance. Ils étaient heureux, jargonnaient et riaient fort. Sûrement, ils se seraient trouvés en embarras, de se mettre à hauteur d'une table auprès de Claude Jaudouin, maître-charpentier, et de son fils Tit-Claude qui était en charge de les diriger au travail (le père ne tirant rien d'eux par ses cris et ses colères, seul Tit-Claude avait la manière de les prendre en douceur et patience, comme il faisait pour dresser les bœufs à l'attelage).

Elle pensait à eux qui, après le repas, torchaient leurs mains ruisselantes de graisse à leurs cheveux, leur visage, leurs bras — une horreur ! — soi-disant pour se protéger des maringouins, des brûlots*, des mouches noires ! Elle revoyait ce dégoûtant spectacle en posant sur sa table brillante, comme écrit sur le contrat, une « écuelle émaillée en son neuf »... une cuillère de buis poli... une mogue de terre vernissée... Saurait-il seulement s'en servir ? Quelles cochonneries allait-il faire en mangeant avec des façons qui n'étaient pas celles de sa race ?

— Elles sont bien flatteuses à la vue, vos écuelles, dame Moineau. Davantage que celles en étain dans lesquelles nous mangeons, à la table de grand-père Boucher.

Tout en parlant, Louis-Marie avait tiré, d'un étui de cuir pendu à sa ceinture, un effrayant coutelas de chasse, assez long pour y embrocher un cochon de lait, et l'avait posé près de l'écuelle. Seigneur ! presque traversait-il la table, comme une bravade, une nargue de supplément !

Heureusement, Rose avait pu se tourner vitement vers l'âtre, brasser dans la chaudière ; ainsi les brûlures de rougeur qu'elle sentait à son visage pourraient-elles passer au compte de la chaleur du feu, non à la blessure de l'humiliation ! L'air de rien, avec une civilité toute bourgeoise, Louis-Marie venait de lui faire savoir qu'il mangeait à la table du seigneur Boucher, comme Lemanchot, le domestique percheron — mais lui, ·il

---

* Minuscule insecte à la piqûre brûlante.

était Français de France, depuis longtemps au manoir, presque de la famille ! Alors que le Huron, qui n'était entré au service du seigneur Boucher que depuis le mois de juin, l'appelait déjà « grand-père » ! Et mangeait en assiette d'étain d'une livre au moins de coûtance !

Elle avait servi la soupe en essayant de maîtriser ses gestes, d'en contrôler la brusquerie où la colère aurait pu se deviner. Doucement, sans éclaboussures, écuelles pleines ras-bord, et Louis-Marie servi le premier comme Michel le lui avait ordonné du regard — avec un tendre sourire, quand même, et Dieu merci, car elle n'aurait pu supporter le moindre froncement de l'œil !

Ils étaient restés un court instant immobiles devant la soupe fumante. Elle avait dit doucement, à voix gentillette :

— Faut commencer, ça s'en va froidir.

Le Sauvage avait levé des yeux étonnés.

— Michel... ne dit pas le *Benedicite* ?

— Hé non, mon ami ! On n'avait pas cette habitude, en Poitou, chez les Jamonneau. Qui sait ? Peut-être mon père aurait-il cru offenser le Bon-Dieu en lui demandant de bénir notre pauvre fricot et en le remerciant du lard rance — quand encore il y avait une lichette de lard dans la soupe ! Mais je peux le dire, si ça te disconvient de manger sans prière... Et ne pas parler avant soupe finie, comme d'usage au manoir.

— Non pas, non pas, ami. Je sais me plier à toutes convenances.

Ils avaient parlé gaiement tous les deux, en mangeant la soupe. Michel en avait décidé : les affaires d'importance, les nouvelles, ce serait pour la veillée. « La première veillée chez les Moineau, en l'île Saint-Joseph, il faut que ça marque ! »

— Veux-tu encore de la soupe, Louis-Marie ? Si tu refuses, je penserai que tu n'as pas trouvé à ton goût !

Sourire. Faire bonne figure. Michel s'y laissait prendre et fit des lèvres, en direction de Rose, l'imperceptible mouvement d'un baiser.

— Oui, dame Moineau, j'en reprendrai volontiers. Votre soupe est fort bonne, le lard est si fondant que la cuillère y suffit. S'il vous plaît bien, j'en goûterai encore.

« J'en reprendrai volontiers... S'il vous plaît bien... » Ces manières qu'il avait de parler ! Il les tenait des Jésuites, sans aucun doute, ces « Robes noires » qui prétendaient éduquer les Sauvages comme les Ursulines s'employaient à l'instruction des Sauvagesses.

En resservant le Huron et rageant d'emplir son écuelle avant celle de Michel, Rose se disait qu'au Paradis — du moins, elle l'espérait — le Bon-Dieu saurait trier entre les origines, mettrait sur des nuages bien séparés les chrétiens de chaque race, et qu'elle ne passerait pas son éternité à louer le Seigneur en compagnie de Sauvages et Sauvagesses !

— Je vous remercie, dame Moineau.

Rose ressentit un toquement au cœur ; elle avait cru entendre un accent d'ironie dans le « merci » de Louis-Marie : on racontait que les sorciers, chez les Sauvages — ils les appelaient « chamans », mais c'était pareille diablerie —, on assurait donc que ces hommes-médecine pouvaient tout deviner, dans les corps comme dans les cœurs !

Elle fut vite rassurée : Louis-Marie ne regardait que son assiettée de soupe et le lard qui tremblotait de bonne cuisson ; il hochait la tête avec satisfaction devant cette portion de viande plus épaisse encore que la première. Il répéta :

— Merci, dame Moineau.

— Écoute, Louis-Marie...

Michel prenait un ton de gronderie que démentait la chaleur du sourire.

— Écoute, tu oublies « dame Moineau ». Quand tu l'appelles de même, j'ai impression d'avoir marié une grosse vieille bonne femme ! Tu dis « Rose », et tu lui parles sur le tu. Pas vrai, Rose ? Tu préféreras mieux, toi aussi ?

Elle n'eut pas le temps de répondre à la question de Michel. En fut infiniment soulagée, car un consentement aurait eu grand'peine à lui passer le gosier. Le Huron secouait la tête : non, non...

— Non, mon ami. Cela, je ne le pourrais pas. Dame Moineau, c'est joli à entendre, aussi. Cela convient à ta jeune épouse.

Rose était moins certaine, tout à coup, que le Huron n'eût su lire ses pensées, malgré la face souriante et les amabilités qu'elle lui faisait. « Cela convient à ta jeune épouse » pouvait être compris à double sens. Michel, lui, tant naïf et bon qu'il était, n'y avait vu que le compliment, et riait à plein cœur en assurant à Louis-Marie que c'était ma foi vrai : dame Moineau, dame Moinelle, cela sonnait tout clair, comme dans les chansons, et ressemblait juste à sa petite femme !

Michel se trouvait comblé à voir le sourire de Rose. Parfois, il lui était arrivé de penser, sans qu'aucune raison précise ne l'y eût amené, que Rose n'appréciait pas ses relations d'amitié avec Louis-Marie. Il constatait avec soulagement qu'il s'était trompé dans ses pressentiments : il connaissait donc mal sa Rose, après un an de fiançailles et trois mois de mariage.

Ils étaient tous trois assis devant la cheminée où Rose avait d'abord mené grand feu : pauvrette, elle avait cru faire amabilité à Louis-Marie en poussant ce brasier ! Il n'avait rien manifesté, pas reculé l'escabeau que Rose lui avait elle-même avancé face aux flammes. Michel, lui, savait que le jeune Huron était homme du froid, que, tout petit enfant, il avait joué nu dans la neige, et que la vive chaleur de l'âtre l'incommodait — quoiqu'il laissât, sans les essuyer, les coulées de sueur descendre sur sa face, sur son torse, sur ses bras noueux de muscles durs.

— Tu veux nous cuire, donc, Rose ? Je n'en peux plus de griller, revenons à la table, on sera mieux !

— C'est vrai. Moi aussi, j'ai trop chaud, Michel. De ta faute, aussi, avec tout ce bois que tu bûches !

Comme elle semblait heureuse, sa petite Rose ! Depuis si longtemps — un mois, peut-être plus ? Michel ne comptait pas les jours —, elle était restée sans nouvelles, sans visites, retranchée de sa vie de jeune fille à Boucherville. Combien elle avait dû languir, habituée à l'animation d'une bourgade, aux relations de voisinage, à la présence autour d'elle de sa famille : la belle Anne, sa mère, ses jeunes frères et sœurs — ils étaient cinq encore au foyer —, sans compter les passages de Tit-Claude, les visites de l'ami Godambert, les allées et venues des jumeaux... Les jumeaux ! Michel baissa la tête, incrédule de son oubli, dans la joie où l'avait transporté la venue de Louis-Marie. Rose avait dû comprendre. Doucement, comme on parle d'un malheur insoutenable, ce fut elle qui questionna :

— Louis-Marie... Nous n'en avons pas parlé encore, mais nous y pensons fort : comment va Jean-Baptiste ? Le vois-tu, au manoir ?

— Fort peu. Sauf aux repas où il ne mange qu'à la condition d'avoir auprès de lui l'assiette de Jacques. Il lui parle. C'est un bon signe, de converser avec les morts. Je pense qu'il va bien. Ses parents sont de même avis.

Michel vit les yeux de Rose s'ouvrir grand, de stupeur scandalisée. Une lueur de colère vite éteinte, heureusement — d'ailleurs, Louis-Marie avait baissé le regard à cet instant. Parler des morts, c'étaient de bonnes façons catholiques. Parler avec les morts, c'étaient les manières des Sauvages, et Rose en avait visiblement été horrifiée. Michel voulut l'apaiser :

— Moi aussi, dans le temps — et cela m'arrive encore parfois —, je parlais avec Maurillon, et avec ma chère grand'mère, la dame Aubina. Oui, tu as raison, Louis-Marie, cela console et guérit, de parler avec ses disparus.

Le sourire de Rose, vers Michel puis vers Louis-Marie... Chère petite femme !... Pour l'amour qu'elle lui portait, elle comprenait, admettait des comportements qui d'abord l'avaient heurtée par leurs relents païens.

C'était l'abomination, pour Rose : parler avec un mort ! Un signe de folie dont, bien sûr, son Michel n'avait jamais été saisi ; il en avait juste assuré le contraire pour la rassurer, elle, sur l'état de Jean-Baptiste. Parler d'un défunt, s'en ressouvenir, oui, elle comprenait, cela ramenait la douceur, la chaleur d'une présence. Mais s'adresser à lui ? Attendre une réponse, une voix de ce qui n'était plus que pourriture sous la terre du cimetière ? Comment le seigneur et la seigneuresse, si bons chrétiens, pouvaient-ils admettre cette

horreur ? Y voir bon présage pour le pauvre Jean-Baptiste ? Elle ne put retenir de demander :

— Il lui dit quoi, à son frère ?

— Cela, nul ne le sait, dame Moineau. C'est en
esprit que l'on parle aux morts... À leur esprit que l'on
s'adresse... Leur esprit, qui nous répond...

Rose fit tomber tout exprès une broche à tricoter sous
la table pour cacher la montée de larmes qui lui brû-
laient les paupières ; après une telle tension de malaise,
elle craignait par-dessus tout de s'abaisser à pleurer
devant un Sauvage impassible qui ne l'avait qu'à demi
rassurée avec son recours aux esprits des vivants et des
morts !

En recherchant l'aiguille à tâtons, elle rencontra la
main de Michel : il avait trouvé la broche avant elle et
la lui tendait sous la table. Une main dure, calleuse,
enveloppa la sienne dans une caresse d'indicible douceur. Rapide et pudique témoignage d'amour qui la
ramena au bonheur de leur couple, à la tendresse de vie
auprès de cet homme — elle qui n'avait connu que
dureté et aigreurs dans les rapports entre ses parents.
Rien, jamais, ne pourrait la dessaisir d'une telle félicité.
La mort de Jacques, le désespoir de Jean-Baptiste
l'affligeaient, la solitude dans l'île l'effrayait, mais
n'entamaient pas l'enchantement de son mariage avec
Michel. L'amitié qu'il montrait pour Louis-Marie non
plus. Elle ne savait pas encore comment, elle était
cependant certaine de pouvoir un jour éloigner de leur
vie cet inquiétant personnage...

Elle baissait les yeux sur son tricot, glissait de
l'ongle sur les broches pour compter les points, ses paupières mi-closes comme des volets afin que Sondaka,
l'Aigle, ne pût plonger dans sa cervelle pour y lire ses
pensées. Elle n'écoutait plus la conversation entre le

Sauvage et son époux. Des nouvelles ? Une surprise ? Michel les lui répéterait demain. Et, s'il s'étonnait qu'elle n'en eût rien entendu, elle saurait quoi répondre. Que c'était un cassement de tête, de faire le pouce aux mitaines* : remonter des mailles, diminuer, compter-recompter, fallait garder les idées à l'ouvrage !

La juste vérité était ailleurs : la première veillée au foyer des Moineau, elle refusait de la passer à l'écoute d'un Huron. Cette veillée ne comptait pas, elle la rayait par avance de sa vie. Michel accepterait ses explications sur la difficulté du tricotage, alors qu'elle était capable de mener une mitaine jusqu'à son achèvement sans presque y porter l'œil. Michel lui faisait confiance. Il la croyait toujours. Toujours !

---

* Moufles.

Chapitre 4

La première veillée

Non, Rose n'écoutait pas ! Ne voulait pas écouter ! Dans sa nervosité, elle avait cassé trois fois son fil, renoué, rabouté — effilochant en perdition une grande coudée de cette laine si rare et précieuse, les moutons ne prospérant guère en Nouvelle-France.

Elle n'écoutait pas ; mais comment ne pas entendre ? D'autant que la conversation l'intéressait au plus haut point. Qu'il lui fallait faire de violents efforts pour ne point s'en mêler, questionner, demander un supplément de détails. Des nouvelles, même apportées par un Sauvage, elle en étouffait d'avidité insatisfaite !

« Pierre Godambert est venu au manoir... »

Pierre, le meilleur ami de son frère Tit-Claude, bon luron, toujours le goût à plaisanter ! Comme un autre frère pour Rose, un autre fils pour sa mère : d'ailleurs, il venait souvent saluer la famille Jaudouin, même en l'absence de Tit-Claude. Passait quelques jours, parfois, ne mesurant pas son aide aux travaux depuis la mort du père Jaudouin. Il se trouvait ainsi présent, le cher garçon, le jour où Michel avait demandé Rose en mariage.

Que devenait-il, l'ami Pierre ? Bien fait de sa personne, aimable, courageux, avait-il enfin une promise ? Il venait d'attraper les vingt-deux — juste un an de plus que Tit-Claude. À Varennes, chez les Rouillard où il était gagé, Catherine et Ozanne, les filles de la maison, se faisaient grandettes, mignonnes de tournure et d'avenance. Rose aurait préféré Catherine pour quasi-belle-sœur. Mais, s'il se portait vers Ozanne, elle en serait presque autant satisfaite.

« A-t-il idée de mariage, l'ami Pierre ? » Bien sûr, Michel ne la poserait pas, cette question ; c'était curiosité de femme. Lui, ce qui l'intéressait au sujet de Pierre ? « Un projet de concession ?.. À Rivière-des-Prairies ?.. Bien-bien !.. » Et il passait à un autre sujet, sans même se réjouir que l'ami Godambert ne s'en allât pas perdre au diable vert, Trois-Rivières, Beauport..., mais restât auprès d'une famille où il était aimé de tous. Rose, finalement, pensait que cela serait mieux encore : sa petite sœur Barbe allait sur ses douze, en janvier. Dix ans de différence, avec Pierre. C'était moins qu'entre elle et Michel, et, pour sûr, sa mère la belle Anne n'aurait rien à redire sur ces épousailles, dans quatre-cinq ans...

« Le bon Monsieur de Caumont laisse des regrets à la paroisse... »

Cela, Rose l'avait constaté elle-même : toute l'assistance pleurait, à sa dernière messe, le 19 de septembre. Même le seigneur et la seigneuresse avaient dû cacher leur visage dans les mains, par pudeur de chagrin, tout au long de l'office.

Rose s'était confessée, ce jour-là, pour la première fois après son mariage, voulant recevoir communion de Monsieur de Caumont avant son départ. Le cher homme l'avait absoute de péchés dès qu'elle avait eu fini de lui réciter le « C'est ma faute, ma très grande faute... », comme il en avait pratiqué avec elle depuis son plus jeune âge. Et un « Notre Père » en pénitence, mon enfant. C'était toujours l'habitude, et le prix à payer pour le rachat des manquements envers le Bon-Dieu.

Houlà ! Un mois plus tard, avec Monsieur de la Saudraye, il en était allé d'autre façon ! Lui non plus n'avait rien demandé à Rose de ses péchés, et elle en avait été soulagée à l'abord, s'apprêtant à n'avouer que de menues broutilles : gourmandise, médisance, oubli de prière — une seule fois, mon Père ! Elle avait pu rester au silence : une voix basse, menaçante, et convulsée de dégoût, un souffle mauvais à travers la grille du confessionnal avaient parlé à sa place. Et le devoir de procréation, qui seul devait prévaloir en mariage ! Et l'obligation d'abstinence, dès la certitude de porter fruit, ainsi qu'aux Vigiles, Quatre-Temps, Avent et Carême ! Et le répugnant, haïssable démon du plaisir de la chair, qui, par l'intermédiaire de la femme, pouvait jeter les époux dans l'éternité de la damnation ! Dix chapelets de pénitence, ma fille ! « Ma fille » avait sonné comme une injure, en même temps que le claquement du glissoir sur les croisillons du confessionnal. Rose en avait été suffoquée, toute honteuse — bien qu'elle se fût trouvée soulagée que le curé eût parlé seul d'abstinence et de démon du plaisir, sans lui poser de questions !

Reviendrait-il à sa paroisse, le bon Monsieur de Caumont ? Personne n'avait compris les raisons d'un départ aussi précipité, et tout le monde le déplorait. Lui, il ne tançait ses ouailles qu'au sermon — sur la tenue, les absences aux offices, la modicité des dons à la chapelle Sainte-Famille. Puis il les absolvait benoîtement dans le secret du confessionnal. Reverrait-on sa rassurante bedaine qui amenait toujours à douter sur la solidité de la chaire, gémissant et craquant sous son poids ? Ferait-il à nouveau trembler les marches de l'autel en place de ce Saudraye, maigre-sec comme une broche, qui, lui, ne faisait trembler que ses pauvres paroissiennes ?

Michel, là encore, ne demanderait nul détail en supplément à Louis-Marie. À son idée, un curé en valait un autre, pourvu qu'il ne fût pas Bruslon ! Et combien elle le comprenait... Toujours glacée d'épouvante lorsqu'elle se ressouvenait des récits de Michel :

> Il fait chaud, sec, le ruisseau de Cathelogne n'est plus que vase puante. La roue ne tourne plus à la Bêchée, faute d'eau. Non plus que les ailes du Défens, faute de vent. Le pain ? Ma petite sœur Nanette se désole, s'encolère, crie des blasphèmes et grossièretés sur ce pain « à goût de merde », sur ces raclures, balayures de moulin qui feront notre pitance jusqu'aux moutures de septembre. Et moi, c'est juste en ces temps de misère que je tente de porter secours à un protestant, vu que Bruslon lui dévastait tout, ou plutôt faisait détruire ses biens par de nouveaux convertis* : les malheureux, je vois encore leurs pleurs, j'entends toujours leurs lamentations, et il reste à jamais dans mes oreilles, ce fracas de pierres jetées à bas, de tuiles cassées, de charpentes effondrées sous les haches. Le commencement de mes épreuves, avec le diable Bruslon : il m'a interdit de mouture pendant un an, et j'ai dû aller à la contrebande du sel pour que les miens ne crèvent pas de faim ; et...

---

* Nouveaux convertis au catholicisme, toujours soupçonnés de fausse abjuration.

— ... et, grâce à lui, j'ai pu passer sans problème.

Quoi ? Que venait-elle d'entendre ? Tout entière à sa rancœur envers Monsieur de la Saudraye, qui l'avait entraînée au souvenir de Bruslon, Rose n'avait rien saisi de ce qui avait précédé les derniers mots de Louis-Marie concernant sa traversée. La langue lui démangeait de demander : quoi ? comment ? et nous, pourrons-nous aussi passer « grâce à lui » ? Elle ouvrit malgré elle la bouche. Mais vite la referma : Michel répondait à Louis-Marie, lui évitant ainsi d'avouer l'intérêt qu'elle prenait à la conversation.

— Tu remercieras très fort le seigneur et la seigneuresse, Louis-Marie. De ma part, mais surtout de celle de mon épouse, puisque le cadeau lui est destiné, à elle nommément. N'est-ce pas, Rose ? Rose ?

— Oui... heu... Un grand merci !

Rose n'était pas certaine d'avoir assez vite baissé la tête pour cacher à Michel la rougeur qu'elle avait senti monter de son cou jusqu'à son front : elle avait eu le temps d'apercevoir ce sourire de coin, ce biais de la bouche qui n'appartenait qu'à lui. De l'« ironie ». Michel lui avait appris ce mot, que lui-même tenait de son ami Maurillon. C'était une façon légère de moquer, piquante aussi parfois, l'« ironie » de Michel.

Michel se demandait pourquoi diable sa Rose ne s'était pas mêlée à la conversation depuis le début de la veillée. Elle avait montré de l'affabilité envers Louis-Marie lorsqu'ils étaient arrivés ensemble. Et pareillement durant le repas. S'était inquiétée de savoir s'il trouvait la soupe à son goût. Avait apprécié qu'il l'honorât du nom de « dame Moineau », avec un compliment bien troussé en supplément : « Cela convient à ta jeune épouse... » Et puis le silence. Bec cousu, le nez sur son tricotage.

Cela ne lui ressemblait guère, elle qui jasait sur tout et rien après ses journées de solitude. Et non seulement elle s'était tue, mais, plus incroyable encore, elle n'avait rien entendu ! Bien sûr, les propos échangés avec Louis-Marie ne présentaient guère d'attraits pour une jeune femme. Quoique... elle aurait pu s'intéresser, à propos de Pierre Godambert, elle l'aimait de grand cœur — mais là, c'était Michel lui-même qui avait détourné la conversation. Quant au projet de concession à Rivière-des-Prairies, Rose saurait toujours assez tôt ce dont il s'agissait vraiment !

Mais peut-être... peut-être ces rougeurs qui lui étaient montées à la face, lorsqu'il lui avait souri, marquaient-elles l'impatience de se retrouver tous deux dans la douceur du lit, dans la joie de l'amour, des caresses, des soupirs, des mots en chuchotis bouleversés qu'ils osaient dire dans le noir profond de la cabane.

Cependant, il ne devait pas — pas encore — se laisser aller comme elle à de si chaudes évocations. Il allait la sortir de ses pensées de nuit, sa belle amoureuse ! Lui tirer du gosier autre chose que : « Heu... Oui... Un grand merci... » pour ce cadeau dont elle ignorait la nature !

— Tu vas devoir répéter, Louis-Marie. Rose n'entend rien de rien quand elle est à son tricotage. Rose ? Tu écoutes, à présent ?

— Eh bien, voilà, dame Moineau. Grand-père Boucher, et la seigneuresse surtout, qui se fait souci de votre isolement, vous offrent un chien qui...

— Quoi ? Qu'est-ce que tu me dis, Louis-Marie ? Un... J'ai dû comprendre de travers.

— Non, dame, vous avez bien entendu. Un chien qui pourra vous...

— Pas possible ! Pas possible ! Oh ! mon Dieu, la bonne seigneuresse !

Trop tard pour se mordre la langue. Louis-Marie répondait déjà, et Michel pétillait des yeux, avec son sourire de biais.

— Oui, dame Moineau, vous avez bien compris. Un chien !

Et, du même temps, Michel lui faisait remarquer :

— Ce n'est guère poli, ma Rose, de couper la parole. Chez nos amis hurons, c'est même une insulte majeure ! Mais bah ! cela m'est arrivé à moi aussi, et Louis-Marie ne t'en tiendra pas rigueur, cela montre à quel point tu es contente. Parce que ça n'est rien dans les habitudes de ma femme, je te l'assure, Louis-Marie : Rose est tout plein soucieuse de bonnes manières.

Ce sourire... Tendre, heureusement, derrière la raillerie. Le Sauvage, Dieu merci, demeurait visage de bois. Y avait-il place pour des sentiments, des émois, derrière cette face glacée ? Peu lui importait, après tout : Sondaka, l'Aigle, ne resterait pas longtemps de « nos amis hurons », pour Michel. Autant se laisser aller, tout simplement, à la bouffée de joie qui lui était venue, sans se poser question sur le jugement qu'un Sauvage pouvait porter sur elle !

— Tout de suite ! Où est-il ? Je veux le voir ! Tout de suite !

Elle battait des mains, riait, pleurait... Elle avait conscience de se conduire en enfantillage, elle se retrouvait petite fille, loin, loin dans le temps, lorsqu'elle suppliait : « Père ! Père ! J'en ai si grande envie ! » Et toujours, lui, le père, mettait fin à ce qu'il appelait un « caprice de fille à sa mère » par une gifle ; ne s'échignait-il pas assez pour nourrir une famille, une ingrate famille, sans avoir de surplus à nourrir un animau, de rien pour le service au charpentage ? Dans son métier, c'étaient les bœufs qui tiraient, pas les chiens ! Ce qui n'empêchait pas Rose d'y revenir avec opiniâ-treté, quelques jours plus tard, dans l'espoir toujours déçu que le père cédât enfin.

— Tout de suite ! Où est-il ? Je veux le voir ! Tout de suite ! Vite !

Et cette fois, la petite Rose Jaudouin n'entendit pas la réponse encolérée d'un père, mais deux voix en même temps : l'une doucement moqueuse, l'autre impénétrable, unie, dépourvue de toute émotion.

— Bien sûr, nous y allons. Mais tu vas lui porter frayeur, à cette pauvre petite bête, si tu continues à trépigner de même !

— Nous y allons, dame Moineau.

Ce ton froid... Cette indifférence... Ne cachaient-ils pas du mépris pour les manifestations de joie enfantine auxquelles Rose venait de se livrer ? Elle tâcha de reprendre calme et dignité durant qu'elle nouait les liens de sa cape. Et de se remettre en position de supé-riorité envers le Huron :

— Je ne comprends pas, Louis-Marie, que tu n'aies pas eu l'idée de me l'amener tout de suite à la maison !

Enfin rabattu de son insolence inexprimée, Sondaka, l'Aigle ! Il ne répondit rien à la réflexion dont Rose avait, de pleine volonté, forcé le ton autoritaire.

Il n'y eut, en écho à la voix sèche de Rose, que le rire de Michel qui dut s'y reprendre à trois fois pour allumer le fanal !

Michel tenait Rose par la main. La retenait, plutôt, tant il la sentait vibrer du désir de se précipiter à vive course vers le hangar des Martineau dans lequel Louis-Marie lui avait montré, de loin, l'énorme bête tirant et se démenant pour se détacher de la corde qui la retenait prisonnière.

— Il faut avancer tout doux, tout doux. Quelques pas, puis s'arrêter. Qu'il s'habitue à votre odeur...

Les ongles de Rose s'enfoncèrent dans la main de Michel. « Votre odeur... » Elle devait se trouver mortifiée, humiliée par les mots de Louis-Marie. Il lui expliquerait, après, qu'il n'y avait nulle intention blessante dans ce conseil du Huron. Lui, Michel, il connaissait l'histoire du chien : Louis-Marie la lui avait racontée lorsqu'ils étaient revenus ensemble de la coupe de bois.

Avancer doucement... s'arrêter... Michel devinait Rose toute frémissante d'impatience auprès de lui...

Il regrettait à présent d'avoir ri si fort lorsque Rose avait reproché à Louis-Marie, sur un ton aigre, de ne pas avoir amené le chien dans la maison.

À l'écart, à l'attache, et sûrement pour longtemps, le cadeau de la seigneuresse ! Cela serait une déception pour Rose, pauvrette, qui espérait sans doute une gentille bête de compagnie, comme en possédaient certaines épouses de riches marchands, à Ville-Marie. D'après Louis-Marie, ce chien-là...

— Arrêtez !

... ce chien-là était un animal imprévisible de réactions, parfois indifférent, apathique. Puis, à d'autres moments, sans qu'aucun signe ne laissât prévoir l'attaque, il se montrait agressif, et mordait. Il avait fortement entamé un mollet de Monsieur Ignace, pourtant doux et patient au dressage. Et il s'en était fallu de peu qu'il n'égorgeât Tord-

Loup, le paisible et puissant Tord-Loup, chien de tête à l'attelage du manoir. Le seigneur avait envisagé...

— Arrêtez !

... avait envisagé de l'abattre : c'était chien dangereux, à jamais rebelle au harnais, car vieux déjà de cinq à six ans. La famille et la domesticité avaient dû écouter les justifications de cette décision « cruelle, hélas, je le reconnais devant vous tous, mais nécessaire ». Ce chien, que sa belle-mère — la chère dame ! — avait acheté fort cher à un coureur* filoutier pour le leur offrir, ce chien était un chien de solitude... Pour l'avoir bien observé, le seigneur jugeait qu'il venait des tribus du Nord, loin au-delà des Sept-Îles et de la rivière Moisie. En ces pays, la glace tenait quasiment à l'année longue. Mais, dans la courte saison du dégelis, c'était une glace fragilisée, pourrie, incertaine, risquant de s'effondrer au seul poids d'un homme, à plus forte raison si celui-ci portait ou tirait une charge. Dans sa jeunesse, le seigneur avait entendu...

— Arrêtez !

... avait entendu parler de chiens tels que celui-ci par des Jésuites qui s'étaient risqués dans ces contrées. On les disait « chiens libres » : ils couraient sans attaches sur les glaces, devant les hommes. Là où ils s'engageaient, la voie était sûre. Mais, hélas, ils étaient jaloux, solitaires, et fidèles leur vie durant au même maître.

* Le « coureur des bois », sans permis de traite, était passible d'emprisonnement.

Sa belle-mère — la chère dame ! — ignorait bien sûr tout cela, et s'était laissée berner par un filou de coureur des bois avec les trop grandes bonté et confiance qui lui étaient coutumières. Ce beau, cet admirable chien ne s'adapterait jamais à l'attelage du manoir, il serait à jamais rebelle au dressage, et, de ce fait...

— Arrêtez !

... et, de ce fait, mordeux, comme chacun avait pu le constater. Sa chère amie n'en était-elle pas d'accord ? Il fallait se résoudre à l'abattre.
Non ! La seigneuresse, pour une fois, s'était mise en travers d'une décision de son époux. À la prochaine visite de sa mère chérie, que pourrait-on présenter comme motif valable, sans qu'elle en fût offensée, du peu de cas que l'on faisait d'un cadeau aussi coûteux ? Ce chien solitaire, ce chien de glace ne pouvait-il trouver sa juste place dans la tranquillité de l'île Saint-Joseph ? N'accepterait-il pas de guider, puisque tel était son rôle, le jeune et méritant couple Moineau dans les temps périlleux de l'embâcle et de la débâcle ? Et, pour la gentille Marie-Rose, ne serait-il pas...

— Arrêtez !

... ne serait-il pas un fidèle gardien, dût-il même rester à l'attache ? La seigneuresse espérait en la charité chrétienne de son époux, charité jamais démentie, et l'implorait qu'il envoyât Louis-Marie, sur-le-champ, tenter la traversée pour Saint-Joseph, guidé par le chien. Mais oui, Louis-Marie acceptait, n'est-ce pas, bon garçon ? Il saurait se tirer d'affaire si, par un hasard...

— Arrêtez !

... si, par un hasard hautement improbable, son cher époux s'était trompé sur les capacités du chien : Louis-Marie nageait comme un poisson, cela venait de race !..

— Arrêtez !

Le grondement du chien parvenait à présent jusqu'à eux en roulement profond, en menace, en sinistre avertissement : « Ne m'approchez pas ! » Il ne se montrait pas, cette fois, imprévisible de réaction : une bête furieuse, frénétique, s'arc-boutait de sa hauteur en tirant sur l'attache et en battant l'air de ses pattes avant, larges comme des écuelles !

La main de Rose devenait moite dans celle de Michel ; il y décelait l'épouvante de sa petite femme face à un tel démon. Le maudit cadeau qu'elle venait de faire, la seigneuresse, pour ne pas contrarier sa mère ! C'était lui qui devrait se charger du coup de fusil — avec la réprobation des Boucher en surplus...

Il s'apprêtait à dire « Rentrons chez nous... », il allait tranquilliser sa Rose : non, elle n'aurait pas à supporter ce monstre de chien ; s'il avait choisi comme surnom d'armée « Laliberté », ce n'était pas pour accepter ensuite qu'on tracassât sa femme ! Il raffermit d'abord son étreinte, en rassurance, sur la main mouillée de sueur :

— N'aie pas peur, nous...

La voix de Rose le coupa. Calme. Douce. Et impérieuse.

— Il s'appelle comment, Louis-Marie ?

— Yakoro.

Le chien gronda plus fort d'avoir entendu son nom. Rose, immobile, répétait à basse voix, comme rêveuse :

« Yakoro, Yakoro... » Et tout, alors, bascula dans le cauchemar : elle s'arracha d'une secousse à la main de Michel et courut vers le chien, modulant, chantonnant : « Yakoro... Yakoro... »

Michel voulut se précipiter, la rattraper, l'arrêter. Une poigne, comme un étau, le retint dans son élan. Il n'eut pas même le temps de lutter : il vit Rose à genoux, le visage à portée des terribles crocs, et elle fourrageait dans le pelage, et frottait ses tendres joues contre le museau en répétant : « Mon chien... Mon Yakoro... » Des jappements de chiot répondaient à la voix, aux caresses.

— Je peux te lâcher, à présent ?

Michel entendit sortir de son gosier un « oui » misérable, plutôt un gémissement.

— Tu es sûr ? Tu ne bougeras pas ? Ils se sont reconnus, mais il faut leur laisser le temps de se connaître. Tu ne bouges pas ?

— Non.

Sa voix s'était affermie à grand effort. Il demeura tendu comme une bête prête à bondir, les yeux fixés sur les embrassements de Rose et du chien. Et, du même temps, il grondait sa colère à voix étouffée, il hurlait en quasi-silence :

— Tu es fou, Louis-Marie ! Et s'il l'avait mordue, tuée peut-être ? Nous en étions convenus d'avance, pourtant, de l'habituer par les petits*, de ne pas l'approcher pendant des jours et des jours. N'as-tu pas honte de la voir, si menue, si fragile, auprès de ce... de cette... Comment as-tu pu laisser faire cela ?

_____
* Peu à peu.

Il avait monté le ton peu à peu, le chien à nouveau rauquait, et Rose lui disait comme on gourmande un enfant : « Allons, allons, gentil, mon Yakoro, tout doux, mon Yakoro... »

Et Michel entendit rire Louis-Marie. Entendit la voix railleuse et chaleureuse en même temps :

— Tout doux, mon Yakoro — cela veut dire ami, compagnon, camarade. Premièrement, c'est toi qui as laissé échapper ton épouse. En lui courant après et t'écriant, tu n'aurais fait qu'aggraver le péril... Car tu ne l'aurais pas rattrapée, elle se montrait rapide comme l'envolée d'oiseaux ! Et, deuxièmement, vois ceci. Oui, tu peux à présent détourner les yeux, il suffit que moi je reste en vigilance.

Dans la main droite de Louis-Marie, la hache de lancer, prête à jaillir. La hache de silex emmanchée d'un bois de caribou, qu'il disait préférer, pour la justesse de son tir, à tous les fers et aux aciers les mieux trempés.

— Je peux t'affirmer qu'au moindre signal, au plus infime frémissement de danger, je ne manquerai pas le but. Sans toucher même un cheveu de ta si frêle, si fragile épouse. J'ajoute aussi que je tuerais ce chien sans déplaisir, car il m'a mordu, lorsque je l'ai attaché. Je ne crois pas devoir en arriver à cette extrémité, Dieu merci ; dame Moineau m'en voudrait trop, ne crois-tu pas ? Regarde-la. Écoute-la.

« Dame Moineau » s'activait à détacher Yakoro, lui donnait de petites tapes, le grondait à douce voix : le vilain méchant qui avait tout embrelicoté la corde en faisant son fou ! « Dame Moineau » revenait vers eux, souriante, tenant le chien par une touffe de fourrure tordue dans sa main. « Dame Moineau » ne vit pas, heureusement, Louis-Marie remettre la hache dans sa ceinture.

Le chien refusa d'avancer lorsqu'il arriva à quelques pas des deux hommes. S'aplatit à terre. Resta sourd aux ordres de Rose qui renonça à le tirer : il paraissait, vu d'aussi près, deux fois lourd comme elle. Elle ne souriait plus en s'adressant à eux.

— Enfin quoi, vous restez là piqués ! Vous voyez donc pas qu'il a peur de vous, pauvre chien, mon joli ! Allez vitement lui préparer une niche dans le bûcher, au plus près de la maison.

— Il n'y restera pas, dame Moineau, à moins de l'y attacher. Et je vous préviens que...

— L'attacher ? Pas question ! Tu te mêles de quoi ? C'est *mon* chien. Il restera là où je lui dirai. Allez, vite !

Louis-Marie observait son ami Michel avec amusement tout en prenant garde à ne rien montrer du fond secret de ses pensées : Michel s'obstinait pour rien, assurément le chien refuserait de demeurer dans cette cache, cette grotte qu'il s'acharnait à lui aménager tout en parlant à basse voix, sa femme étant proche. Il tirait les bûches, les injuriait comme s'il se fût agi d'êtres vivants à l'esprit maléfique :

— Et toi, tu vas venir, oui, saleté ? À quoi donc tu t'accroches ? Puis vous allez tout effondrer par-dessus, cibouère d'osti de tabernaque !

Pour la première fois, Louis-Marie entendait son ami de France sacrer comme un vieux Canadien, dévider ces jurons furieux qui contournaient et évitaient le blasphème majeur du nom de Dieu, remplaçant le contenu par son contenant : le ciboire, l'hostie, le tabernacle. Et dire que c'étaient eux, les survivants de la nation huronne, que les hommes blancs tenaient pour fourbes et hypocrites ! À la vérité, Michel n'avait jamais montré à Louis-Marie la moindre condescendance, le plus léger signe qu'il le considérât de race et rang inférieurs. Même en s'encolérant contre lui, tout à l'heure : « Tu es fou ! N'as-tu pas honte ? » Jusque dans la rage de l'indignation, il parlait d'homme à homme, d'égal à égal, et c'était la première fois que Louis-Marie se trouvait confronté à une telle attitude.

Il existait tant de façons, pour montrer à ceux que l'on disait « Sauvages », qu'ils étaient de basse condition, qu'ils n'étaient que tolérés au pays de leurs ancêtres :

... la manière des bons Pères jésuites, toute de douceur et persuasion : « Tu vivais dans les ténèbres, mon cher enfant, dans l'idolâtrie de tes faux dieux, de tes esprits imaginaires. Ton âme, ton intelligence, jusqu'ici plongées dans la nuit profonde de l'animalité, les voici dans la grâce, élevées à la lumière de la seule Foi et de la connaissance, pour le Christ et le Roi ! » Bons Pères jésuites qui protégeaient dans leurs missions les derniers Hurons, et même des Iroquois convertis à l'amour du vrai Dieu et de la France, les entourant de vigilance, d'affection aussi — comme l'on fait envers d'éternels enfants, à jamais incapables d'atteindre l'âge adulte et qu'il fallait toujours surveiller paternellement, même lorsqu'ils étaient jugés dignes d'apprendre à lire et à écrire, comme lui, et même jugés dignes de...

— Hé ! Mon camarade ! Tu pourrais me donner un coup de main plutôt que balancer d'une jambe sur l'autre ? Jamais je n'arriverai tout seul. Sacré cadeau qu'ils m'ont fait, les Boucher ! Bien, merci de l'aide...

... et la façon de la famille Boucher : « Vous êtes nos égaux dans l'éternité, puisque chrétiens. » N'avait-il pas épousé une Huronne en justes noces, le sieur Boucher ? Toute jeunette, et morte dès ses premières couches avec l'enfant. Le seigneur Boucher, à présent, se demandait-il si les tribus avec lesquelles trafiquait sa belle-mère, la dame Crevier, avaient reçu le sacrement de baptême avant de sombrer dans la folie, la dégradation, la mort que la veuve Crevier, maudite soit-elle, leur apportait en échangeant ses barils d'eau-de-vie contre leurs peaux de castor ? Pierre Boucher le juste, auquel Louis-Marie vouait une réelle affection, non seulement fermait les yeux sur les agissements de la Crevier, puisqu'elle appartenait à son honorable famille, mais, au besoin, se portait à sa défense lorsque la justice menaçait de s'abattre sur elle*. Même pour l'honnête homme Pierre Boucher, la balance n'était pas égale entre les couleurs de peau...

— Sans toi, je n'y arrivais pas... À présent, peux-tu me passer des rondins, pour étayer ? Il y en a de bien droits, à main gauche, tout en dessus. Excuse, je ne peux pas sortir, pour l'instant je cale avec l'échine. Et dire que cette maudite chenasse n'y restera peut-être pas ! Tu as raison, sans doute elle va se sauver, et Rose en aura grand chagrin, pauvre petite !

... et les avanies jetées par la « pauvre petite », par la jolie dame Moineau. « Tu te mêles de quoi ? »

---

* La fourniture d'alcool aux Amérindiens était fortement réprimée à cause des troubles qu'elle engendrait. La belle-mère de Pierre Boucher participait activement à ce trafic très lucratif, et eut maille à partir avec la justice.

Toi, le Sauvage, tu prétends donner ton avis à une épouse de colon, une fille de colon ? « Tu te mêles de quoi ? » C'est *mon* chien. C'est *ma* maison. C'est *mon* mari. C'est *mon* pays, pas le tien !..

— Je crois que ça tiendra. Parce que Rose, tu sais, elle est capable de faire rester cette bête d'enfer là où elle lui commandera de demeurer, et grand malheur si le bûcher s'écroulait sur son chien ! Louis-Marie, je veux te demander, et réponds-moi franchement...

— Oui, cela tiendra... Et oui, je crois ton épouse capable d'arriver à ses fins !

— Écoute... ce n'est pas sur... ce n'est pas cela, ma question. Je voulais... je veux te demander si tu ne me trouves pas un peu... comment dire... un peu couillon... de me laisser ainsi manœuvrer aux ordres de mon épouse.

Avant que Louis-Marie eût pu répondre, la voix impérieuse de la dame Moineau s'éleva :

— Pressez-vous un peu ! L'air est à glace.

Le ton se fit plus doux, plus enjôleur aussi, pour ajouter qu'elle avait grand-grand froid — elle, mais pas le chien, bonheureusement épais de fourrure !

— On fait au plus vite, Rose, On est presque à en finir.

Après avoir crié les rassurantes paroles, Michel se remit au chuchotis :

— Alors, tu me réponds ? Ou plutôt ne dis rien, je comprends derrière ton silence. Tu me juges une pâte molle, et cela me peine, mais n'y changera rien : ma femme, d'habitude, donne de bons conseils, et je ne me sens pas rabaissé d'y obéir. Pour ce chien..., c'est autre chose. Vois-tu, elle est si jeune, si seule dans cette île. Si courageuse, aussi. Je lui passe un caprice, peut-être, mais je n'en ai pas honte, même si tu penses à mal de moi. Même si tu vas jusqu'au mépris...

Avec étonnement, avec un serrement de gorge qui ressemblait à une montée de larmes, Louis-Marie, pour la première fois, entendait un Blanc se disculper devant lui ! Lui parler de cœur, de sentiments ! Lui ouvrir, étaler ce qu'il y avait de plus fort en lui : son amour ! Lui exprimer qu'il tenait à l'estime d'un Sauvage ! Louis-Marie se glissa sous les bûches, et, tout en aidant Michel à placer le dernier étai, il lui répondit avec douceur et moquerie légère, pour ne point se laisser aller aux pleurs d'émotion :

— Je viens d'apprendre un mot nouveau : couillon. Et, supposément, il signifie benêt, sot, imbécile. Il me paraît aussi que je ne doive pas le répéter devant les bons Pères, ni au manoir, car je crois savoir de quelle... origine il vient. Et ma réponse est non, je ne te trouve pas imbécile. Ton épouse peut venir, à présent. La niche est solide.

— Merci. Du fond du cœur, merci, Louis-Marie.

Ils sortirent de la cache. Michel, certainement n'entendit pas la réponse. Il disait à son épouse qu'elle pouvait venir, que tout était prêt, et sa voix couvrit les paroles de Louis-Marie : « Moi aussi, je te remercie. »

Peut-être était-ce mieux ainsi : l'apitoiement, la compassion de Michel ne devaient pas prendre place au sein de leur entente.

— Rose ! Enfin, qu'attends-tu ? Je te dis que tu peux venir...

Rose restait accroupie près du chien. Michel ne pouvait distinguer ce qu'elle lui disait, seul le ton laissait deviner les tendresses et les gentilles prières qu'elle lui adressait pour qu'il la suivît. Sans effet, la douce voix : le chien se roulait pattes en l'air, offrait son ventre aux caresses, mais demeurait sur place. Rose se releva.

— C'est vous qui lui portez peur en restant plantés de même. Reculez loin, ou plutôt rentrez dans la maison, je m'en aiderai mieux, toute seule avec lui !

Michel jugeait préférable de rester en vue du chien lorsque Rose prétendrait le faire entrer à l'abri des bûches. Il hésitait sur le parti à prendre : et si elle avait raison, sa Rose, elle qui venait de transformer une sauvagerie de bête en un toutou joueur et câlin ?

— Qu'en penses-tu, toi, Louis-Marie ? Que devons-nous faire ?

— Nous tenir loin. Je ne crois pas qu'il reste le moindre risque pour ton épouse. Mais toi, tu serais aux mille morts d'angoisse de la savoir seule, dehors, avec lui. Pose le fanal près du bûcher, et viens. Sois tranquille, je garderai la main au tamahak*, par prudence.

Ils s'éloignèrent à reculons, Louis-Marie guidant Michel, épaule contre épaule : d'épais nuages à présent cachaient la lune. Ne restait plus, pour percer un trou dans les ténèbres, que la mince, fumeuse lueur du fanal devant le bûcher. Une tremblante lumière qui éclairait Rose et le chien : il lui avait cédé, il avait trottiné près d'elle en frétillant du panache de sa queue. Cependant, arrivé devant la cache, il s'était assis et refusait passivement d'entrer sous les bûches. Un ferme bloc de muscles et de fourrure, immobile malgré les efforts de Rose qui le poussait, lui donnait de petites tapes en riant, en l'appelant mauvais chien, sale bête... et n'obtenait rien d'autre que des coups de langue affectueux

---

* Anglicisé ensuite en « tomahawk » (*L'Indien généreux*, de Louise Côté, Louis Tardivel, Denis Vaugeois, Éditions Boréal).

sur la figure. C'était une jolie scène ; Michel souriait du bonheur de Rose...

— Oh ! Mon Dieu ! Non !

Rose était entrée dans la cache en disant que ça suffisait, maintenant, ici, couché, Yakoro ! — et le chien s'était coulé à sa suite. Michel voulut courir vers elle, Louis-Marie le retint, non plus de force, cette fois, juste d'une main posée sur la sienne.

— Tu peux être tranquille. Les femmes, vois-tu, ont d'autres sens que nous. Des attaches, des communications mystérieuses avec notre mère la Terre. Elles devinent le bien ou le mal, et si parfois elles se trompent, Ataentsic les protège.

— Tu me brouilles la tête, Louis-Marie ! Rose, elle est chrétienne. Et ce chien... tu as vu ses dents ?

— Oui. Et même... je les ai ressenties, comme le bon sieur Ignace, comme Tord-Loup ! Mais elle, je veux dire ton épouse, elle est femme ; et, chrétienne ou païenne, cela ne change rien, écoute...

La voix de Louis-Marie faisait dans la nuit une rassurante incantation... Une femme s'était ouverte pour la naissance d'une autre femme, et ainsi remontait-elle à la mère primitive ; une chaîne ininterrompue de féminité les reliait à la fécondité originelle d'un ventre, que ce soit celui d'Ève ou d'Ataentsic. La force de la femme, ses dons mystérieux venaient de ces commencements du monde, de cette entraille de vie dont aucun homme ne possédait les pouvoirs.

— Est-ce la leçon des bons Pères jésuites que tu me donnes là, Louis-Marie ?

Louis-Marie avait fait entendre un rire mi-triste, mi-moqueur. Non, le rôle, les facultés mystérieuses de la femme, il les avait appris d'un très vieux sage qui avait vécu plus de mille lunes. Aux temps anciens de la nation huronne, la parenté, les liens de sang venaient par les femmes. Le clan se formait autour d'elles, les hommes demandaient leur conseil, même pour la guerre ou la chasse. Elles étaient le pilier de certitude des tribus...

— Et maintenant ?

Louis-Marie soupira. Maintenant, il arrivait à leurs hommes de les battre quand le tord-boyaux de la Crevier ou d'autres trafiquants emplissait leur tête de folie. Les Hurons étaient un peuple mort... Mort par les maladies et l'alcool arrivés avec les hommes blancs... Mort sous les fusils offerts par les Anglais et les Hollandais aux Iroquois... Mort, aussi, d'avoir oublié le rôle de ses femmes...

Quelle tristesse dans la voix de Louis-Marie !

Michel voulut l'en éloigner par une plaisanterie, même mal-venue :

— Et jamais elles ne se trompaient dans leurs avis ? Moi, si j'avais toujours écouté ma mère ou mes sœurs...

— Sans doute se méprenaient-elles parfois, surtout dans la flamme de la jeunesse. Elles pouvaient alors... elles peuvent toujours se tromper dans le rapport à l'homme. Mais jamais dans celui à la nature, aux bêtes, aux Esprits qui les habitent : ainsi vient de faire ta jeune femme avec ce chien... Sauf pour la niche !

Le chien venait de sortir de l'abri, et Rose à sa suite. Il était à nouveau couché à ses pieds. Elle cria vers Louis-Marie, à voix désolée :

— Il ne veut pas rester dedans. Qu'est-ce qui faut faire, Louis-Marie ? Venez tous deux, mais doucement, qu'il ne s'épeure pas.

En s'approchant de Rose — Dieu, qu'elle était belle, le capuchon tombé, les cheveux dépeignés, cuivrés par la lumière du fanal ! —, en avançant à pas lents vers elle, Michel eut le temps de souffler à Louis-Marie, pour finir de le réconforter par une autre badinerie :

— Une femme demande ton conseil d'homme, mon ami.

Comme elle était émouvante, sa Rose du Fleuve, tout éperdue, le regard embrumé de chagrin et de larmes. Elle répéta, lorsqu'ils furent près d'elle :

— Qu'est-ce qu'il faut faire, Louis-Marie, pour qu'il reste ? Je ne veux pas qu'il se sauve, et je pensais qu'il se trouverait aise, à l'abri, pour les nuits. Il fait si grand froid, tout d'un coup ! Mais que tu l'aies attaché, tu sais, il en porte encore la marque, et...

— Louis-Marie aussi, il en porte la marque !

Michel n'avait pu se retenir : Rose commençait à aller un peu loin, un peu fort dans le souci qu'elle se faisait pour un chien ! Et puis il la vit, les yeux ronds-ouverts, si enfantine et touchante de naïveté, et regretta le ton trop vif de sa réflexion quand il l'entendit demander :

— Louis-Marie ? Tu as été... attaché ? Par les Hurons ? Non ? Quand même pas par les Pères ou le seigneur ?

— Non, dame Moineau. Votre époux voulait dire que le chien m'a mordu, lorsque je l'ai attaché...

— Ah ! Ça me soulage. Parce que, quand même, je me disais : attacher un baptisé-chrétien, c'est vilain ! Mordu... fort ?

Il était temps qu'elle se rattrapât, la petite Rose, de son « soulagement » ! Probablement avait-elle vu Michel froncer l'œil.

— Sans doute pas. Sinon, j'y aurais laissé le pouce. Il n'a même pas traversé, je crois.

— Quoi ? Fais voir ça.

Michel avait attrapé la main de Louis-Marie qui la retira sans brusquerie, avec énergie cependant — et

Michel sentit le gluant des caillots de sang écrasés. Il se rappelait à présent que le jeune Huron avait gardé sa main gauche sous la table, durant le repas et la veillée.

— Ce n'est rien, je t'assure. Pour votre chien, dame Moineau, soyez tranquillisée. Votre époux vous racontera son histoire. Il ne craint pas les plus grands froids, il vous aime et ne se sauvera pas. Demain, vous le retrouverez en travers de la porte. Ne l'attachez jamais : vous ne risqueriez rien de ses crocs, il se laisserait faire par vous avec docilité, mais il en serait fort malheureux. Je vous dis mes au-revoir.

— Non, Louis-Marie, non ! Le chien t'a guidé sur une route sûre pour passer le Fleuve, mais prétends-tu la retrouver sans lui dans cette nuit noire ?

— Oui, ami. Même d'autres. Toutes les autres, je les trouverai...

— Ah, tiens ? Tu es fort d'orgueil, tout à coup. N'as-tu pas dit — hein, Rose ? — que c'était grâce à lui que tu avais pu passer ? J'ai mal entendu, peut-être ?

— Non, fort bien, au contraire. Mais, à présent, qu'entends-tu ? Qu'entends-tu, dis-moi ?

Michel s'emporta à vif d'une telle question. Ce qu'il entendait ? Un vantardeux, un fier-à-bras ! Un maudit sacre d'obstiné qui lui parlait par devinettes ! Un imbécile qui s'allait congestionner-noyer dans une soupe de glaçons, juste pour faire son intéressant, son faraud, son...

Un cri aigu de Rose l'arrêta dans ses hurlements de colère. Comme une vrille à ses oreilles : « Michel ! Michel ! Écoute ! » Et il se sentait à la fois irrité — contre eux deux, à présent — et furieux envers lui-même, car il n'entendait rien. Rien d'autre que la respiration tranquille du chien... L'infime craquement d'une bûche, dans la cache... Le cri lointain d'une

chouette qui semblait venir de l'autre rive... Rien !
Rien !

Dieu bon ! Un vertigineux silence emplissait la nuit,
l'espace. Un silence assourdissant montait du Fleuve
enfin pris dans les grandes glaces de l'hiver qui avaient
fait taire sa voix...

— Eh bien, voilà ! Tu y as mis le temps, mais tu as
fini par comprendre : même un imbécile comme moi
peut se vanter de traverser sans risques, à présent.

Rose dut se trouver vexée dans son amour-propre
d'épouse par le ton de Louis-Marie, la supériorité amusée qui s'y laissait deviner, l'amicale moquerie qui
rabaissait son mari : « Tu as fini par comprendre... »
Elle y répliqua d'une voix acide avant que Michel,
encore sous le choc de stupéfaction, eût trouvé le temps
de répondre.

— Mais c'est qu'il n'est pas depuis longtemps icitte,
lui, Michel : juste son deuxième hiver, et, l'an passé,
le Fleuve s'est pris tout doux, tout doux. Tu peux
comprendre ça, peut-être, toi aussi ? Puis, pas de discute, tu rentres à la maison, que je soigne tes écorchures. Tu t'en retourneras après. Je ne veux pas qu'on
me croie une bonne-à-rienne, au manoir, eux qui sont
tant à soins pour les... leurs domestiques.

— C'est justement ce que j'allais proposer à notre
ami, et même lui imposer, au besoin : que tu soignes
ses... écorchures, ma petite Rose.

— Fais voir ça. Donne-moi ça.

Rose sentit une pâleur froide crisper ses joues et ne
put réprimer un sursaut au contact de cette main dans
les siennes. Michel se méprit, Dieu merci, sur cette

réaction, et déclara que, pour sûr, ce n'était pas beau à voir !

Elle, ce qui la tourneboulait, c'était de toucher, de palper pour la première fois la main d'un homme de cette race. Les petits enfants des gentilles Sauvagesses mariées à des colons, oui, elle les avaient touchés, embrassés même, à l'occasion : les poupons étaient ronds, doux, toujours souriants, comme leurs jeunes mères. Mais cette grande main de mâle, toute de vigueur, d'énergie, qu'il lui fallait tourner-retourner dans les siennes — retenir, même, car elle éprouvait la résistance de Louis-Marie —, son contact la glaçait de sensations bizarres. Elle la laissa aller. Parla fort, d'une voix qu'elle espérait assurée, voire badine :

— Bon. Ce que je voulais, c'est me rendre compte si ça n'avait pas touché les nerfs, ni l'ossement. Rien. Et tu es chanceux, vu que c'est le seul endroit un peu viandé, le gras du pouce. Tiens ta main en l'air, du temps que je cherche le nécessaire, parce que le sang pourrait recommencer de pisser, à la chaleur.

— Cela va souillonner votre plancher, dame Moineau.

Il n'aurait plus manqué que ça, du sang sur son parterre ! Il était bon de manières, quand même, ce Sauvage. Bien dressé par les Pères : il avait pensé tout seul à ne pas salir.

— Mets-toi au-dessus du foyer, alors, que ça tombe dans la cendre.

Rose eut vite fait de mélanger à bonne tiédeur l'eau chaude et l'eau froide dans un petit bassin qu'elle posa sur la pierre de l'âtre. Elle ajouta du vinaigre — quelques gouttes, le vinaigre étant trop cher pour le mettre en gaspille. D'ailleurs, sans le regard de Michel qui suivait tous ses gestes, elle n'en aurait pas mis du tout, l'eau aurait bien suffi. Parce qu'ils étaient de même, les Sauvages : ils pouvaient trépasser de rougeole, mais ils réchappaient si un ours leur arrachait un bras ! Quand même, Rose tenait à se racheter aux yeux de son mari, elle n'oubliait pas sur quel ton il lui avait dit que Louis-Marie gardait des marques pour avoir attaché le chien ! Elle rajouta du vinaigre, à gros goulot cette fois. Déclara, comme se parlant à elle-même, que mieux valait trop plus que trop peu, pour empêcher la pourriture de s'en venir là-dedans !

— Mets ta main dans le bassin, puis frotte-la avec l'autre. Ça va piquer un peu, je te préviens.

— Vous vous donnez trop de souci pour moi, je vous assure, ce n'est pas la peine, cela guérirait bien tout seul...

Il avait peur, ce grand gaillard de Sauvage ! Rose en fut un moment presque attendrie : il lui rappelait ses petits frères qui criaient « Pas la peine ! Pas la peine ! » dès qu'elle plongeait la débarbouillette dans l'eau vinaigrée pour laver leurs égratignures.

— Trempe, je te dis.

— Il faut toujours écouter les conseils des femmes, Louis-Marie !

Enfin un bon signe venant de Michel : il faisait de l'ironie aux dépens de l'homme qu'il appelait son « ami huron », et celui-ci lui obéit avec un semblant de sourire. Rose dut détourner la tête au bout d'un moment, tant l'eau s'épaississait de rouge, dans le bassin.

— Pas besoin de frotter si dur, quand même ! Tiens, essuie avec cette chiffe, puis je te passerai du rognon de castor*.

— C'est inutile, dame Moineau, je vous assure...

---

* Glande à musc du castor, panacée des Amérindiens, utilisée par les anciens Canadiens.

— Ça n'est rien à douleur, le rognon de castor, au contraire : ça pue un peu, mais c'est tout doux.

Elle crut voir une lueur de défi dans les yeux du Huron. Et même il amorça un haussement d'épaules. Il faisait le bravache, comme les petits frères lorsqu'ils disaient : « Même pas senti ! » après avoir ameuté la maisonnée de leurs cris.

— Allez ! Viens jusqu'à la table et assieds-toi. Garde la chiffe par en dessous, ça peut encore couler. À présent, tu me redonnes cette main.

Malgré elle, elle prenait le ton haut perché, la voix lente, un peu niaise, qu'elle employait pour rassurer ses frères. Il l'émouvait, soudain, ce Sauvage. Il n'était après tout qu'un grand enfant, comme disait sa mère en parlant des Hurons.

— Allez, donne, Louis-Marie.

La longue main brune, dure, nerveuse, dans les siennes... Et le regard de pierre noire... Non, ce n'était pas un petit enfant qu'elle soignait. Elle s'horrifia d'elle-même : elle venait de penser que cette main était belle. Vite, oublier ! Jamais elle n'avait pensé cela.

— Michel ? Tu peux tenir la chandelle levée, que je sois mieux au clair ? Houlà ! C'est bien ce que je doutais : il y a plein de mauvaises échardes dans les trous. Si on les laisse, ça va apostumer*. Cette fois, mon pauvre, je vais te faire grand mal à pigouiller dedans avec une broche.

— Laissez, je vous dis, dame Moineau !

Il avait peur, il avait retiré sa main. Autant douillet qu'une fille, Sondaka, l'Aigle ! Cela serait une belle leçon à Michel, parce que, cette fois, son Huron allait crier comme un goret, et perdre face. Elle frotta l'ai-

_____
* Faire un abcès.

guille à tricoter sur son jupon tout en fixant Louis-Marie. Longuement astiquée, l'aiguille :

— C'est pour ne pas y rentrer de la rouille, en plus ! N'aie pas peur, je tâcherai d'y réussir vitement, que tu ne souffres pas trop longtemps. Oh, mon Dieu ! Non ! Quelle horreur ! Arrê-ê-ê-te !

Louis-Marie avait tiré un poignard effilé de sa ceinture et tournait lentement la pointe aiguë dans les blessures. Essuyait avec soin la lame sur le linge, y laissant des débris de chair mêlés aux esquilles de bois. La replongeait à nouveau, creusait, aussi calme qu'une ménagère lardant une gigue de cerf, sans même une crispation de douleur contenue sur son visage.

Rose se mordait le poing pour ne plus hurler... Ne pouvait cependant détourner les yeux de cette abomination... Michel, lui, répétait en litanie : « Ben ça, alors ! Ça, alors ! »

— Voilà. C'est fini, dame Moineau. Merci, pour la broche à tricot, mais elle n'aurait pas suffisamment raclé. Puis, rien que de me voir faire, vous voilà toute pâle, déjà...

Rose, cramponnée au bord de la table, regardait dégoutter le sang que le linge n'absorbait plus ; un filet rouge coulait vers elle. Elle sentait monter des haut-le-cœur, elle allait rendre son souper...

— Excusez, dame, je gâte votre table.

— Tu penses, si Rose s'inquiète de sa table ! Mais qu'est-ce qui t'a pris, tu ne pouvais pas la laisser faire, elle ? Tu as dû te couper la grosse veine, regarde-moi cette boucherie ! Tu es un... un... je ne sais comment dire, tellement ça m'a frissonné, moi aussi. Un... un...

— Un... Sauvage, peut-être ?

Voilà qu'il souriait maintenant, montrait le large éclat de sa denture. Seigneur ! Il se mettait à l'« ironie », lui aussi ! Et cela désarma Michel de colère tandis que Rose s'en trouvait offensée — suffisamment pour sentir la chaleur lui revenir à la face. Lui, Michel, il riait !

— Sûrement, oui, c'est juste le mot que j'avais sur la langue : un maudit Sauvage ! Merci pour me l'avoir désenfourné ! Mais suffit de rire : ce sang, il faut l'arrêter. En liant serré, peut-être ? Rose, donne un linge propre. C'est qu'on peut se vider à blanc, par la grosse veine de la main.

— N'aie crainte. Laissez, dame Moineau, je vous ai fait suffisance de tracas et de saleté. La grosse veine n'est pas coupée, et cela va vite tarir.

Il enveloppa ses blessures, main gauche enfermée dans le poing droit. Il se leva, fit un large mouvement de lancer vers la cheminée. Pas une goutte de sang n'était tombée sur le plancher, elles avaient crépité sur les braises, et, à présent, il se tenait assis sur la pierre de l'âtre. Point contraireux, il était même obéissant, et Rose se dit une fois encore que les Pères jésuites avaient la bonne façon pour les dresser aux manières des Français : le sang coulait dans la cendre. Lui, il fourrageait les brandons avec le tisonnier. Cela, en revanche, était de la dernière impolitesse : on ne ranimait pas le feu chez les autres ! Rose, cependant, n'en conçut pas trop de rancœur ; il avait évité de salir son plancher, c'était déjà beau, pour un Sauvage, de savoir que le bois blanc aurait bu le sang tout de suite, provoquant des taches impossibles à rattraper ! Pour la table, cela serait aisé de la remettre propre : les planches de pin étaient si lisses, si polies que rien ne s'y imprégnait, ni gras, ni sauce, à condition de vite réparer le dégât. Elle fit glisser dans un seau le linge gluant sur lequel le sang caillait déjà, puis entreprit d'étancher la coulure avec la chiffe que Louis-Marie avait refusée pour envelopper sa main. Elle ne pouvait réprimer une grimace de dégoût, en revoyant encore la lame qui tournait lentement dans les chairs. Michel dut s'en apercevoir.

— Enfin, Rose, cela pouvait attendre !

— Ah, vraiment ? Tu es bon du ménage, toi ! Faut enlever vitement, au contraire. Passer à l'eau de savon, mais pas trop...

Cela lui faisait du bien, ces considérations ménagères énoncées à haute voix, après la barbarie de la scène à laquelle elle venait d'assister. Écartait aussi l'agacement qu'elle sentait monter à voir Louis-Marie fourgonner encore et encore dans la braise.

— ... à l'eau de savon, mais pas trop, puis sécher tout de suite, et après, un rien d'huile d'olive pour refaire le brillant, mais trois fois rien, autrement ça graisse...

Elle s'agitait tout en parlant, versait de l'eau dans un petit seau. Où était la barre de savon ? Ah, et puis il fallait un bouchon de petit foin pour frotter-frotter l'huile. Frotter en rond, toujours en rond, comme faisait sa mère...

— Je vais te le chercher dans la grange...

— Non, pas la peine, surtout que tu ne saurais pas le choisir. Je préfère mieux y aller, allume-moi le fanal, s'il te plaît.

— Bien sûr, bien sûr ! Moi, je ne connais pas la différence entre paille et foin, pas vrai ? Encapote-toi chaud, quand même, si des fois, en passant, tu voulais causer à ton chien. Pas longtemps, hein ? Tu l'as dit toi-même, qu'il fallait nettoyer vitement sur la table, pas vrai ?

Il souriait, il moquait en lui tendant le fanal, et elle se trouvait bouleversée d'amour devant ce sourire, ces yeux tendres : elle l'aimait, elle l'aimait ! Oui, elle avait envie de voir le chien, Michel l'avait compris. Mais, surtout — et cela, il l'ignorait —, elle voulait éviter de rester seule avec Louis-Marie. Elle en avait la certitude, le Sauvage ne s'était pareillement martyrisé que pour la mettre en épouvante, la provoquer, la narguer. Et elle craignait, dans le face à face, de voir le regard froid et noir soutenir le sien avec insolence, d'y lire : « Vous pouvez voir à présent, dame Moineau, si je craignais votre eau vinaigrée et votre broche à tricot ! »

Elle prit le fanal. Elle tournait le dos à Louis-Marie et put se permettre d'arrondir ses lèvres en baiser avant de dire :

— Tu as raison. Je reviens vite-vite. Quoi ? Qu'est-ce que ?...

Rose avait lâché le fanal ; heureusement, Michel l'avait vite ramassé avant de l'attirer vers lui, de la tenir tête cachée contre son cou. Elle ne voyait pas. Mais elle sentait, elle entendait. Cette odeur de chairs brûlées... Ce grésillement... Puis la voix tranquille de Louis-Marie.

— C'est fini, dame Moineau, je ne saignerai plus. Je vous demande excuse pour ne pas avoir attendu votre départ. Le pique-feu était juste à point, pour cautériser. Je ne refuserai pas le rognon de castor, à présent. C'est un très bon remède de nos ancêtres, qui empêche les vilaines cicatrices aux brûlures. Je le passerai moi-même, bien entendu, car, pour l'instant, ce n'est pas très agréable à la vue.

Rose prit une longue respiration afin d'être certaine de la fermeté de sa voix :

— Pas question. Personne d'autre que ma mère n'a touché au rognon de castor, et moi je ferai de même dans ma maison. Puis, me crois-tu si facilement épeurée ? C'est par le saisissement que je me suis écriée, tout à l'heure. Si tu avais d'abord prévenu de tes... drôles de manières, je n'aurais même pas... pas du tout pâli à te voir faire. Alors tu penses, des brûlures, si ça me donne frayeur à regarder !

Elle fourrageait dans le coffre tout en parlant. Elle entendait Michel plaisanter : mais il était coquet de sa personne comme une jeune fille, ce Louis-Marie... Pas garder de vilaines cicatrices, voyez-vous ça, hein, ce vieux Louis-Marie...

— Ce vieux, c'est façon de parler. Au fait, tu as quel âge ?

— Dix-huit à vingt, disent les Pères jésuites.

— Parce qu'ils ne savent pas ? Et toi non plus ?

— Non.

Quoique prononcé avec douceur — Rose était obligée de le reconnaître —, le « non » sonnait comme un point final à la conversation sur l'âge de Louis-Marie. Michel dut le comprendre pareillement et s'adressa à Rose.

— Tu ne trouves pas ta médecine, donc ?

— Non. Le pot est si petit, pas vrai, il a dû se cogner tout au fond, quand j'ai tiré des linges.

En vérité, elle le tenait depuis un moment, et, si elle faisait mine de continuer sa recherche, ce n'était que pour se recomposer un visage digne, serein, alors que la colère la ravageait, lui pinçait la bouche d'un méchant rictus.

Ce Louis-Marie ! Cet « ami huron » de son bien-aimé Michel ! Un diable, en vérité, un monstre qui, par trois fois, venait de la jeter dans les transes d'effroi. D'abord son immobilité, son silence annonciateurs de mort, lorsqu'elle avait ouvert la porte... Ensuite, cette lame qui arrachait lentement des chairs vives... Enfin, le tisonnier chauffé à blanc appliqué sur les plaies saignantes, ce crépitement de grillade, cette odeur animale de viande charbonnée...

Sur lui-même, il venait de montrer à Rose la cruauté dont les Sauvages pouvaient faire preuve : taillader, brûler, torturer ! D'ailleurs, quoique ennemis, Hurons et Iroquois n'étaient-ils pas de même famille, même origine, et donc capables de même barbarie ?

— Tu trouves, Rose ?

— Oui. Mais faut que je désentortille les peaux. C'est si méchant de puanteur, le rognon de castor, que ça empesterait tout le linge si ça n'était pas bien-bien enveloppé.

Elle s'était tournée vers Michel et Louis-Marie. Restait pourtant tête baissée, feignant une grande attention sur une tâche compliquée, afin d'être certaine de montrer une figure apaisée.

— Bon, ça y est. J'avais serré trop fort, puis les babiches* ont dû étrécir. Allez, donne-moi cette main. Tu peux dire que tu as fait de la belle ouvrage, oui ! A-t-on idée de se conduire de même ? Enfin quoi ? Un petit drôle, on le corrigerait. De trois fois rien tu as fait une horreur ! Ça n'était pourtant pas la façon de soigner, chez les Pères et les bonnes sœurs, non ?

Elle parlait, parlait afin de ne pas céder à la montée d'émotion, de compassion qu'elle sentait naître en elle. Louis-Marie restait en apparence insensible, et un léger sourire lui éclairait même le visage. Cependant, il ne pouvait maîtriser d'infimes tressauts de nerfs, dans sa main, qui avouaient ses souffrances malgré la légèreté des doigts de Rose. Elle frotta plus fort ; la main du Sauvage palpitait comme un cœur dans la sienne, mais elle n'allait pas avoir pitié, quand même ? Il l'avait bien cherché. Et il souriait toujours... Plus fort ! Encore plus fort, frotter !

_____

* Lanières de peau.

— Je ne te fais pas mal, j'espère ?

— Non, dame Moineau, n'ayez crainte. Cependant, laissez-moi terminer : vous avez mis la graisse en suffisance, mais vous avez la main trop douce, à craindre ainsi de me faire souffrir.

Il avait retiré sa main et entreprit de la frotter contre l'autre avec la même énergie qu'y mettait Michel lorsqu'il voulait les désengourdir de froid. Elle soutint son sourire, et même le lui rendit : elle savait qu'il endurait calvaire pour la braver une fois de plus !

— Bon. Bien. Moi, tu comprends, je n'osais pas faire si fort, mais, pour sûr, ça vaut mieux d'y aller de bon cœur, du moment qu'on n'a pas mal. C'est drôle, que tu ne sentes rien... Michel — et il n'est pas douillet, je te prie de le croire —, quand ça arrive qu'il ne peut pas retirer tout seul une grosse écharde, c'est moi qui le fais ; il ne crie pas, bien sûr, mais je sens tout plein de petits nerfs qui sursautent, parce que ça, on ne peut pas retenir... Pas vrai, Michel ? Pas vrai ?

Pourquoi ne répondait-il pas ? Doux Jésus ! Il suffit à Rose d'un seul regard, la maison était si petite : elle se trouvait seule avec le Huron. Elle ne put maîtriser le chevrotement de sa voix :

— Mais ?... Quoi ?...

— Votre mari est sorti durant que vous vous occupiez de me soigner aimablement, dame Moineau. Sans doute il est allé quérir le petit foin, parce que, voyez : le sang est presque sec sur votre belle table. Retenez donc de trembler, chère dame, par le souci que vous vous faites à ce sujet : il vous suffira de la frotter plus fort pour y faire revenir le brillant. Vous ne lui ferez pas mal, j'espère...

Le monstre ! L'abomination de Sauvage ! « Retenez donc de trembler, chère dame... » Il devinait sa peur, et se moquait. Il osait cette attaque de biais, contre une femme blanche. Qu'allait-il ajouter encore d'insolence ou de brutalité ? Elle demeurait muette, terrifiée, incapable de maîtriser les frissons qui la secouaient. À présent, il se taisait. Mais il se tenait immobile, dos à la porte ; elle ne pourrait pas fuir, appeler Michel à son secours. Une éternité de silence, d'humiliation, d'angoisse, de sueurs... Puis la porte enfin s'ouvrit.

— J'ai couru au plus vite, ma petite Rose. C'est le foin qui convient ? Je l'ai bien choisi ?

Elle put sourire et faire « oui-oui » de la tête. Et même dire merci à voix normale, et ajouter que c'était grand temps d'astiquer cette table, oui, il avait montré bonne jugeote, d'aller chercher le foin... Puis elle s'absorba à la besogne, s'appliquant cependant à tourner le dos : l'énergie qu'elle mettait à la tâche justifierait qu'elle fût fondue de sueur.

Eux, ils parlaient tranquillement derrière elle. Comme deux bons amis, deux francs camarades.

— Cette main, ça se remmieute, à présent ?

— Oui-bien. Dame Moineau, elle a le don, pour passer le rognon de castor. Je lui en ai dit de grands mercis.

— Elle les méritait. Parce que, tu comprends, mon épouse, elle est tout plein courageuse, mais sensible de cœur devant la douleur des autres, et, pour sûr, il a fallu qu'elle se force pour parvenir à te soigner elle-même !

— Je sais, je sais qu'elle y a dû forcer. Merci encore, dame Moineau. Je dois partir, à présent.

— Oui, tu as raison : la lune est revenue. Je te raccompagne jusqu'au bord.

Louis-Marie fit de cérémonieuses salutations : à vous revoir, dame Moineau. Ajouta encore des remerciements, des paroles de reconnaissance. Elle y répondit que c'était bien le moins qu'elle lui devait. Louis-Marie assura que non-non, cela était beaucoup, au contraire. Michel les écoutait avec un air de ravissement : la tâche ne serait pas aisée, se disait Rose, pour écarter de leur vie cet effroyable individu. Ce Sauvage !

Michel ne fut pas long à revenir. Il la serra contre lui, presque à l'étouffement, en la picorant de baisers partout, dans le cou, sur le visage, la bouche. Et il parlait, entre chaque goulée de tendresse : il était content... fier de sa Rose... et dégagé de l'inquiétude qui lui était venue parfois... qu'elle n'aimait guère... ce bon... Louis-Marie. Pardon... il lui demandait pardon d'avoir osé penser à cela, venant d'elle...

— Allons voir ton chien, ma belle Rose du Fleuve. Cela va t'amuser, après toutes ces émotions.

Le chien dormait à quelques pas devant la porte. Le museau entre les pattes, il ronflait. Il était drôle, attendrissant, un peu ridicule. Il ne s'éveilla même pas sous les caresses de Rose. Elle se redressa en riant.

— Toi aussi, ça t'arrive de ronfler après une journée de gros travail !

— Ah oui ? Rentrons, à présent. Je ne ronflerai pas tout de suite, ma jolie !... Crois-tu comme il est courageux, Louis-Marie ! Faut avoir vu ça pour y croire !

Chapitre 5

Le profond hiver

Rose s'éveilla la première, comme à l'accoutumée. Entendit le bruit désormais familier : depuis huit jours qu'il était arrivé, Roqueau, chaque matin, grattait à la porte de la maison.

« Roqueau » : elle l'avait ainsi rebaptisé. Il répondait avec docilité à son nouveau nom, et Rose le sentait doublement sien, à jamais éloigné de ses origines sauvages et de l'amour que « Yakoro » avait donné à son premier maître. « Roqueau »... D'ailleurs, Michel le reconnaissait, le nom convenait tout à fait pour un chien qui rauquait plutôt qu'il n'aboyait. Et, de plus, selon lui, « Roqueau », cela sonnait poitevin !

Roqueau effleurait les planches de la porte avec une délicatesse incroyable de la part d'une si forte bête — plus de cent quarante livres, d'après Michel. Et il s'y connaissait pour évaluer les lourdes pesées, l'ancien meunier de la Bêchée ! Les griffes, épaisses comme le pouce de Rose, n'entamaient pas, n'écorchaient jamais le battant qu'elles auraient pu caver à jour en un rien de temps, malgré l'épaisseur du bois. Le grattement de Roqueau : juste un appel, une supplication. La griffe disait : « Le jour arrive. Je me languis de toi. Viens me parler, me bouchonner la tête entre tes mains. Je ne partirai pas en chasse de ma nourriture avant d'avoir reçu des caresses de toi. »

Roqueau grattait la porte. Le bruit était plus léger encore, plus ténu que les jours précédents. Presque imperceptible...

Michel dormait, et, le matin, Rose ne l'éveillait jamais. À ces moments, elle se trouvait au comble du bonheur. Son homme respirait tout doux, comme un petit enfant, dans ce calme profond qui précédait chez lui le réveil. Rose aimait ces instants de fin de nuit, seule revenue à la conscience, auprès de lui dans le sommeil, son grand corps chaud abandonné, tranquille. Si proche, et cependant éloigné d'elle. Jamais elle ne le sentait aussi fortement lui appartenir. Elle évitait de bouger, de l'effleurer. Elle aurait voulu que cela durât longtemps ; c'était trop bon, trop tendre, de se trouver ainsi chaque matin dans cette solitude que son Michel habitait tout entier.

Roqueau grattait patiemment. À si petit bruit ! Il semblait avoir deviné le désir qui possédait Rose de prolonger son bonheur matinal...

Aujourd'hui, elle allait sans doute en profiter longtemps. Michel avait travaillé dur, depuis huit jours, même s'il ne s'était guère éloigné de la maison : le bois, toujours le bois à fendre, à ranger, à entasser selon grosseur et nature, le menu, le moyen, le gros... les refentes, les bûches, les rondins... chaque catégorie bien séparée de piquets, ici le chêne, et là le fayard, et là l'érable, et là, tu vois... Il appelait Rose dix fois le jour pour lui montrer ce qu'il appelait leur « richesse » de bois. Elle n'avait pu se retenir de lui demander en riant s'il escomptait demeurer dix ans sur l'île, et se tourner les pouces comme un rentier en regardant ce bûcher démesuré qui ne baisserait guère en dix ans de feu ! Même s'il vendait la moitié !

Il avait reconnu que c'était vrai, ça suffisait de bois, à présent... Bois de chauffe comme bois d'œuvre, ils étaient largement pourvus. « Largement... », avait-il répété d'une voix où tremblait la tristesse du souvenir et où Rose avait senti, à jamais présent dans la mémoire de Michel, le passé des glanes de bois mort, des maraudages de branches pendantes (qu'il avait lui-même cassées à grand risque de se faire prendre...).

Le chien grattait plus doux encore que les autres matins : un crissement d'étoffe déchirée, comme s'il frottait contre la porte les coussins de ses pattes... « Dors encore, mon cher cœur, dors longtemps, tu retrouveras bien assez vite ton tracas... »

Michel s'obsédait sur le peu de farine qui leur restait. « À peine trente livres... », avait-il soupiré avant de s'endormir. Si préoccupé, son Michel, qu'il ne s'était même pas trouvé en appétit d'amour. Rose n'en avait été ni blessée, ni frustrée : elle trouvait déjà tant de plaisir dans le seul contact de leurs corps rapprochés ! Elle s'était ressentie maternelle, protectrice, nourricière en tentant de le rassurer, comme elle avait dû le faire maintes fois depuis que le Fleuve était pris.

Elle, ses inquiétudes avaient été d'autre sorte. Mais Michel, Dieu merci, avait abandonné l'idée folle de traverser le chaos de glaçons que les petites neiges avaient rendus impraticables en masquant leurs arêtes vives : il s'y serait rompu les os, cassé le crâne ! Elle avait dû aller loin dans les prières et les raisonnements pour le faire céder. Jusqu'à évoquer son « ami » Louis-Marie !

Si leste, Louis-Marie, comme tous les Hurons ! Et il n'était pas venu, avec ou sans charge : c'était bien signe que la traversée était impossible si l'« ami » Louis-Marie ne l'entreprenait pas, non ?

Elle avait trouvé le bon argument, avec le Sauvage ! Michel s'était reconnu imprudent, et surtout prétentieux de vouloir porter à moudre au moulin de Boucherville. Ce qui n'avait pas empêché sa désolation de croître. Sitôt dans le lit, hier au soir encore :

— À peine trente livres de farine ! Tout ce blé-froment dans la grange*, à nous, pour nous ! Et en venir à manquer de pain... J'ai regardé le ciel : pas cette nuit encore que la neige viendra à grosses bordées, à pleines clôtures, pour aplanir le Fleuve. J'ai vu tourner les ailes du moulin, à Boucherville, l'entière journée ! Comme si elles me narguaient, moi, un ancien meunier !

Et Rose, une fois de plus, avait évoqué l'abondance de leurs provisions. Pour sûr, ils ne périraient pas de famine sur leur île, même s'ils n'en pouvaient sortir avant l'été !

Le caveau était ras-plein de viandes et d'anguilles salées ou boucanées, de pots de saindoux, de raves, d'oignons, de citrouilles, d'herbes fines confites dans la graisse, de choux... et encore, elle en oubliait ! Les pois, les fèves, les lentilles se gardaient bien au sec dans le faux-grenier de la grange, avec les œufs envoinés**. Et le maïs ? Lui qui aimait tant ça, le maïs...

— ... et moi, je n'ai pas besoin de faire moudre pour cette graine. Je sais l'écraser dans le mortier aussi bien

---

* On battait et faisait moudre le grain au fur et à mesure des besoins.
** Conservés dans l'avoine.

que font les Sauvagesses. J'apprêterai la sagamité tout plein épaisse. Refroidie, et roulée en boulettes, elle cale autant que le pain. On peut pâtisser, aussi, avec le maïs : des galettes, des baniques, c'est beau de couleur, et c'est un régal. J'ai connu des années petites en froment, mais on mangeait quand même son content, je te garantis ! Et puis, la chasse et la pêche d'hiver, ça donne bien. Quoi ? Tu n'as jamais fait avec Martineau ? Les gros lièvres, et les perdrix, tout blancs en hiver... Et les poissons, dans les canaux entre les îles, là où la glace reste menue... Ça ne m'étonne plus qu'ils étaient brèche-dents, les Martineau, s'ils ne mangeaient que de la salaison ! Tu vas voir le goût que tu auras à la chasse d'hiver et à la pêche blanche... »

Elle avait beau dire, son Michel, aux approches de la nuit, retrouvait la vieille angoisse du vieux pays : le manque de pain. Et il avait soupiré, hier au soir encore, après que Rose lui eut représenté ces abondantes mangeries : « À peine trente livres, pour la farine... »

Dans la journée, s'il contenait de se plaindre, Rose le voyait cependant mesurer les tailles dans la miche.

« Dors encore, mon cher cœur, dors longtemps... » Elle n'entendait rien d'autre que le souffle calme de Michel, et la patte de velours du chien. Elle ne percevait nul autre bruit, elle était pelotonnée au chaud dans un creux de silence. À l'habitude, des meuglements commençaient à arriver de l'étable, la volaille piaillait pour la volée de grain, et Michel entendait les appels, disait que c'était l'heure, la prenait à pleins bras, la roulait en riant sur la paillasse : allait-elle enfin mettre les pieds à bas, sa bonne grosse paresseuse de femme, pour que lui puisse enfin se lever et nourrir les bestiaux ?

Aucun bruit n'arrivait de la grange*. Se serait-elle éveillée en beau milieu de nuit, et pareillement Roqueau ? Elle se fit plus attentive, retint sa respiration, entrouvrit la porte du lit. Elle reconnut le crissement, sous les pattes de Roqueau : le bruit acide et doux à la fois d'une épaisse neige gelée sous les raquettes, sous les patins de la traîne. Et c'était sur le toit, juste à l'aplomb du lit, que le chien appelait sa maîtresse...

Elle referma la porte du lit : une coulée d'air glacé s'y était engouffrée. Elle en aurait pleuré de joie... Finis, les tourments de son homme ! Le grand hiver était arrivé, l'île avait rejoint le rivage comme un canot enfin costé après une longue navigation de solitude. Elle prit le temps d'une action de grâces avant de réveiller Michel.

— Moineau ! Mon Moineau ! La neige est venue ! La grosse neige !

Il ne comprit pas, à l'abord. Soupira : quoi ? pourquoi elle le secouait de même ? Puis, sans qu'elle eût à répéter, se redressa comme un diable en criant : « La neige ! La neige ! » Se releva d'une telle brusquerie qu'il heurta de la tête le plafond du lit — le chien aboya au bruit, mais, dans son excitation, Michel ne remarqua pas de quel endroit insolite arrivaient les jappements. Il répétait :

— Vite, on s'habille ! Vite ! Vite ! Dépêchons-nous !

Il faisait si froid, depuis que le Fleuve était pris, qu'ils tenaient leurs habits accrochés à des chevilles de bois dans la chaleur du lit-cabane dont ils ne sortaient

---

* Tous les animaux de la ferme, en hiver, étaient à l'abri dans un seul bâtiment, à la fois grange, étable, poulailler, porcherie, etc.

qu'encapotés. Rose alors ranimait le feu, chauffait la soupe, l'eau, le lait... La maison était douce, la soupe bouillottait lorsque Michel revenait de l'étable.

— Vite ! Vas-tu enfin te mouver, te grouiller, ma mignonne feignasse ?

Comme il était heureux, son Michel ! Rose se laissa emporter par cette joie, ce tourbillon de gestes et de paroles. Si désordonnés, leurs mouvements, qu'ils tiraient le même vêtement en riant et faisant mine de dispute : allait-il lâcher ce jupon ? pouvait-elle décramponner ce capot ? À tant s'agiter dans l'obscurité moite de leur lit, à tant s'emmêler de bras et de jambes, ils se retrouvèrent en étreinte, en flammes de corps et de cœur, et ils soupiraient, gémissaient : la neige ! la neige ! la neige ! dans leur joie d'amour. Comme une noce de feu et de froid pour célébrer leur premier hiver d'époux.

L'allégresse fut de courte durée pour Michel : lorsqu'il eut levé le volet de la lucarne, une nuit bleutée, comme un pâle clair d'étoiles, s'infiltra dans la maison. Une bizarre lueur laiteuse transparaissait derrière la vitre : ce n'était pas celle du jour naissant traversant le givre du carreau, mais une lumière inconnue, oppressante. Et, encore plus terrible, le silence qui les cernait, paralysant toute perception.

Michel prit conscience que leur maison était enfouie dans un tombeau de neige, barricadée, disparue. Le seul bruit encore audible arrivait du toit : Roqueau grattait, là-haut, sur une colline glacée qui avait englouti leur maison.

Michel se dirigea vers la porte, posa la main sur la barre.

— N'essaie pas ! N'essaie pas ! Même à supposer que tu aies la force de trois ours pour pousser cette porte, d'abord tu la mettrais tout en démanche*, puis la neige déboulerait jusqu'au lit. Ah, tiens, tu me fais rire, de la mine que tu fais !

— Rose ? As-tu bien compris que nous sommes... comment dire... enterrés profond ?

— Hé ! Songes-tu me l'apprendre ? Je te l'ai dit tout de suite : c'est la grosse-grosse neige, paf, d'un seul coup !

— Et comment nous sortir de...

Il s'arrêta dans son questionnement. Rose d'ailleurs ne l'écoutait plus, elle bavardait avec une excitation joyeuse de fillette, elle n'avait pas peur, et lui se sentait vaguement humilié face à elle qui ne manifestait nulle crainte, bien au contraire !

La cheminée, c'était une perfection, assurait-elle. À peine si trois-quatre poignées de neige y avaient débarqué ! La cendre était mouillée un peu, mais la braise couvait encore par en dessous ; tant mieux, parce que c'était échignant de battre le briquet ; bon, la chandelle était éclairée à présent...

— Toi, s'il-te-plaît, veux-tu, tu mets le petit bois, puis tu souffles, tu as mieux de force que moi dans le poumon... Bon, maintenant, tu croises des refentes d'érable — non, pas si grosses, du menu. Bien, oui, celles-là. Souffle encore un peu, là, voilà, c'est épris ! À présent, mets du chêne : il va falloir gros de braises. C'est parti à belles flammes, la soupe sera vitement dégelée. La cheminée aussi...

La soupe ! Les matins précédents, elle était prise en surface, juste un fragile glacis qui se brisait dès que

---

* Abîmer, casser.

Rose y plongeait la palette de bois. Aujourd'hui, la palette tambourinait sur un bloc, sur un roc de soupe ! Et la cheminée de pierre, à l'habitude givrée d'un mince frimas, était tout entière couverte d'un épais suintement de glace qui, déjà, commençait à fondre et à couler. Rose ne s'en étonnait pas, ne s'en désolait pas : pour elle, la cheminée était « à la perfection », et la soupe serait « vitement dégelée » !

— Le pot de lait, s'il-te-plaît. Non, pas le petit, le gros, que tu m'apportes. Pose-le dans ce coin du foyer, merci !

Huit pintes de lait, au moins ! Rose pelleta des cendres, puis des braises autour du pot, d'une seule main adroite et vive, l'autre toujours occupée à la palette qui commençait à entamer la soupe.

— Puis tu sors un pain de la maie, et tu le coupes. Tout entier. J'espère que ça suffise.

Une miche de vingt livres ! Prévoyait-elle donc qu'ils allaient demeurer cinq jours au renfermis, et préparait-elle d'un seul coup l'entier de leurs repas ? Elle semblait si sûre d'elle, comme un capitaine au commandement, et lui se trouvait à tel point interloqué qu'il obéit sans demander ni le pourquoi ni le pour qui, comme au temps de sa vie militaire ! Et, comme au temps de sa vie militaire, durant manœuvres, appels ou revues de détail, il se sentait tenaillé d'une envie de pisser long et dru ! À cela il ne pourrait résister cinq jours !

La lame de son couteau glissa sans entamer le pain : il était gelé, lui aussi. Autant prétendre couper une pierre ! Il jura à basse voix, un « marde du pape ! » étouffé qui fit cependant se retourner Rose. Elle ne fronçait pas l'œil pour cette grossièreté, comme il aurait pu s'y attendre : elle riait à belle bouche !

— Pas au couteau, voyons ! Tu fais à la hachette, comme dans une bûche. Des morceaux, pas des tailles, de la grosseur à peu près d'un œuf de poulette. Pas de la forme, non, ça te ferait sacrer du plus vilain encore ! Ça se disait de même, chez toi en Poitou, hum... marde du pape ?

Il ne répondit pas ; elle s'était déjà remise à s'agiter devant la cheminée où la soupe commençait à faire d'épais gargouillements que Rose accompagnait en chantonnant : « Et floup ! Et glouc ! Et floup ! » Non, Michel n'avait jamais entendu ce juron en Poitou, et pourtant son frère Jacquet en connaissait, voire en inventait, des chapelets et des cordées de blasphèmes ! Mais jamais non plus, en Poitou, Michel n'avait porté la cognée sur le pain. La hache restait levée...

La mère taille pour la soupe, à la Bêchée. Même les sœurs, Belle-Marie et Nanette, sont suspectes de possible gaspillage. La mère taille pour la soupe à couteau prudent, mesuré.

Aux repas, le père règne sur le pain. S'il ne dit pas le *Benedicite*, il trace cependant la croix, lentement, sur l'envers de la miche. C'est la messe du pain qu'il sert, la communion du pain. Il tend à chacun sa part, posée sur le plat du couteau. Si quelque miette s'égare sur la table, ou même sur la terre battue, il la faut aussitôt ramasser, si infime soit-elle, et la gober.

Le père et la mère Jamonneau sont les maîtres et les servants du pain, à la Bêchée, paroisse d'Augé, en Poitou. Ils continuent leur office quasi religieux, là-bas, loin, de l'autre côté du monde. Ils ne peuvent imaginer leur fils Michel équarrissant vingt livres de pain blanc à la hache, sous les ordres d'une rieuse épouse de dix-sept ans...

Michel abattit la hachette. Des cailloux de pain. Des miettes qui jaillissaient, crépitantes comme du sable. Il lui semblait s'acharner à une tuerie : il assassinait un pain.

— Hé ! Ne ramasse pas les grémilles ! Même si mon parterre est propre ! Je balaierai, pour la volaille. Tu as donc le ventre à si creux, mon pauvre grand Moineau, que tu manges les miettes tombées comme font les petits moineaux ? Je te vois une mine en plâtre... Va, la soupe est presque à bouillir, ça te remmieutera.

— Non. Ce n'est pas... c'est à cause... de la hache. Ça me paraît gros péché, de traiter de même le pain.

— Et comment voudrais-tu faire autrement ? Voilà deux ans, à Ville-Marie, on débitait pareillement le lait, pour le vendre. Ah ! Je suis tout à plein contente : beau dommage* que ça va être une rude saison. Pas comme l'an passé, après nos accordailles, tu t'en rappelles, de ce petit hiver ?

Du « petit hiver » de leurs accordailles, Michel conservait surtout le souvenir d'un éblouissement de bonheur : cette merveille de Rose Jaudouin, qu'il avait à l'abord crue promise au jeune Godambert, cette splendeur de Rose du Fleuve en la fleur de ses seize ans, elle l'aimait et le voulait pour époux, lui, Jamonneau, dit Laliberté, pauvre domestique-soldat, de treize années plus âgé qu'elle !

Cependant, il se rappelait aussi que, durant ce « petit hiver », il avait découvert une impensable froidure ; qu'il s'était vu près de mourir dans une poudrerie** ; que maîtresse Martineau l'avait vêtu en ours, peau et

---

* Certainement.
** Tempête de neige poudreuse.

fourrure portant encore l'odeur de la bête... Cela était donc un « petit hiver », pour le Canada, puisque jamais il n'y avait vu le pain geler en pierre ! Jamais la neige n'avait englouti la maison Martineau ! Jamais il n'avait entendu un chien gémir sur le toit ! Et, surtout, jamais la Martinelle, pourtant moins pourvue en bon sens que Rose, n'avait ordonné à son homme de mettre à saccage, de bûcher vingt livres de pain !

Elle, la petite Rose, elle s'activait toujours, brassait la soupe, posait les écuelles sur la table, revenait au foyer, remettait de la braise autour du pot de lait. Insouciante mignonne qui assurait tranquillement l'avoir dit tout de suite : « la grosse-grosse neige », elle n'avait pas encore pris conscience qu'ils étaient enfermés dans une prison blanche et glacée, et lui, qui se sentait en responsabilité de sa jeune épouse, il se démenait en vain la cervelle pour trouver un moyen de la tirer de là avant que l'angoisse ne ravageât sa Rose tant chérie à l'idée de la mort lente qui les guettait.

— Ferme donc le volet, Michel. Tu vois pas que la glace pousse, pour entrer ? Si tu rachètes un carreau de vitre, faudra poser un autre volet dehors, pour garantir de casse. Je croyais ça plus solide, le verre, pour ce prix !

Dieu ! Ce que Michel avait pris pour la vitre, à la lucarne, n'était autre qu'une glace bleutée qui bombait à présent sous la pression de la neige, dans l'embrasure du fenestron : le carreau avait éclaté.

— Laisse, je ramasserai. La soupe est bonne bouillante, à présent. Pressons-nous, va y avoir du mouvement par icitte, dans guère de temps. Paix, là-haut, Roqueau ! Ouste, va-t'en de là, tu m'énerves à pleurer de même, puis j'en connais plus d'un que tu leur ferais peur ! Chasse ! Chasse !

Le chien, comme toujours, obéit à la voix aimée, et Michel eut le cœur serré de ne plus entendre l'unique signe de vie à leur parvenir encore du dehors.

Il s'assit à la table, il n'avait pas faim, il avait envie de pisser, il se trouvait en gros souci pour Rose dont l'attitude semblait proche de déraison. Elle avalait sa soupe sans cesser de rire et bavarder ; le lait allait être à bonne tiédeur, et le pain, son bûcheron l'avait débité juste, à parfaite grosseur, la mie tendrissait déjà, ça serait tout à point, pourvu que ça soye en suffisance...

— Ah ! Ça me remet les intérieurs ; elle est bonne, hein, ma soupe ? J'ai grand chaud, asteure.

Rose avait rejeté sa capuche, jamais elle n'avait mérité autant son nom : une rose, une fleur en épanouissement, plus belle encore, s'il était possible, que sa mère, la superbe, la splendide Anne la Parisienne. Et Michel se sentait affreusement trivial devant cette merveille de femme : l'idée du danger, de la mort probable s'estompait jusqu'à disparaître derrière la lancinance qui le poignait au bas-ventre.

Il n'avait jamais pu s'habituer au pot de commodité. Un homme, cela fait son eau dehors, ou sur le fumier, dans l'étable, tranquille, sans viser. Rose, elle, sitôt levée, se rencognait entre le lit et les rondins de la cloison, au plus sombre de la maison, avec une jolie pudeur de femme. Il connaissait l'entier de son beau corps, ses douceurs, ses friselis cachés ; elle le laissait s'en repaître. Mais il savait qu'elle tenait au secret pour ses besoins naturels : elle s'était souvent scandalisée des manières de la Martinelle qui urinait debout, en écartant les jambes, à l'endroit où l'envie la prenait, sans se préoccuper qu'on pût la voir. « Pire qu'une vache, s'indignait Rose. Parce que les vaches, elles ne clament pas que ça les soulage fort, en vidant leurs intérieurs. »

— Je vas faire le lit, à présent.

— Oh ! Ça ne presse guère, ma Rose. J'ai idée qu'on a gros de temps devant nous, aujourd'hui.

— Si-fait, pour toi, je vois bien que tu... enfin, que ça presse, voilà. Dans un petit tas de cendres... surtout, ne me tue pas le feu !

Rose brassait la paillasse à grand bruit dans le lit refermé. Et même elle chantait la *Complainte des malchanceux*, une chanson nostalgique que Michel avait entendue souvent, sur l'*Arc-en-ciel*, durant sa traversée — lui ne la chantait pas, trop heureux d'aborder le pays de ses jeunes rêves.

> *« Au Canada, Nouvelle-France,*
> *Le Roi nous a fait aller.*
> *Que nous avons male chance*
> *Douleur qui nous a frappés.*
> *Écoutez cette complainte*
> *Et prenez-nous en pitié. »*

La voix, et le crépitement de la paillasse qu'elle remuait avec une vigueur inaccoutumée, couvrirent le chuintement de vapeur qui montait des cendres chaudes. Michel eut le temps de recouvrir les traces humides — il y fallut trois pelletées — avant que Rose ne sortît du lit.

Elle avait l'œil à moquerie, continuant de chanter tout en débarrassant la table.

> *« Et prenez-nous en pitié,*
> *Oui, prenez-nous en pitié !... »*

Elle s'arrêta, leva sur Michel un regard pétillant de malice.

— Tu ne trouves pas que c'est une jolie chanson, ça, mon Moineau ?

— Si-fait. Si-fait...

Il ne put rien ajouter d'autre, alors que le sourire de Rose l'invitait à une réponse plaisante, une de ces reparties drolatiques qui la faisaient s'épouffer. Si jeune, sa gentille femme : elle gardait encore la légèreté de l'enfance, ne montrait nulle inquiétude, nulle conscience du danger. Il leur restait bien peu de bois auprès de la cheminée : combien de temps, pour mourir de froid ?

Il se leva, saisit la cognée : il l'aimait tant, sa belle insouciante, à tel extrême de passion que, pour la sauver, il se sentait de force à démolir, casser, exploser de l'intérieur ce cercueil de bois, de neige et de glace où la mort viendrait prendre Rose, si délicate et menue, longtemps, bien longtemps avant lui.

Rose se demandait pourquoi diable son Michel montrait cette pauvre mine. Il l'avait si fort souhaitée, cette neige, et voilà qu'à présent il allongeait la face en Carême ! Répondait à peine, en tordant la bouche, lorsqu'elle tentait de lui tirer une parole, un sourire ! Et maintenant se conduisait en fou !

Il frappait les rondins des murs avec le talon de la hache, semblait écouter, secouait la tête en marmonnant : « Pas là ! Pas là ! » Puis montait sur la table malgré le « non ! » effaré de Rose, cognait le toit à petits coups : « Pas là ! Pas là ! » Et même pantomime de sans-dessein contre la porte : « Pas là non plus ! »

Il tenta d'ouvrir le volet : la glace l'avait scellé. Il s'efforça un moment, sous les regards d'incompréhension désolée de Rose, puis leva la cognée, de ce mouvement puissant qu'il déployait pour abattre un arbre. Rose s'accrocha à son bras. Il fit d'abord le geste impatient de secouer une entrave, s'arrêta quand même, aux cris aigus qu'elle poussait :

— Non ! Es-tu devenu perdu-de-tête ? Tu me fais peur, tu me fais peur ! Pourquoi tu veux tout casser-démolir ?

Il posa la hache, attira Rose contre lui. Que c'était bon, un homme, des bras solides qui enlaçaient, des mains qui possédaient, caressaient — même si, à l'instant, cet homme venait de se conduire avec une incompréhensible extravagance ! Si douce et chaudement rassurante, cette étreinte, que Rose entendait la voix comme un bercement de bonheur, sans en saisir vraiment les mots ; juste avait-elle conscience qu'il l'aimait, peu importaient les paroles dont il usait pour le lui dire :

— Écoute-moi, ma Rose, mon aimée. Si je ne trouve pas moyen de nous tirer de là, nous allons mourir : nous sommes enterrés vifs ! Et même si je dois gratter de mes mains...

Il avait lâché Rose, agitait devant elle ses doigts crispés en griffes. Elle entendit son propre gémissement, elle venait enfin de comprendre ce qui portait Michel à une telle angoisse, à cette attitude démente. Elle voulut l'interrompre, mais lui, à présent, hurlait, sa voix semblait rebondir sur les cloisons, le silence extérieur renvoyait son cri, le désespoir et la détermination de Michel tournoyaient dans la maison assourdie de neige, tonnaient aux oreilles de Rose :

— Oui, jusqu'au bout de mes forces je creuserai pour te sortir de cette tombe, et je te le jure, j'y parviendrai ! Tiens-toi seulement près du foyer, et économise le bois. Ne pleure pas, ma petite belle, ma Rose du Fleuve : sois certaine, j'y arriverai !

Rose sanglota un moment. Du temps qu'il la cajolait de baisers, elle tentait de surmonter la honte, le remords. De recouvrer sa voix qu'une boule âcre, amère, étranglait dans sa gorge. Mauvaise malfaisante qu'elle était, elle avait laissé son Michel se tarauder d'inquiétude ! Cela semblait pour elle d'une telle évidence, ce qui allait à présent se passer. Mais lui, si nouvellement venu de France, il ne pouvait savoir !

— Ne pleure plus, ma Rose. Fais-moi confiance pour te tirer de là. N'aie pas peur...

« Pour te tirer de là... » Il ne pensait qu'à elle dans ce danger mortel où il les croyait présentement. Cet oubli qu'il avait de lui-même, le bouleversement qu'elle en éprouva, sortirent enfin Rose de son silence et de ses larmes.

— On ne risque rien, Michel, tu dois me croire ! Je ne pleure pas à cause de la peur, je pleure de ma bêtise ! Je m'en veux... à me battre. Pas un moment je n'ai eu l'idée que toi, tu n'avais jamais connu le gros abat de neige, et le vent de nordet* qui l'amasse, et la fige, la tasse en glace autour des bâtiments. Ce souci que tu as enduré par ma faute ! Pardon ! Pardon !

Pour la première fois, Rose vit sur le visage de son Michel une expression de dureté, y croisa un regard froid.

— Si tu m'expliquais calmement, Rose, au lieu de dévider tes pardons qui ne m'avancent guère à comprendre.

Elle suffoqua de nouveau, petits cris et sanglots ; elle savait qu'il allait s'adoucir devant la peine qu'elle affichait, elle connaissait l'étendue de ses pouvoirs sur lui.

— Tu m'en veux, tu m'en veux en maudit, je le vois bien ! Mon Dieu, que je suis donc trop malheureuse !

---

* Nord-est.

— Non, ma Rose, je ne t'en veux pas. Raconte à ton Français de France comment vous autres, en Canada, vous vous tirez de cette... de cet... emm... embarras. Viens là, que je t'écoute au plus près, et bouchonne ce joli museau, je n'y veux plus voir un pleur !

Il s'était assis, l'avait attirée sur ses genoux, elle se blottissait au chaud de ses bras, au doux de son sourire ; trop de bonheur à le retrouver tendre, caressant, pour éprouver du remords de l'avoir berné en larmoyant qu'elle était donc « trop malheureuse » !

— Voilà. Je vais tâcher de te dire en peu de mots ce que... Mais, quand même, je me tracasse d'avoir vu trop petit, pour le pain, et...

Michel se releva, la serra plus fort, la fit tourner embrassée contre lui, il riait et imitait la voix geignarde de Rose, l'instant d'avant :

— Mon Dieu, que je suis donc trop malheureux... d'être aussi benêt !

Il posa Rose à terre, la fit pirouetter quelques tours encore, lui enserrant la taille — une taille si fine qu'elle éprouvait toujours la même satisfaction (de vanité peut-être, mais tant pis pour le péché) en sentant les mains de Michel la ceinturer tout entière, malgré l'épaisseur de sa vêture d'hiver. Il l'écarta enfin de lui, la tenant juste par les épaules : un tel amour dans ce geste que Rose ressentit un frisson de cœur, une ombre de culpa-bilité en pensant à sa comédie des larmes, tout à l'heure. Avec un si franc compagnon, un mari tant attentionné, était-il besoin de simuler pareillement la contrition pour se faire pardonner ce qui n'était après tout qu'une mince étourderie ? Elle s'apprêtait à le lui avouer, elle n'en eut pas le temps ; c'était lui qui expri-mait des regrets — en forme de plaisanterie, heureuse-ment, ce qui leva son restant de repentir à Rose :

— À la vérité, comme vous dites icitte pour les niais, les pauvres d'esprit, ça n'est pas moi qui ai posé les six pattes aux mouches ! J'aurais dû comprendre sur l'instant, à te voir si agitée de préparatifs ! On va venir de Boucherville nous désenfouir, c'est ça ? Et tu offriras la trempette* à nos sauveteurs ? Et dire que je t'ai crue un peu dévirolée de tête, quand tu m'as donné ordre de couper l'entier d'une miche à la hache. Me pardonnes-tu ma... comment dire ? ma... françaiserie, jolie dame Moineau, née en Canada ?

Elle le fit taire d'un baiser dans la bouche, amoureux et profond ; il s'écarta d'elle, trop prompt à s'émouvoir de chair pour résister longtemps à une telle provocation.

— Ça n'est rien le moment, ma Rose. Vois-tu qu'ils nous trouvent de même ? Dis-moi plutôt, parce que là je n'y vois pas la solution : comment s'y prennent-ils, les premiers à sortir ?

Rose se sentait importante, soudain, emplie de capacités et de sagesse. Elle s'écoutait parler avec un vif contentement d'elle-même.

D'abord, cela n'arrivait pas souvent. Mais quand même, trois fois dans sa vie elle avait connu ça. Elle répéta : « Trois fois dans ma vie... » en se rengorgeant, comme si elle eût été une vieille femme chargée d'ans et d'expérience...

— ... À Ville-Marie, ça n'advient jamais : la Montagne les garantit des grosses ventées de nordet. À Boucherville, grand-père Boucher a tout organisé, dès l'année 68 — tiens, vingt ans tout juste —, quand il a fondé le bourg. Le manoir... pourquoi tu ris en coin ?

---

* Pain trempé dans du lait sucré.

— Ce n'est pas de moquerie, ma Rose. Je trouve superbe, au contraire, qu'un seigneur de Canada habite ce qu'on appellerait chez nous — je veux dire en Poitou — une grande cabane en bois ! En France, les manoirs, les châteaux sont de belles et fortes constructions de pierre avec des tours, des ornementations de sculptures. Et les seigneurs ne se laissent pas appeler « grand-père » par leurs tenanciers ! Mais je t'écarte de tes explications, ma jolie, continue. Tu disais : le manoir...

Rose fut un instant avant de continuer : des châteaux de pierre, des dentelles de sculptures aux églises, des carrosses dorés dans les rues de Paris, et des toilettes, des parfums, des coiffures emplumées... Sa mère, Anne la Parisienne, fille du Roi*, lui décrivait avec nostalgie toutes ces merveilles de France. Les connaîtrait-elle un jour, elle, Rose, la fille des maisons de bois, des églises en rondins, vêtue d'habits grossiers en droguet, toile de chanvre, ratine ?

— Tu disais : le manoir...

— Oui. Fais excuse. Au manoir, grand-père Boucher a tout de suite jugé qu'il fallait une chambre haute, et pas seulement pour guetter les Iroquois ! Vu la position du village, il estimait que, par soudaine tempête, les petites maisons de ses colons risquaient de se trouver comme nous aujourd'hui : tout entières enfoncées dans la neige gelée. Alors, les premiers à sortir, ce sont eux, les Boucher, par la fenêtre de leur chambre haute, où ils tiennent toujours des pics, des pioches, des pelles. On était les plus près du manoir, nous autres. Tit-Claude et mon père se joignaient à eux, et ainsi de suite de maison en maison, ça allait vite. Des fois, même, ils poussaient jusqu'à Varennes, Longueuil — là-bas, ils

---

* Les « filles du Roi » étaient des jeunes filles dotées par le roi et envoyées en Nouvelle-France pour épouser des colons.

n'ont pas de grand-père Boucher pour mener le juste commandement. Bien sûr, il ne peut pas aller partout, notre bon seigneur : mais, à chaque maison, il laisse toujours à l'ouvrage quelqu'un de sa famille, que ça soit fils, gendre ou domestique. Les jumeaux, eux, restent toujours ensemble, ils en abattent à déblayer, je te promets, même s'ils font en même temps leurs singeries ! Oh mon Dieu ! Mais Jacques est mort !... C'est tant impensable que ça m'arrive d'oublier...

Elle s'était mise à pleurer — avec sincérité, cette fois — et Michel la prit dans ses bras. Lui assura que c'était la plus douce offrande que l'on pût faire aux défunts, de les penser toujours vivants. Ainsi n'étaient-ils pas dans le froid de la tombe, mais dans la chaleur de l'existence, dans le bouillonnement de la vie auprès de ceux qui les aimaient toujours — et non pas les avaient aimés...

Michel fut interrompu par des coups réguliers qui venaient du dehors ; Rose essuya ses larmes et cria : « Les voilà ! »

Elle reconnut immédiatement la voix derrière la porte : celle de Lambert Boucher de Grandpré. Jamais il ne les avait visités depuis qu'ils exploitaient la ferme Martineau dont le jeune homme était le propriétaire en titre. Elle en fut soulagée : malgré les paroles réconfortantes de Michel, elle aurait eu des noirs à l'âme, de voir seul Jean-Baptiste, en de telles circonstances. La voix joyeuse de maître Lambert l'insouciant, aussi léger que les jumeaux, malgré sa trentaine passée, la réconforta.

— Ho, monsieur mon fermier de rechange ! Tu peux débarrer, à présent. Va tout doux pour pousser : supposément que le battant et le chambranle sont soudés par la glace, tu arracherais d'un seul coup l'entier du boisage, de la force que je te connais. Louis-Marie tirera à menues secousses, en même temps.

Louis-Marie ! Rose fut un instant colérée : ce Sauvage venait encore la narguer ! Puis elle oublia sa contrariété dans le charivari qui emplissait la maison ; on l'interpellait, on la pressait...

— Tu ne t'attendais pas sur nous, donc, la Rose, que tu restes en statue de plâtre ?

— C'est de même que tu nous reçois ? Quoi qu'elle t'a appris, ta mère ?

— Si ça te déconvient de nous voir, on reprend pics et pelles, et on remet tout en l'état qu'on l'a trouvé !

— Tu n'as qu'à dire, on obéit, le corps raide et les oreilles molles* !

Il ne s'agissait là que des habituelles plaisanteries, presque un rite lors de ces travaux d'entraide : on houspillait la maîtresse de maison, on faisait mine de reproches sur son hospitalité. Lambert Boucher se mêlait joyeusement à ces gausseries traditionnelles, sa voix sonnait plus moqueuse encore que celles des colons qui l'accompagnaient, Martinbault, Viger, Lagardette, Pastourel... Michel ne pouvait savoir, il se porta au secours de son épouse — du moins le pensait-il, la croyant outragée :

— Bien sûr qu'elle vous attendait ! Elle a préparé la trempette. Ce qui la tracasse et la met en statue de plâtre, comme tu dis, Viger, c'est de savoir si vingt livres de pain et huit pintes de lait vont suffire pour vous tous. Je vous remercie fort de votre aide, mais je

---

* Se dit de quelqu'un de timide, qui obéit sans regimber.

ne supporterai pas — même de vous, surtout de vous, Monsieur Lambert — que vous brocardiez ma femme !

Il avait parlé sec, malgré les « non ! non ! » réjouis de Rose, et parut en réel ahurissement sous les hourvaris qui s'élevèrent alors. Même la bouche sévère de Louis-Marie frémissait d'une ébauche de sourire. Lambert Boucher réussit à dominer le tapage.

— Personne ici, mon brave Michel...

Rose vit noircir l'œil du « brave Michel » qui devait se sentir humilié par ce ton de supériorité. Lambert Boucher sembla le comprendre de même, et changea de manières :

— À mon aide, les Canayens natifs ! Faut lui apprendre nos coutumes, à ce Français ! Pastourel, toi qu'es beau parleux ?

— Eh bé, voilà. On peut se poser d'assis, Rose ?

— Beau dommage. Donnez excuse que je n'ai pas songé de moi-même.

— Eh bé, voilà. C'est d'usage, icitte, quand on désenneige, de bousculer en paroles la patronne. Même la dame de Maître Moreau, le notaire, on la tanne pareillement, et elle est première à en rire de plein cœur, ce qui ne donne pas dégoût à voir, par le fait qu'elle est belle à damner le Bon-Dieu, et que...

— Suffit, Pastourel. Tu sais ce qu'on dit : beau parleux, petit faiseux. La dame Moreau, tu ne l'as point moquée, c'est moi qui l'ai jaspillée ! Pour la trempette, te casse pas la tête, Michel, ça suffira. À cause que vous venez en huitième position, et qu'on est déjà bien garnis de panse. À s'en péter la sous-ventrière, hein, Viger ?

Jamais Rose n'avait entendu Lambert Boucher s'exprimer ainsi : à l'habitude, il parlait le langage châtié en usage chez le seigneur.

— Tout juste, Monsieur Lambert. Surtout que chez Pastourel, sa bourgeoise et ses filles nous ont bourrés de crêpes et de sirop, tant et tant qu'au sortir de chez eux, Lagardette — ha ! ha ! ha — devait garder la goule en l'air pour que ça n'en sorte pas des crêpes en chapelet !

Ils étaient tous assis, à présent. Rose posa sur la table le panier d'écorce empli de pain, le pot de lait tiède dans lequel elle versa du sirop. Elle commençait à trouver qu'ils s'épouffaient un peu fort, qu'ils s'agitaient trop — et allez donc, de grandes tapes dans le dos, et des sacres* à faire rougir ! Monsieur Lambert menait d'ailleurs la danse, dans ces débordements, sous le regard à présent glacé de Louis-Marie. On eût dit que soudain les rôles, le rang s'étaient inversés : le domestique jugeait le maître et lui faisait reproche, par le seul éclat de cet œil de pierre noire. Rose s'en trouva elle-même offensée, et, du fait, revint à l'indulgence amusée envers tous ces braillards qu'elle soupçonnait à présent d'avoir absorbé de plus corsé que le lait et le sirop ! Lambert Boucher, d'ailleurs, confirma tout aussitôt son pressentiment :

— Ah ! mes tord-vice ! C'est surtout ma gourde de rhum qui les a fait couler, les crêpes de la Pastourelle, quand je vous l'ai sortie, en mitan du Fleuve — pas vu, pas pris, mieux vaut prudence. La trempette de Rose va vous dégager l'haleine, vous soufflerez bon le lait, si vos femmes vous font un gros bec** au retour. Allons-y gaiement, ça reste encore de l'ouvrage : faut dégager... dégager l'haleine... mais aussi... le restant des bâtiments !

_____

* Des jurons, des blasphèmes.
** Baiser.

Ils s'étranglaient de rire, les « tord-vice » ! Postillonnaient le lait et le pain trempé ! Assuraient que des boute-feu comme Monsieur Lambert, y en avait guère, y en avait peu, y en avait pas !

Rose rencontra le regard de Michel ; elle y lut qu'il était arrivé aux mêmes conclusions qu'elle : ces lurons n'étaient pas saouls-bardés, non, pas jusqu'à cet extrême, mais se trouvaient quand même en jolie ripompette ! Michel n'en paraissait pas scandalisé, plutôt amusé ; peut-être croyait-il que cela était l'usage à Boucherville, comme en France, l'indulgence aux abus de boisson : à Augé, lui avait-il raconté, chaque janvier, la Foire au vin chaud donnait lieu à trinqueries qui, même mesurées faute d'argent, amenaient vite en ribote les buveurs d'eau et de piquette en cette unique occasion d'oublier, pour un moment, les duretés du quotidien. Lui-même, une fois l'an, à Augé, se laissait aller à la gaieté d'une bonne cuite !

Lambert Boucher continuait de parler tout en mangeant la trempette. Il gloutonnait à n'y pas croire : c'était un homme de fort tempérament, pris comme une île* ; les vingt livres de pain allaient-elles suffire ?

— Mes bons gaillards ! Ça vous tordrait-y la langue de me dire merci ? Si quelqu'un d'autre que moi, de la famille Boucher, s'était apparié avec vous pour venir sur Saint-Joseph, vous savez que vous vous auriez pas rincé la goule pareillement ? Et vous soufflez mot à personne là-dessus, vous connaissez mon père... Puis, que ça ne vienne pas non plus à l'oreille de ma grand-mère Crevier, vu que mon rhum ne sort pas de son commerce, ha ! ha ! — parce que je tiens à ma peau et

---

* De très forte carrure.

ne veux pas non plus poisonner mes amis ! Allez, mes camarades, on dit merci au bon Monsieur Lambert pour son bon rhum tout droit venu des Îles, sans passer par la marmite au diable de grand'maman Crevier !

On ne riait plus, soudain, autour de la table ; des « merci » hésitants furent prononcés, mine basse. Les joyeux colons qui avaient louangé le joyeux Monsieur Lambert devaient à présent se trouver embarrassés, voire choqués par l'inconvenance de ses réflexions vis-à-vis de sa grand'mère. Cela était pourtant le secret de Polichinelle, à Boucherville, et même en l'entier de la Nouvelle-France : la dame Crevier faisait sa fortune en fournissant les Sauvages d'un terrible tord-boyaux qui les rendait fous enragés ! Cependant, la famille Boucher — et le seigneur en premier, qui réprouvait fort ces pratiques — faisait mine d'ignorance et recevait toujours avec égards la mère de la seigneuresse. Lambert Boucher venait de jeter ouvertement tache sur sa respectable famille : les regards fuyaient, on n'entendait plus que des mâchouillis de pain, des gargouillements de lait aspiré à la goulue... Le jeune homme frappa la table d'un coup de poing.

— C'est bien le cas de le dire, donnez du son aux bourriques, elles vous rendront de la crotte ! Quoi ? C'est à parler de ma grand'mère Crevier que je vous ai coincé le gosier ? Vous ne le saviez pas, peut-être, chafouins que vous êtes ?

Seul Louis-Marie était demeuré impassible sous l'abat de colère, il continuait à manger, comme absent, étranger à la dispute. Les autres, visiblement revenus à la clarté d'esprit, s'entre-regardaient, se désignaient du menton, l'air de dire : « Parle donc, toi... ou toi... ou toi... »

Pastourel, le « beau parleux », se décida après avoir toussé longtemps :

— Si-fait, monsieur, on savait, mais c'est vos affaires de famille et ça nous regarde point. Grand merci pour le rhum, il était diable bon, surtout pour du monde comme nous autres, du petit monde. Votre rhum, c'était une boisson de messieutrie*, et on vous dit encore merci. On ne soufflera mot là-dessus à personne, craché-promis, grand-père Boucher ne saura rien venant de nous. Seulement voilà, à présent qu'on est désivrés, on se dit... comment dire... Pas vrai, les gars, qu'on se dit...

— Pastourel, moi je te dis que tu as une figure à fesser dedans, et que, si tu ne te décides pas à parler, je ne tiendrai pas longtemps l'envie qui m'en démange.

— On se dit que... on n'est pas tout seuls à être au courant de notre petite boirie, et... hé là donc, c'est-y difficile à sortir !

— Douterais-tu sur Michel, ou sur Rose, pour ébruiter l'affaire ? Sois rassuré : en France, à ce qu'on dit, on boit quelques coups et des bons, et on n'a pas la morale si sévère que mon père, là-dessus ! Franchement, Michel, si ma gourde n'avait pas été tétée à sec, aurais-tu refusé une petite rincette ?

Michel assura qu'au contraire, il eût volontiers accepté. Ajouta avec un clin d'œil que, bien sûr, cela aurait été juste pour se faire une idée quant au goût du rhum. Lambert Boucher riait :

— Alors ? Vous voyez si vous pouvez être tranquilles. Non ? Vous gardez mines de chiens battus ? Ah ! Vous m'énervez fort, changés en statues, à laisser froidir le lait. Heureusement, il y en a un qui continue à profiter de ta trempette, Rose : ce bon Louis-Marie.

---

* Les notables, les gens importants.

Pastourel eut l'air soulagé comme un homme prêt à se noyer à qui l'on tend une gaffe :

— Justement, monsieur : Louis-Marie. Il nous a vus boire, et à présent il nous écoute parler. Et comme il n'a point liché votre rhum, on craint que...

— Je ne lui en ai même pas offert, qu'est-ce donc qui vous tracasse ?

— Ça, tout juste, monsieur. Il fait mine de pas voir-pas entendre, mais, par jalouseté, on a doute qu'il... pas vrai, vous autres... ?

Toutes les têtes hochèrent « oui-oui », tandis que Louis-Marie continuait sereinement de piquer le pain au couteau, de le tourner et retourner avec soin dans le lait, de le gober sans perdre miette ni goutte. Un instant, Rose le revit, creusant, déchirant les chairs de sa paume avec la même lenteur appliquée — avec le même couteau... Ils n'avaient pas tort, les colons de Boucherville, de s'inquiéter au sujet des malfaisances qui pouvaient venir de la part d'un individu aussi sournois et cruel ! Eux, ils n'avaient pas la bonne naïveté de Michel vis-à-vis de Louis-Marie. Pastourel poursuivait ses explications, la voix peu à peu affermie :

— On a crainte qu'il va raconter l'affaire à votre père. Ça vous mettra pour sûr dans l'embarras, monsieur, mais pour guère de temps, vu que la vie militaire vous tient loin du manoir où vous ne donnez pas souvent visite. Tandis que nous autres, on reste à l'année longue sur nos concessions de Boucherville, et on n'a pas fini des leçons de morale pour notre goulée de rhum, sans parler des criasseries de nos femmes ! Voilà ce qui nous tarabusse, monsieur : qu'il cause, votre Sauvage. Sous le respect que je vous dois !

Depuis que Pastourel avait commencé d'exposer sans détours leur crainte, leur souci — et combien Rose les partageait ! —, Lambert Boucher grimaçait bizarrement, se mordait les lèvres, gonflait les joues... Laissa finalement s'échapper un fracas, une explosion de rire lorsque Pastourel eut terminé du discours en exprimant son respect. Il ne s'agissait plus des ricanements niaiseux de l'ivresse, il riait à grands francs éclats et semblait fort peu préoccupé des « embarras » qui pourraient lui venir de son père.

— C'est trop drôle, j'en étoufferai ! Pensez-vous vraiment que je vous aurais mis dans un tel risque — et moi pareillement — si je n'avais pas eu toute confiance en... la discrétion de mon ami Louis-Marie ? Nous dénoncer à mon père ! Le feras-tu, Louis-Marie ?

Louis-Marie secoua la tête, un « non » silencieux que Rose jugea de la dernière impolitesse et qui parut ne rassurer personne de la compagnie.

Pastourel insista encore :

— Si vous pouviez le faire jurer devant le Bon-Dieu, monsieur, on serait mieux en rassurance, vu que Louis-Marie se montre bon fidèle à la messe.

— Justement la raison pour quoi il ne jurera pas ! Les Pères jésuites l'ont trop bien éduqué à ne pas jurer sur la moindre occasion : figurez-vous que nos Robes noires avaient l'intention d'en faire un curé ! Ils y ont renoncé, ces Messieurs* les Sulpiciens y voyant scandale, et l'ont confié à mon père afin qu'il vive dans la même ardeur chrétienne qu'au séminaire. Donc, il ne jurera pas. Mais il peut promettre. Louis-Marie ?

— Je promets silence.

— Je te tiens, tu me tiens, par la barbichette, le premier qui rira...

---

* On disait aussi, simplement, « ces Messieurs ». Ordre très riche, les sulpiciens s'attachaient surtout à la mise en valeur du Canada, alors que les jésuites étaient tournés vers l'évangélisation des autochtones.

Tant incroyable, de les voir éclater de rire en même temps, le fils du seigneur Boucher et le taciturne Huron ! Dans leurs regards, une si choquante complicité que Rose en fut atterrée — cependant que les colons de Boucherville en paraissaient, eux, entièrement rassurés, et qu'ils se joignirent aux braillements de gaieté, tandis que Michel avait l'air au comble du bonheur. Lambert Boucher leva enfin la main pour obtenir silence :

— Halte au feu ! Halte au feu ! Donc, pour nous résumer, faites confiance... à ma confiance !

Mais bien sûr, beau dommage, voyons donc, ils avaient toute foi en la parole de Monsieur Lambert et en celle de Louis-Marie pareillement ! Pas l'ombrage d'un petit doute ! Pas la plus menue crainte ! Tout au contraire, ils se trouvaient en remords et contrition d'avoir pensé à mal !

Les tourne-au-vent, les têtes d'œuf, d'un rien on les revirait ! Ils se répandaient d'excuses, à présent, en grandes platées : et ce brave Louis-Marie, et le bon Monsieur Lambert... Le « bon Monsieur » les fit taire :

— N'en parlons plus, mes amis. Il nous reste de l'ouvrage : les bêtes doivent être folles enragées de faim. Et nous le serons pareillement au retour. Rose ? Remets la trempette au chaud.

Rose fut fort satisfaite de voir se refermer la porte. Elle avait quand même réussi à faire un sourire à Michel qui était sorti le dernier.

Elle parlait toute seule en ranimant le feu, en pelletant les cendres tièdes et les braises autour du pot de lait. Elle trouvait ainsi un soulagement de rate, elle en aurait étouffé, de tenir sa colère en dedans !

— Malheur que Roqueau soit parti en chasse : ça m'aurait bien convenu, qu'il croche Lambert Boucher aussi fort qu'il avait mordu son ami Louis-Marie ! Son ami ! Ça va être aisé, à présent, de déprendre mon Michel de ce Sauvage ! Un presque curé, en plus ! Ces Jésuites, ça n'a pas de bon sens ! Déjà que les Ursulines avaient fait une bonne sœur : Kateri je sais plus comment, un nom à coucher dehors comme ils ont tous... Enfin, c'est pas pareil, une femme ça ne fait pas messe et confession. Et puis, la pauvre, elle a vitement défunté, à trop se mortifier sans manger ni boire des jours et des jours. Mon lait manque sur le sirop...

Elle ne s'était pas mêlée aux hommes, à la table : elle venait de prendre un morceau de pain, l'avait trempé... Peut-être la bile de colère lui mettait-elle cette acidité en bouche ; le lait avait goût d'orage, comme aux grandes chaleurs d'été, même lorsqu'elle y eut versé un supplément de sirop. Elle n'était pas dans ses lunes, pourtant, elle n'avait pas pu faire tourner le lait ! D'ailleurs, cette fois, elle avait bonne confiance d'être prise : cinq jours en retard de sang.

Cette évocation d'espoir lui fit oublier un moment sa hargne envers Lambert Boucher et le Huron, mais le répit ne dura guère.

— Ils n'avaient pas mérité un fils pareil, non, le bon grand-père Boucher et la seigneuresse, sainte femme ! D'après vu dire, c'est un pilier de cabaret, un senteux de cotillons, porté sur les mauvaises filles de rien ! Pas encore marié, à trente-deux passés ; c'est une affaire qui peut pas se cacher, ça, de refuser à fonder famille, et les pauvres parents doivent en être désâmés ! Surtout qu'il n'aurait qu'à choisir, il est bel homme, faut reconnaître, et le voilà à présent major de Trois-Rivières, il serait un bon parti pour une jeune fille de famille. Mais non, ça couraille, ça fait le coq, ça bimboche ! Et maintenant, en surplus de pesée, ça fait amitié avec un domestique sauvage ! Seigneur, mon lait !

Le lait n'avait pas aigri, non. Mais, à force de geler et réchauffer, il épaississait doucement, grumelait. Tant pis. Ils auraient une trempette de caillé à leur retour, les colons de Boucherville, Monsieur Lambert, son ami Louis-Marie, et Michel, qui riait aux anges en les voyant si bellement accordés, les « Canayens natifs » et le Sauvage ! Une trempette de fromage mou, écœurante rien qu'à la regarder, grumeaux suintant de sirop, vilaine bouillasse jaune-sale... Bien fait pour eux !

La grange n'avait pas été enfouie jusqu'au faîte et la neige n'y était pas durcie : un caprice de vent tournant avait réservé ce mauvais sort à la maison. On en plaisantait autour de Michel, tout en pelletant :

— Faut que le diable s'y ait mêlé, pour englacer seulement ta maison !

— D'apparence, le Bon-Dieu aime mieux tes bêtes que toi. Supposément, t'as gros à te reprocher !

Lambert Boucher, qui prenait sa bonne part de l'ouvrage, se redressa en riant.

— Tout au contraire, mes amis, voyons-y une bénédiction du ciel pour de jeunes époux : la matinée grasse rallongée d'autant ! Et si mignonne, la mariée !

— Oui, ben chanceux, ce Français ! Moi, ma grosse blonde*, peu manque qu'elle me jette à bas du lit si je prétends la minoucher, le matin !

Michel se sentait outragé, fâché noir, en écoutant ces paillardises qui tournaient autour de Rose. Allait-il devoir rabrouer (et même plus, il en avait envie) ceux-là mêmes qui lui venaient en secours ? Il ne pourrait

---

* Amoureuse.

continuer longtemps de déblayer, tête baissée, en faisant mine d'être trop absorbé à l'ouvrage pour entendre !

— Et voilà ! La dernière pelletée. Vous pouvez ouvrir, à présent, maître Moineau.

Louis-Marie qui le voussoyait ! L'appelait « maître » ! Trop soulagé de la diversion apportée par son ami aux considérations gaillardes, Michel ne releva pas cette mégarde de langue et dégagea la barre qui fermait la porte de grange. Ils entrèrent tous à sa suite, sauf Louis-Marie auquel Lambert Boucher ordonna de dégager l'appentis à fourrage.

Il faisait bon à l'intérieur, l'eau de l'abreuvoir n'était même pas prise en surface. Emplie de meuglements, grognements et cacasseries, la grange-étable, odorante et tiède, semblait hors du temps, coque d'un bateau renversé sur les glaces d'hiver où la vie continuait à couver en attente de la saison douce.

Sans doute Michel était-il seul à évoquer cette image de paisible, optimiste certitude : les colons de Boucherville, eux, se récriaient sur de plus terre à terre !

— Voyez-moi ça, on m'avait assuré, mais je pensais à des accroires !

— Une admiration ! Faut-il qu'il ait travaillé d'arrache-poil, ce Michel !

— Ça se disait, ça se disait, qu'il était un mangeux d'ouvrage, mais à ce point !

— Quand on songe au patatras que c'était, du temps de Martineau !

Ils s'exclamaient sur tout : la rigole empierrée qui recueillait le purin... le treillis entrecroisé de joncs pour l'enclos aux volailles, même un poulet de trois jours n'y trouverait passage... la soue aux cochons en contrepente, voilà qui épargnait de saloperies... l'aire de batterie, plus fin-propre que la table de la Martinelle... les gerbes de blé-froment, rangées comme à la parade militaire sur les lattes du galetas, avec les sachées prêtes pour la mouture... On ne voyait le pareil de perfection qu'à la ferme du manoir, proportions gardées, bien entendu...

Michel se trouvait presque en embarras, d'une telle grêlée de compliments : quoi de plus naturel que de prendre en soin toutes ces richesses de Nouvelle-France, lorsqu'on avait tant miséré au vieux pays ? Heureusement, Lambert Boucher suffisait à répondre et se rengorger :

— C'est que, voyez-vous, Michel a beaucoup fréquenté au manoir, depuis son arrivée à mon service : il y a profité au mieux des exemples et conseils de mon père. D'autant que notre ami connaissait et appréciait le sieur Pierre Boucher, mais oui, avant sa venue en Nouvelle-France... le livre de mon père... un ami... sait par cœur...

Lambert Boucher pérorait, les colons faisaient cercle autour de lui, sur l'aire ; Michel, lui, n'écoutait plus, mais s'employait à nourrir les bêtes avec les pensées loin parties de sa grange.

Ils sont tranquilles, cachés dans une ronde d'ajoncs sur la pente de Champ-Margou, le petit Jacques de Sainte-Maure de Montauzier, fils de haute noblesse, et Michel Jamonneau, apprenti meunier de son père, Louis Jamonneau, lequel ne possède rien des moulins qu'il exploite : la roue à aubes de la Bêchée, les ailes du Défens tournent pour le profit des seigneurs de Vieux-Viré — et surtout pour celui de leur fermier général ! Ils n'ont rien en commun, le jeune baron et le manant, sauf une secrète amitié qu'ils savent éternelle, sauf leurs quinze ans, sauf leur chimère : ils iront ensemble en Canada, un jour.

— Maurillon, je voudrais que tu me lises aujourd'hui les...

— Les arbres, encore les arbres ! Non, c'est moi qui choisis, cette fois. N'oublie pas que tu me dois respect et obéissance.

— Voui, Monsieur le Baron de Montauchier, j'oublie pas !

— Misérable Jambonneau de Pourceau de la Bêchée, mes ancêtres en ont fait pendre pour moins que cela ! Bon. Fini de rire. Je vais lire le chapitre intitulé : « Des blés et grains qui croissent en ce pays ».

— Oh oui ! oui ! Mais tâche moyen de ne pas sauter, comme la dernière fois, « toutes sortes de choux y viennent aussi à leur perfection », et de continuer jusqu'à la fin des choux ! Ce n'est pas une raison que tu abomines cette légume pour enlever des mots à l'*Histoire Véritable et Naturelle* ! Puisque le sieur Pierre Boucher les a écrits, tu n'as pas droit de les ôter.

— Bien sûr, bien sûr... Je me sens un peu hors de souffle aujourd'hui. Alors, c'est toi qui vas réciter « Des blés et grains qui croissent en ce pays » en y mettant le ton qu'il faut, hein, pas en *rapiamus* de messe basse ! Et sois prévenu : je lirai des yeux en t'écoutant, et ne manquerai pas de te reprendre à coups de badine sur les doigts, comme faisait mon précepteur lorsque je me trompais à la récitation latine.

— Compte que je me laisserai faire, vermine !

— Je t'écoute, bestiau !

Michel récite, la voix aussi ferme-assurée que s'il savait lire dans le Livre. À tant l'avoir écouté, il le connaît par cœur, il y met les intonations exactes de Maurillon, il se délecte, il savoure les générosités de leur Terre promise : « Le blé-froment y vient trè-è-s bien... Les seigles y viennent plu-us que l'on ne veut... Tou-ou-tes sortes d'orges et de pois y croissent fo-ort beaux... Le chanvre et le lin y viennent plu-us beaux et plu-us hauts qu'en France... »

— Je dis bien sur l'air, Monsieur le Baron ?

Pas de réponse, il continue, déguste les mots évocateurs d'abondance, moissonne le blé d'Inde, le blé sarrazin et le tournesol, fait provision de lentilles, de haricots et de gro-osses fèves, s'attarde avec gourmandise sur les framboisiers et fraisiers « qui sont dans tou-out ce pays en si gran-ande abondance qu'il n'est pa-as croyable : tou-outes les terres en sont rem-emplies, et cela vient par dépit*... »

— Non, excuse, je me suis brouillé : les framboises et les fraises, c'est dans le chapitre « Des arbres qui poussent en Nouvelle-France ». Des arbres à fraises, tu imagines ? Mais... il dort, ma parole !

Michel cueille une poignée d'herbe, s'apprête à en cingler le museau de celui qui lui promettait la badine, s'apprête au rire, s'apprête au jeu... Et laisse tomber son fouet de comédie. Son ami, son frère de cœur semble encore plus fragile dans le sommeil. Son haleine est courte, avec un crépitement de paille froissée qui monte de la poitrine, et

* Sans que l'on s'en occupe.

des bulles de salive rosée qui crèvent au coin de la bouche à chaque souffle.

Ils n'iront pas en Canada : l'hiver de glace, les neiges seraient d'un mortel péril pour un malade de phtisie...

— Pourquoi t'es-tu arrêté ? Penses-tu donc que je dorme ?

Maurillon saute sur ses pieds, vif, alerte, en belle santé : ses pommettes sont rouges, du beau rouge vif des coquelicots, et ses yeux pétillent, brillent, brillent... Il donne en riant de petites tapes sur les joues de Michel, mauvais élève, méchant garnement ! Sa main est chaude-brûlante, éloigne les évocations de froid, de danger, de mort... Ils verront le Canada, sa Grande Rivière, sa richesse infinie...

— Michel ! Trois fois que je t'appelle... Il est vrai que l'on ne s'entend pas, dans ce charivari d'hommes et de bestiaux. D'abord, je tiens à te féliciter au plus haut pour la tenue de ma ferme. Les colons de mon père en sont pantois, comme tu peux te rendre compte. Non, mes amis, ne repartez pas sur la louange, nous n'avons déjà que trop tardé au retour. As-tu de la graine à moudre ?

— Oui, dès demain. On n'a plus guère de farine.

— Et guère de pain non plus, je gage. Nous allons prendre chacun une petite sachée de cinquante livres. La neige est douce encore, sur le Fleuve, et, malgré nos raquettes, nous enfoncerions jusqu'au ventre avec une grosse charge. Nous porterons ton grain au moulin — je gage que notre meunier sera soulagé de ne point te voir : il prétend que tu l'agaces fort, même ne pipant mot, et que ton seul regard lui fait reproche sur ses façons de travailler ! L'après-demain, tu pourras t'atteler à la traîne et rapporter ta farine.

Lagardette se récria : Monsieur Lambert y pensait-il ? L'après-demain, c'était dimanche ! Et les Commandements de l'Église, alors ? Et, surtout, ceux de grand-père Boucher ! Tirer la traîne un dimanche à Boucherville, voilà qui ferait un beau scandale !

— À l'évidence. Merci, Lagardette, de me le rappeler. Le dimanche à Boucherville, après messe, les hommes peuvent nourrir les bêtes, les femmes peuvent nourrir la maisonnée, rien d'autre. Et trouvez-vous chanceux que mon père tolère le dernier point : s'il ne tenait qu'à lui, il se contenterait de manger des *Pater noster* et...

— Et, comme l'on dit, de chier des *Ave Maria* !

— Il suffit, Pastourel ! Tu pousses trop loin le bouchon, ce me semble.

Fantasque, imprévisible, Lambert Boucher ! Dans le silence consterné qui suivit, Michel se dit qu'existait bizarrement en lui, vis-à-vis de son père, un étrange assemblage d'irrespect et d'admiration, d'amour filial et d'impertinence : il avait lui-même tendu la perche des *Pater noster* et s'irritait à présent que quelqu'un eût complété l'obscène grossièreté à sa place !

— Bien. Nous en avons fini, je crois. En ce cas, nous pouvons partir. Michel, tu donneras mes politesses à Rose : demain, je regagne la garnison. Ma mère vous invite à dîner dimanche, après messe.

La ride qui faisait une barre sévère entre ses sourcils s'effaça dans un franc sourire. Il ajouta :

— Sans la traîne.

On entendit des soupirs de soulagement : Monsieur Lambert était revenu à bonne humeur ! Personne, cependant, n'évoqua le restant de trempette que Rose devait tenir au chaud !

Ils rechaussèrent les raquettes et s'éloignèrent, chacun portant une sachée de grain, outre ses outils. « Cela fait quand même une belle bâtée », avait dit Pastourel en riant. Sur l'ordre de Lambert Boucher, Louis-Marie était revenu prendre un sac de supplément : parce que les Sauvages — hein, mon bon Louis-Marie ? —, ça battait tous les hommes blancs pour la marche en raquettes ! Et plus lourd il serait, ce bon Louis-Marie, mieux il leur damerait la piste !

Et, de fait, quoique le jeune Huron fût parti le dernier, Michel le voyait à présent loin devant les autres. Il marchait vite, droit dressé, superbe d'allure, grand berger d'un troupeau qui suivait peti-peta sa trace. Un instant, Michel le vit comme l'émanation même de ce pays, le vrai seigneur des neiges, des eaux et des glaces... Puis il se dit que, sûrement, Louis-Marie se trouvait plus heureux, domestique au service du meilleur des maîtres, que dans l'existence incertaine et précaire des survivants de la nation huronne.

Chapitre 6

Le dîner au manoir

Rose n'osait lever les yeux vers la tablée des hommes alors qu'elle était rongée-consumée du désir de rencontrer le regard de Michel. De temps à autre, en gardant tête baissée, elle jetait quand même un œil en dessous, à l'hypocrite, juste pour l'apercevoir : un éclair, un instant de bonheur vite éteint, englouti dans l'immobile, accablant silence qui étouffait la table des femmes.

Du côté des hommes on parlait, certes à voix mesurée ; cependant, la vie s'exprimait, là-bas ; parfois la discussion s'y animait. Rose distinguait alors la voix de Michel ; cela lui chauffait le cœur, quoiqu'elle fût trop éloignée de lui pour comprendre ce qu'il disait. Elle entendait aussi la voix de grand-père Boucher, basse et grave, qui faisait aussitôt s'éteindre toutes les autres. Et celle de Jean-Baptiste, accents vifs et presque rieurs dans lesquels Rose pressentait, sinon l'oubli du drame, du moins l'apaisement du souvenir. Messieurs les fils et gendres, Rose ne les connaissait pas assez pour identifier leurs voix. En revanche, elle en percevait clairement deux autres qui lui hérissaient la peau : Louis-Marie, qui se permettait de parler à la table du maître, de ce timbre lent, uni, qui agaçait si fort Rose ; et Monsieur de La Saudraye qui semblait tout encoléré, parole acide et mordante : il avait donc toujours quelque bile à déverser, toujours une crotte sur le cœur*, le nouveau curé de Boucherville ?

Le silence, à la table des femmes, n'en était que plus poignant face au bourdonnement de conversations qui venait du côté des hommes. La seigneuresse, visiblement, ne l'imposait pas ; mais son visage dévasté de chagrin, vieilli, méconnaissable, suffisait pour que nulle n'osât entamer la moindre discussion. Si un cri, un pleur d'enfant montaient parfois, vite une jeune mère, une tante, une servante prenait le petit braillard dans ses bras, le calmait de bercements et de baisers.

La pauvre seigneuresse portait souvent ses regards sur l'autre table, puis vite baissait les paupières sur des yeux rougis, comme bouillis dans les larmes. Madame Pierre, l'épouse du fils aîné, dirigeait au service, faisait lever, d'un mouvement de menton, d'un signe de la main, les belles-sœurs, les nièces, les deux servantes sauvages. Telle portait le pain, une autre s'occupait des viandes, chacune ayant une tâche si précise qu'il n'était pas besoin du truchement de la parole pour les faire s'activer.

L'une des Sauvagesses, Rose la connaissait depuis toujours. Vieille — au moins quarante — et ridée comme une pomme de janvier, elle semblait toujours rire, gardant la bouche entrouverte sur des gencives nues. En réalité, Rose avait le souvenir d'un méchant dragon dont les jumeaux se plaignaient fort, car elle ne se privait pas de les houspiller et gourmander. « Heureusement, riait Jean-Baptiste, elle ne nous tape pas, malgré la permission que lui en ont donné nos chers

_____
* Rancune, ressentiment.

parents. Parce que les Hurons ne frappent jamais ni femmes ni enfants. Et les bons Pères jésuites ont beau leur remontrer que c'est coupable faiblesse, la vieille garce demeure sur ce point une fidèle Huronne, Dieu merci pour nos derrières ! »

L'autre servante, Rose ne l'avait jamais vue. Elle pensa un instant que les jumeaux n'auraient guère été au martyre sous des gifles et des bourrades venant de cette jolie fille — puis elle se reprocha fort cette coquinerie d'imagination dans l'atmosphère désolée du repas ! Mais elle était si charmante, la petite Sauvagesse, ronde de joues et de corsage, vive et gracieuse dans ses mouvements qui faisaient dindailler d'épaisses tresses brunes, longues à lui caresser les reins.

Sans doute la mignonne fillette — à peine quinze ans, jugeait Rose — ne resterait-elle pas longtemps au service du manoir. Il en allait toujours de même avec les petites Sauvagesses. La bonne dame Boucher les éduquait au travail, à la couture et à la cuisine, aux bonnes manières françaises pour la tenue d'un ménage, puis la chère, généreuse femme les dotait et leur trouvait un époux ; un malheureux veuf avec des enfants en bas âge, le plus souvent. Personne n'y trouvait à plaindre, surtout pas la jeune épousée : cela faisait une belle ascension dans la société, pour une Sauvagesse, de se retrouver femme de colon ! Le Roi lui-même, d'ailleurs, incitait à ces mariages, et le gouverneur versait une jolie somme pour cette occasion.

Nul ne verrait à mal, quand la jolie Huronne quitterait l'église au bras de son époux français. Alors que l'inverse eût fait un scandale fracassant. Mais, Dieu merci — Rose frissonna à l'idée —, jamais on n'avait vu une femme blanche épouser un Huron, et cela n'arriverait au grand jamais !

Rose remercia de la tête la jeune servante qui lui versait l'eau. Elle rencontra son regard. Malgré l'ébauche de sourire, elle crut y voir une inquiétude, presque une angoisse. Cela était à son honneur : la mort de Jacques la bouleversait comme si elle eût été de la famille. Et, la voyant si près d'elle, Rose se demanda pourquoi bien on apprenait aux demoiselles à se protéger du hâle de l'été avec des chapeaux et des voiles : sa peau dorée comme maïs mûr donnait bien du piquant à la belle Huronne.

À présent, elle se dirigeait vers la table des hommes. Rose éprouva une petite morsure de jalousie : Michel, bien sûr, n'allait pas comparer les attraits de sa petite Rose à ceux d'une Sauvagesse. Mais quand même... Elle l'avait remarqué déjà, du temps de leurs fiançailles : il faisait un œil en velours devant une jolie femme. Il était parfois arrivé à Rose, sans qu'elle osât l'avouer, d'être jalouse du regard qu'il posait sur celle qu'il avait appelée un jour « ma belle belle-mère ». Rose décida de n'y plus penser, de tirer pour toujours cette mauvaise épine de son cœur. Quel homme normalement fait n'aurait admiré la superbe, la splendide Anne la Parisienne ? Même son propre gendre n'y pouvait échapper !

Elle jeta cependant un coup d'œil vers les hommes, tant pis pour l'inconvenance : Michel, bavardant avec Jean-Baptiste, n'avait pas même remarqué qu'on venait d'emplir son gobelet, n'avait pas seulement fait merci de la tête. « Mon cœur, mon cher amour, ce soir je te raconterai ma sottise... Aussi, c'est de t'aimer trop, mon Moineau ! »

Michel avait observé avec soulagement qu'il n'y avait plus de place inoccupée, d'assiette vide à côté de Jean-Baptiste. Si le jeune garçon semblait parfois absent de la conversation, il revenait vite à s'entretenir avec Michel ou Louis-Marie, son frère Ignace, à sa gauche, étant de caractère fort réservé et silencieux.

— Oui, je voulais te dire, Michel... Merci, Josephte. Donc, je voulais te dire...

Michel n'avait pas remarqué qu'on venait d'emplir son gobelet, et seul le « merci, Joseph » de Jean-Baptiste l'avait fait se retourner : un homme, servant à la table du manoir ? Prenait-il donc les manières d'un gros Monsieur, le bon grand-père Boucher, pour s'offrir le luxe et la vanité d'un valet de maison ? Michel avait alors aperçu une jeune fille qui continuait de verser le bouillon*, une jolie Huronne à la gracieuse démarche rythmée par le battement de ses tresses.

— Joseph ? Elle s'appelle Joseph ?

— Mais non : Joseph-te. Tout le monde en a ri d'abord, mais on s'est habitué, sauf Monsieur de La Saudraye. Il ne décolère pas contre les sœurs Hospitalières qui l'ont ainsi prénommée : il prétend que c'est une insulte au bon saint Joseph, auquel il voue un culte particulier. Tiens, écoute et regarde : notre cher curé — façon de parler — va encore prendre les nerfs à ce sujet, comme chaque dimanche depuis que Josephte est arrivée ici.

Monsieur de La Saudraye était assis en bout de table, à la place d'honneur, entre le seigneur et l'aîné des fils, Pierre. Ces deux derniers avaient remercié la jeune servante : « Merci, Josephte » et un signe de la tête du seigneur ; le silence, nul remerciement de la part du

_____

* Boisson légèrement alcoolisée, obtenue par la fermentation de pâte à pain crue dans l'eau.

curé qui, comme par mégarde, avait éloigné son gobelet au moment d'être servi ; « Merci, ma petite Josephte », et même un soupçon de sourire aimable au visage de Monsieur Pierre. Le curé, comme l'avait prévu Jean-Baptiste, s'encoléra fort, mais point sur l'insulte faite au saint nom du père nourricier de Jésus :

— Monsieur ! Vous devriez obtenir de votre épouse qu'elle coupât les tresses de cette... cette Josephte ! La sotte fille vient de m'en balayer le visage en me servant à boire. A-t-on idée de conserver ces... serpents en coiffure, lorsqu'on a été purifiée par l'eau sainte du baptême ? Laissez-moi vous dire, c'est mon rôle de Sulpicien, que la dame Boucher se montre trop à l'écoute des Jésuites, qui prétendent convertir les Sauvages tout en leur laissant la plupart de leurs répugnantes coutumes ! Pouah ! Ces nattes battant au moindre mouvement, quelle indécence !

La seigneuresse avait levé la tête ; le courroux de Monsieur de La Saudraye enflait à tel point sa voix que ses paroles devaient parvenir jusqu'à elle. La petite servante demeurait derrière le curé, tremblante et pleurant de l'algarade.

— J'en aviserai mon épouse, monsieur, dans quelque temps. Son chagrin est encore trop vif pour que j'y ajoute ce souci en lui rapportant vos paroles. Ce qu'elle en décidera sera juste, croyez-le.

Le seigneur avait parlé calmement, sans que rien sur son visage n'indiquât qu'il fût blessé par la diatribe du curé. Jean-Baptiste poussa Michel du coude et souffla :

— Je vois, à la mine de mon frère Pierre, qu'il va se charger de moucher le curé.

Le frère Pierre, en effet, paraissait quant à lui violemment outragé de l'offense faite à sa mère par le biais des cheveux trop longs d'une Sauvagesse... Michel n'aimait guère cet homme, ses manières pompeuses, son air de supériorité, mais, en la circonstance, il l'approuvait pleinement.

— Merci, petite Josephte. Laisse là ton pichet et retourne auprès de ces dames. Monsieur de La Saudraye ? Vous m'y fîtes songer — excusez le chemin de traverse — en parlant des nattes de cette enfant, battant... laissez que je reprenne vos propres mots... « battant au moindre mouvement ». De mauvaises langues, auxquelles je n'ai porté nulle foi, m'assurèrent hier, à Ville-Marie, que vous retranchâtes vingt livres sur le prix de la cloche que les chères sœurs Hospitalières ont fournie à notre paroisse, sous raison que le battant en était défectueux. Il vous faudra veiller à éteindre cette calomnie, monsieur. Tous les paroissiens ont pu entendre combien la cloche sonne clair, et tous savent aussi ce qu'ils ont dépoché pour elle : deux cents livres. Voyez donc jusqu'à quels soupçons pourraient mener ces fausses et viles insinuations si vous n'ajoutiez pas vos démentis à ceux que j'ai déjà faits. Dieu merci que vous me l'ayez remis en mémoire !

Monsieur de La Saudraye avait rougi, pâli. Semblait près d'exploser comme poudre à canon. Le seigneur lui posa la main sur le bras :

— Je veillerai aussi à faire cesser ce bruit. Et vous, mon fils, merci de m'en avoir avisé.

Il se leva, changea de ton :

— Mon amie ?... Mes enfants ?...

Michel connaissait les habitudes du manoir, pour le dessert. À l'appel du seigneur, les dames et les marmots quittèrent leur table ; les petits enfants riaient franchement en s'installant sur les bancs ou sur les genoux de leurs pères ; la seigneuresse, ses filles et ses brus souriaient. Sur le visage de la pauvre dame Boucher, cette expression de gaieté forcée paraissait, aux yeux de Michel, plus désolante encore que des pleurs. Avant de prendre place, les servantes et les jeunes filles avaient posé sur la table plats et corbeilles où chacun se servirait à convenance de noix, de prunes sèches, de marmelade de citrouille, ainsi que de beignes* luisants de sirop.

— Ma petite Marie-Rose...

Rose avait été invitée à s'asseoir entre la seigneuresse et son gendre Le Gardeur. Elle s'y trouvait à l'honneur, mais non point au plaisir. À en juger par sa mine, Michel pensa qu'elle eût préféré prendre place auprès de lui. Le seigneur demanda silence ; Michel savait ce qui allait suivre : les remerciements à Dieu pour lui avoir donné si belle famille.

— Que ma famille est belle ! Merci, mon Dieu, de ce bienfait...

Lorsque Michel avait été reçu au manoir, avant son mariage, l'action de grâces s'arrêtait là, les enfants regagnaient les genoux des mères et des tantes en piaillant de plaisir. Aujourd'hui, tous restaient figés, comme en attente, comme si le moment n'était pas venu encore des douceurs du dessert.

— Vous nous l'aviez donné, vous nous l'avez repris ; Merci, Seigneur, d'avoir fait place à notre cher Jacques en votre Paradis.

« Merci, Seigneur, merci... merci... » Cela bourdonnait autour de la table, le mumure reconnaissant s'apaisait puis remontait, même les tout-petits zézayaient des « me-ci, me-ci ». Michel gardait la tête baissée, ses lèvres s'ouvraient et se fermaient sur une bouillie de syllabes dépourvues de signification : il lui aurait semblé trahir deux Jacques en même temps, deux jeunes garçons ardents à vivre, en remerciant pour leur

---

* *Un* (ou *une*) *beigne* : beignet.

présence au Paradis ! Ils n'avaient pas vécu leur droit d'âge, Jacques de Sainte-Maure et Jacques Boucher ! Jamais ne connaîtraient les joies d'amour, les bonheurs d'époux, de père...

— Cela suffit, à présent, mes enfants. Notre cher Jacques nous a entendus.

En même temps que parlait le seigneur, Jean-Baptiste souffla à Michel :

— Merci à toi de ne pas t'être joint à cette horreur.

La conversation s'animait à présent. La seigneuresse — quoique son effort fût visible — tenait son rôle de maîtresse de maison, de mère et grand-mère attentive : ses jumelles Louise et Jeanne devaient veiller à ce que Petit-Pierre n'avalât point les noyaux de prunes, comme il lui arrivait souvent par gloutonnerie... Geneviève aurait à modérer Antoinette sur la marmelade, elle en était gourmande jusqu'à se rendre malade... Monsieur de La Saudraye devait reprendre des beignes, il lui ferait injure de refuser, elle les avait confectionnés elle-même... Et Marie-Rose qui grignotait du bout des dents, ne les trouvait-elle pas à son goût ?

— Si, si, madame. Très bons. Même parfaits.

— Tant mieux. J'aime à te faire plaisir. À ce propos...

Pauvre dame ! Elle faisait pitié à Michel, de s'efforcer ainsi à la conversation !

— ... à ce propos, que devient le chien que je t'ai fait tenir par Louis-Marie, le mois passé ? Est-il toujours sur l'île ? Mon fils de Grandpré ne l'a point vu, lorsqu'il est allé désenneiger. Se serait-il enfui ?

— Non, madame. Il m'obéit en tout, il comprend déjà « viens » ou « reste », je le trouverai ce soir à l'endroit que je l'ai laissé. J'avais dit à Louis-Marie de vous en faire tous mes mercis. Il n'y a pas manqué, j'espère ?

— Non, bien sûr. Il m'a appris aussi qu'avec toi, le chien se montrait doux et affectionné. Ma mère en sera comblée, chère femme. N'est-il pas trop gros mangeux, pour ta provision ? Cela me disconviendrait, si tu étais obligée de t'en débarrasser sur ce motif, mais, dans ce cas, je me rangerais à l'avis de mon époux qui envisagerait — n'est-ce pas, mon ami ? — de l'abattre lui-même plutôt que mettre en dépenses votre jeune ménage.

Rose n'eut même pas un sursaut, à cette évocation. Répondit avec aplomb que le chien se nourrissait uniquement de sa chasse. Qu'il n'avait pas son pareil pour courser le petit gibier, et même désenfourner du terrier les loirs et les marmottes. Il ne lui mangeait mie ni miette de provisions, le chien que la bonne dame lui avait offert. Un chat aurait été davantage de dépense, toujours à friponner du lait, ces sales bêtes !

La seigneuresse paraissait réellement contente — et sans y forcer, cette fois — des affirmations débitées par Rose, voix assurée et œil innocent. Ce n'étaient pas tout à fait mensonges : certes, il chassait encore, Roqueau ; cependant, Michel prévoyait qu'il en perdrait vite l'instinct à force des gâteries que Rose lui octroyait : les restants de soupe (qui allaient tourner aigre, selon elle), les os encore bien viandés (qu'elle avait horreur à gratter, ça lui vrillait aux dents), les tripes de volailles (qui donnaient mauvais goût à la viande des cochons, d'après sa mère, si on les jetait dans leur auge) ! À ce régime, Roqueau devenait gras comme un ours en automne, et Michel se disait qu'un jour proche, il devrait chasser pour lui. Mais sa petite Rose se montrait si heureuse de la présence du chien — que n'aurait-il fait pour la combler ?

Par politesse, Rose ne pouvait tenir le crachoir trop longtemps : elle dut s'en rendre compte et baissa modestement la tête après d'ultimes éloges et remerciements pour le cadeau de la seigneuresse. Il y eut un moment de silence, on n'entendait plus que les craquements des bûches dans la cheminée.

— Père ? N'est-ce pas le moment de proposer à Michel ce dont nous avons convenu, hier au soir ?

— Certainement, mon cher fils. Lui aussi mérite récompense, comme sa gentille épouse.

Dès que le fils Pierre avait commencé à parler, Michel avait reçu deux coups de pied venant de droite et de gauche : un avertissement plutôt qu'une brutalité.

— Il a osé ! soufflait Jean-Baptiste. Lambert m'avait prévenu, mais je ne pouvais y croire !

Tandis que Louis-Marie suppliait tout bas — et cette voix implorante était si peu de son caractère :

— Refuse, par pitié ! Mon ami... mon ami... Sous n'importe quelle raison, refuse, je t'en prie !

Rose étouffait de rage à écouter Monsieur l'aîné. Cela avait pourtant bien commencé : trop de travail pour un seul homme, dans l'île Saint-Joseph. Et quel travail ! Les colons de Boucherville en avaient fait des éloges que l'on eût pu croire excessifs si le maître des lieux, son frère de Grandpré, ne les avait confirmés. Il ne serait pas chrétien de laisser Michel se tuer à l'ouvrage sur une terre qui ne lui appartenait pas...

— ... notre père, toujours clairvoyant et généreux, a donc envisagé...

— Non-non, mon fils, ne m'attribuez pas tous les mérites. C'est vous-même qui l'avez proposé, mais j'ai adhéré de grand cœur à votre bienveillante intention. Je tiens en haute estime le jeune couple Moineau et vous suis reconnaissant de partager ce sentiment. Notre Lambert aurait d'ailleurs dû y songer lui-même.

— Voyons, père ! Mon frère de Grandpré honore notre famille par sa valeur militaire et ne peut juger comme vous des astreintes, pour la tenue d'une terre.

— Certes, certes. Venez au fait, je vous laisse l'honneur. Je vois nos jeunes amis dans la plus grande impatience.

— Eh bien, voilà : nous avons décidé de te prêter Louis-Marie comme domestique, mon cher Michel, pour une durée... indéterminée. Nous continuerons à payer son gage, bien entendu. Il est travailleur, courageux, et je sais que vous avez fait bonne paire, pour la chasse. Que dis-tu de cela ? À voir ta mine, tu ne t'attendais guère à recevoir un bon valet de ferme en reconnaissance du soin que tu prends aux terres de mon frère !

Le diable serait tombé sur la table, face à Rose, qu'elle n'eût pas été plus horrifiée : supporter Louis-Marie à l'année longue ? Et Michel qui semblait suffoquer de bonheur, pâle, bouche tremblante, à ne pouvoir répondre !

— Alors, qu'en dis-tu ?

Rose vit Michel aspirer une grande goulée d'air. Puis baisser la tête avant de parler d'une voix incertaine :

— Monsieur, je vous suis très... très reconnaissant. Mais... comment dire... je refuse, voilà.

Rose crut s'étrangler de joie : l'angoisse, l'émotion d'attente lui faisaient depuis un moment avaler tout rond, sans y penser, d'énormes bouchées de beigne... Et, tout aussitôt, fut reprise d'affolement. Monsieur Pierre insistait :

— Je reconnais bien là ta délicatesse, mon cher Michel. Alors, puisqu'il en est ainsi, ce n'est plus une offre, mais...

Il souriait avec bonté, Monsieur le fils aîné. Ménageait un insupportable silence durant lequel Louis-Marie se penchait vers Michel, comme épuisé d'impatience à attendre son consentement.

— Ce n'est donc plus une offre, c'est un ordre, n'est-ce pas, père ? Un ordre amical et même... paternel, n'est-ce pas, père ? (Le seigneur hochait « oui » à chaque « n'est-ce pas ? ».) Un ordre que tu ne peux donc refuser d'exécuter, mon ami. Il faudra en passer par là : Louis-Marie sera domestique chez toi.

Michel se leva. « Dieu bon, priait Rose, pourquoi me punissez-vous de même ? »

— Non, monsieur, sous le respect que je vous dois, je refuse toujours. Je me louerai moi-même domestique ailleurs, si je vous offense à vous désobéir ; votre frère de Grandpré ne pourrait s'y opposer.

— Mais quoi ?... Comment se peut-il ?... Je vous croyais en bonne entente, tous les deux !

— Nous le sommes, monsieur.

— Alors, la raison ?

— Puisque enfin il faut vous la dire, la voici. Je reculais de l'avouer pour ne pas blesser Louis-Marie ni mettre Rose en confusion. La raison, c'est que mon épouse n'aime pas Louis-Marie, et même plus, qu'il l'effraie fort. Voilà l'entière vérité, monsieur : Rose ne pourra supporter Louis-Marie à demeure.

Il avait donc deviné, le cher, le merveilleux homme ! Rose aurait voulu courir vers lui, le manger de baisers, rire, battre des mains. Tout au contraire, elle s'effondra sur la table, visage dans les mains, sanglotant, tandis qu'elle entendait : « Mais comment est-ce possible ?...

Voyons, mon enfant !... Il n'y a pas plus doux-aimable que ce bon Louis-Marie !... »

Elle eut conscience de devoir rajouter à la pesée pour conforter auprès de la famille Boucher le refus de Michel. Elle hoquetait que oui, c'était vrai, elle en demandait pardon au seigneur, mais elle ne pouvait supporter l'idée, oh-là-là non ! Louis-Marie lui faisait peur autant que les Iroquois, non-non-non !

— Mais enfin, ma petite Marie-Rose, ceci est de l'enfantillage !

La voix de Monsieur Pierre, dure, cassante... Il fallait donc aller encore plus loin dans les manifestations d'effroi. Elle se tapa la tête contre la table, trépigna, hurla : « Un Iroquois ! Un Iroquois ! J'ai peur, j'ai peur, à mon secours ! »

Elle se sentit soutenue, levée, doucement entraînée vers le fond de la pièce ; on l'asseyait sur une chaise à bras, on lui glissait un coussin sous la tête, on lui écartait les mains du visage : la seigneuresse et Madame Pierre se penchaient sur elle avec sollicitude :

— Ma chère enfant...

— Comment te sens-tu ?

— Es-tu sujette aux attaques de nerfs ?

— Ne serais-tu pas... ?

— Voyons, Charlotte ! On ne parle pas de cela, sauf à sa mère, tant que... cela ne se voit pas !

L'épouse de Monsieur Pierre s'excusa auprès de sa belle-mère pour son inconvenance ; seule l'émotion l'avait conduite à cette choquante indiscrétion. Elle continua d'une voix qui ne marquait plus la moindre contrition :

— Quoi qu'il en soit, vous en conviendrez comme moi, mère, il est hors de question que Louis-Marie aille chez cette jeune femme pour l'instant.

— Bien entendu. Sans qu'il soit besoin de s'expliquer davantage, votre beau-père ne s'y trompera pas : pensez qu'il a eu quinze enfants !

Rose crut voir entre la seigneuresse et sa bru un échange de regards dans lequel s'exprimait un vif soulagement. La seigneuresse ajouta :

— Appuie-toi sur nous, ma chère petite enfant, pour regagner la table. Tu peux te montrer encore dolente et faible, sans excès toutefois, car ce serait manquer à la pudeur féminine.

Affichant un demi-sourire courageux mais crispé, feignant — « sans excès toutefois » — une démarche encore hésitante, Rose revint à la table, soutenue — « sans excès toutefois » — par l'actuelle et la future seigneuresse de Boucherville. Elle baissait les yeux, on les aurait vus trop brillants de triomphe, et la « pudeur féminine » exigeait d'ailleurs ce masque compassé. Elle n'avait même pas eu à mentir ! L'excessive pruderie de la bonne dame Boucher l'avait épargnée d'un péché qui ne lui aurait guère pesé à l'âme, pourtant. Depuis ce matin même, elle savait ne pas être en espoir de famille : Michel avait ri et l'avait consolée de sa déconvenue — baste, il n'était pas pressé de voir une nichée de moineaux, sa merveille de petite femme lui suffisait d'affection ! La seigneuresse et sa bru la remirent à table avec des égards et des sourires — « sans excès toutefois » ! Rose se retenait d'épouffer* à voir ces deux grosses vieilles femmes faisant preuve de tant d'égards envers une alerte jeunesse de dix-sept ans !

----

* Pouffer, éclater de rire.

— Mon ami... Ne croyez-vous pas devoir renoncer à votre généreuse idée ? Notre petite Marie-Rose est si jeune, fragile...

« Oui-oui », hochait le seigneur tandis que le fils Pierre tambourinait nerveusement la table.

— ... vous en tombez d'accord ? Et vous aussi, Pierre ? Bien. Bien. Laissons-la se faire à l'idée que Louis-Marie est un brave garçon, et que, s'il a été long-temps prisonnier des Iroquois, il n'est pas, pour autant, devenu des leurs, Dieu soit loué ! Je te fais cependant reproche, Louis-Marie, d'avoir conté cela à nos jeunes amis. Les Pères jésuites, mon époux et moi-même t'avions demandé de faire silence sur ce point dans la crainte — justifiée, tu le constates aujourd'hui — que les gens ne s'épeurent de toi, sachant que tu passas ton enfance chez la canaille iroquoise. Rose et Michel, bon-heureusement, sont presque de notre famille et sauront garder leur langue là-dessus, n'est-ce pas ?

Interloquée, bouche ronde ouverte de cette révélation qui venait pourtant conforter son aversion pour Louis-Marie, Rose ne put que faire « oui-oui » de la tête. Et pareillement Michel qui semblait autant surpris qu'elle. La seigneuresse ajouta, comme on gronde un enfant :

— Plus un mot là-dessus, Louis-Marie. Nous en serions fort offensés, si tu recommençais.

Et la voix unie de Louis-Marie, si lente, et agaçante de n'y pouvoir rien deviner, ni colère, ni contrition, acheva de donner à cette scène comme une allure de mauvais rêve.

— Mais je n'ai rien dit, dame. Ils viennent de l'ap-prendre par vous. Voulez-vous que j'en jure devant Dieu ?

La seigneuresse faisait pitié de son désarroi, le sei-gneur fronçait le sourcil, Madame Pierre vint au secours de sa belle-mère, toute en douceur et sourire :

— Inutile de jurer, mon bon Louis-Marie, nous te croyons. Seule la volonté de Dieu vous inspira, ma mère : Il a jugé nos jeunes amis dignes de porter ce secret, comme Il nous demande à présent de pardonner à la gentille Rose son... caprice... passager. Voyez-la, encore toute bouleversée, vous pardonnez, n'est-ce-pas ? Mon père ?...

Oui, le seigneur pardonnait d'une voix émue : chère petite enfant, il ne lui tenait nulle rigueur !

— Mon ami ?

Et oui, Monsieur le fils aîné consentait aussi au pardon ; cependant, la sécheresse de ton promettait à Rose une longue rancune !

— Louis-Marie ?

Et oui de nouveau, sans un mot, juste un signe de la tête qui pouvait sembler respectueux. Les yeux de Louis-Marie, ses yeux de pierre noire étaient brouillés d'un voile étrange qui les faisait plus effrayants encore, comme une brume d'orage menaçant, un nuage prêt à s'ouvrir sur l'éclair et la foudre...

Rose se promit de ne jamais s'éloigner de la maison sans avoir Roqueau auprès d'elle lorsque Michel irait à son chantier. Elle l'avait donc pressenti, que Louis-Marie était à demi iroquois ! Ces démons se montraient tenaces et patients pour la vengeance : Sondaka, l'Aigle, n'oublierait jamais l'affront.

La seigneuresse semblait pressée des au-revoir : déjà la demie de deux heures, la brunante arrivait, et vite la nuit noire tombait en cette saison ; le jeune couple devait partir. D'ailleurs, la cloche appelait aux vêpres et Monsieur de La Saudraye, qui avait quitté le repas au cours du dessert, le saint homme, serait outragé que la famille Boucher arrivât en retard à la chapelle !

— D'autant que vous l'avez fâché un peu, je crois, Pierre, en lui rapportant ces stupides et méchants bavardages de Ville-Marie. Était-il besoin de les lui faire connaître ? N'était-ce pas manquer de charité ?

Pour la première fois depuis l'arrivée de Rose et de Michel, Ignace Boucher venait de prendre la parole. Son frère n'eut pas à lui répondre, et mieux valait pour le bon Ignace, sans doute, que son père s'en chargeât : Monsieur Pierre roulait des yeux furibonds !

— Mon cher Ignace, ne vous mêlez point à cela, vous y seriez maladroit par trop de bonté. Raccompagnez plutôt nos jeunes amis jusqu'à la rive, vous leur éviterez les endroits glissants.

— Père ? Si nous en profitions pour charger une traîne avec leurs sacs de farine ? Michel nous la ramènerait demain.

Le seigneur secoua la tête avec une expression d'indulgence attristée.

— Mon pauvre Ignace ! Je reconnais bien là vos absences et rêveries. Vous venez d'entendre sonner vêpres, et aussitôt, vous oubliez que nous sommes dimanche. Vous mériteriez de tirer la traîne chargée vous-même, demain, en pénitence ! À bientôt, mes chers enfants. Dieu bénisse votre ménage. Et vous, mon bon Ignace, n'oubliez pas de venir nous rejoindre à vêpres.

Ils marchaient sur le Fleuve, à présent. Michel avait pris les devants, comme le matin : il prétendait ouvrir la route facile pour Rose. Elle ne le détrompait pas, son cher mari. Et pourtant ! Elle le voyait devant elle, encore pataud et maladroit sur les raquettes qu'il croisait parfois l'une sur l'autre, ce qui l'amenait à trébucher. Elle serait allée deux fois plus vite que lui, mais n'osait le lui dire : il croyait si fort l'aider, la protéger des chutes en traçant le chemin.

Elle hésita un moment à se porter à sa hauteur, elle avait une telle hâte de lui parler, de le remercier, de lui dire son bonheur d'avoir été si bien devinée : malgré la bonne figure qu'elle avait toujours faite à Louis-Marie, Michel avait compris qu'elle s'y forçait et qu'à la vérité, elle abominait cet homme.

Elle renonça à le rejoindre ; impossible de tenir conversation, par ce froid : seuls leurs yeux paraissaient entre écharpes et bonnets, et leur haleine sitôt gelée les bâillonnait de glace malgré les épaisseurs de tissu.

Roqueau faillit la faire tomber lorsqu'ils prirent pied sur l'île, par la joie violente qu'il manifestait, sauts et aboiements : à coup sûr, le bon chien lui serait un féroce gardien !

Il faisait froid à fendre les pierres dans leur maison où les braises étaient à l'étouffe sous la cendre depuis leur départ matinal. Il fallut encore éclairer la chandelle, ranimer le feu, attendre qu'un peu de chaleur permît de se désentortiller de cape, capots, écharpes et bonnets de poils raidis de frimas. Attendre avant de crier le bonheur et la reconnaissance...

— Mon cher cœur, je...

Et Michel, en même temps, de même voix :

— Ma Rose aimée, je...

Ils se mirent à rire tous deux de cet unisson, de cet accord d'amour, et se serrèrent dans les bras l'un de l'autre. Et, de nouveau, parlèrent ensemble :

— Je ne...

— Je te...

Et de rire encore, mais il fallait mettre fin à cette culbute de paroles. Rose mit sa main sur sa bouche, fit signe : « À toi d'abord ! »

— Je ne te croyais pas capable, ma Rose, de mener à bien une si jolie comédie. Comme tu as paru en réelle frayeur ! Je te revois et je t'entends encore, ha-ha, belle coquine : « J'ai peur ! J'ai peur ! Un Iroquois ! » Tu aurais pu te fâcher noir, sous une pareille accusation. Moi-même, tu as dû remarquer, j'ai hésité à répéter cette menterie que Louis-Marie m'avait soufflée. Mignonne sorcière, tu semblais avoir entendu ce qu'il m'avait dit d'abord à si basse et pitoyable voix : « Refuse, ami ! Refuse, je t'en supplie ! »

Rose se sentait près de défaillir — pour de bon, cette fois — en écoutant Michel. Ainsi, lui qui assurait l'aimer si fort — et elle n'en doutait pas —, il n'avait rien deviné de son aversion pour Louis-Marie ! Et c'était à la demande même du Sauvage qu'il avait, selon ses propres termes, « répété cette menterie » !

Comment le détromper, à présent, lui qui la flattait de caresses, lui mordillait le cou comme en amour, assurant, entre chaque câlinerie, qu'elle était un ange... un ange...

— À toi de dire à présent, ma douce, généreuse petite femme... Cela t'aurait pourtant bien épargnée d'ouvrage, la présence de Louis-Marie !

Dieu merci, qu'elle l'avait laissé parler en premier ! Si elle s'était exprimée d'abord, Michel aurait reçu de « son ange, sa douce » un méchant abat d'eau glacée et s'en serait trouvé en âcre désillusion. Finalement, tout se présentait au mieux pour elle, à présent. Débarrassée du Sauvage sans avoir eu à tracer de longs plans ! Et parée d'un supplément de mérites aux yeux de Michel : rien que des avantages à tirer, de cet embrouillamini !

— Je t'écoute, mon cher trésor...

— J'ai tout de suite compris que c'était important pour Louis-Marie de ne pas venir chez nous, en entendant ce gros mensonge — vu que je l'ai toujours bien traité, bien reçu. En tout cas, il est fin de tête, il a trouvé le bon moyen pour refuser à ces Messieurs, sans perdre face. Parce que je crois savoir la vraie raison, moi. Mais, pas vrai, ça n'est pas disable, pour un homme, d'avouer qu'on a peur d'un chien. Et pourtant, ça se comprend : rappelle-toi comme Roqueau l'a grippé fort. C'était mauditement affreux à voir, pauvre garçon, j'ai manqué de pâmer !

— Je ne crois pas : c'était juste pour avoir attaché le chien, qu'il a été mordu. Mais il n'avait pas peur, je te promets, sinon pour toi. Il a vite été rassuré sur ce point, même plus vite que moi : lui, il a remis le tamahak à la ceinture ! Mais s'il ne m'avait pas retenu, je le lui aurais bien arraché pour m'en servir moi-même !

— Quoi ? Que me dis-tu là ? Tu aurais tué Roqueau ?

— Hé oui ! Plutôt que de te voir dépecée ! dévorée ! engloutie par ce brave toutou ! Allons, ne fais pas cette mine effarée, puisque Louis-Marie m'en a empêché. Ça te fâche donc tant, que je te préfère à un chien ?

— Non, bien sûr. Mais ça me fige les sangs, que tu aies songé.... que vous ayez songé...

— N'y pense plus... Pour en revenir au refus de Louis-Marie, peut-être ne nous dira-t-il jamais la raison ; il est taiseux comme une bûche, sur le sentiment. Parce que je ne vois que ça qui le retienne de venir chez nous : il est le cœur en amourette pour la petite Josephte. Et je le comprends, de vouloir rester près d'elle ! Si tu savais comme j'ai langui, l'an passé, toi à Boucherville, et moi domestique sur l'île Saint-Joseph, avant notre mariage...

Michel était dans le vrai, probablement. La haute moralité de la famille Boucher expliquait l'attitude de Monsieur Pierre : il avait deviné, comme Michel, les appétits de Louis-Marie pour la jolie Josephte. Mais lui, il savait que ça n'avait pas de mœurs, pas de tenue, les Sauvages ! Quoique chrétiens, ils ne se gênaient pas de faire Pâques avant Rameaux ! Même les filles, celles à qui on aurait donné le Bon-Dieu sans confession, comme Josephte : elles aguichaient tant et si bien leurs promis français, les servantes de la seigneuresse, qu'elles accouchaient, sept mois après mariage, de poupons fort potelés, prétendument nés avant terme ! Cela encore ne salissait pas la réputation des Boucher, le péché ne s'était pas commis sous leur toit. Mais, dans le cas présent, cela ferait mauvais effet ! Il n'y avait décidément que soucis et désagréments à recevoir en retour des bontés prodiguées aux Sauvages. Pauvres dames Boucher qui avaient eu l'air tant soulagées de conserver leur Louis-Marie au manoir ! Elles ne méritaient pas ce qui allait arriver, si Michel avait vu juste !

— Et Jean-Baptiste ? Je l'ai vu te marmonner à l'oreille, lui aussi. Qu'est-ce qu'il t'a dit ?

— Il m'a dit... voyons, oui, voilà ses justes mots : « Il a osé ! Lambert m'avait prévenu, mais je ne voulais pas y croire... » Tu vois, notre Jean-Baptiste, il comprend les amoureux, lui, et ne tient pas qu'on les sépare ! Tout comme Monsieur Lambert !

Rose hocha la tête et se mit à parler d'autre chose : Michel aurait-il grande faim ce soir ? Elle pouvait faire des rôties graissées de saindoux pour après la soupe... Elle parlait avec la tête ailleurs. Elle comprenait à présent pourquoi maître Lambert et Louis-Marie se « tenaient par la barbichette » ! Le Sauvage faisait silence sur la boierie, comme Lambert Boucher fermait les yeux sur les amours de Josephte et Louis-Marie.

Pour maître Lambert, cela ne l'étonnait pas, vu sa réputation de bon-des-femmes*. Mais Jean-Baptiste ! Quinze ans ! Beaucoup de tracas à prévoir pour le seigneur et la seigneuresse : ils n'avaient qu'un évargondé, jusque-là, dans leur belle famille ; voilà qu'un autre se préparait à marcher sur les traces de son frère Lambert. Mais, dans le fond, tant mieux, il s'y consolerait plus vite de la mort de Jacques !

---

* Coureur de femmes.

Chapitre 7

Le grand gel

Rose avait accroché un fanal près de la porte, malgré les protestations de Michel : croyait-elle donc qu'il était assez benêt pour se perdre entre la grange, le bûcher, le caveau* et la maison ? D'autant que sa lanterne et un superbe clair de ciel rendaient aussi inutile que ridicule la gaspille d'une chandelle dans le fanal ! Il avait cédé, comme chaque soir : elle pouvait se montrer aussi obstinée qu'une mule, sa Rose du Fleuve ! Elle présentait d'ailleurs des arguments touchants d'attentions et d'amour : et si le vent se levait brusque, tuant la lampe ? Et si le ciel s'engraissait tout d'un coup, paf, de gros épais nuages noirs ? Puisqu'elle lui obéissait, à lui, Monsieur J'ordonne, en ne sortant plus qu'une fois le jour, il devait lui rendre la pareille pour le fanal !

Rose, en effet, n'accompagnait plus Michel à la grange, sauf à mi-journée ; depuis quelques jours, il s'y opposait : aux approches de Noël, l'hiver s'était déchaîné de furie. L'air lui-même semblait solidifié, et, malgré l'absence de vent, chaque pas demandait un

---

* Caveau à provisions.

effort, une poussée, comme s'il se fût agi de s'enfoncer au cœur d'une muraille hérissée d'aiguilles mordantes.

Michel, qui avait saisi à main nue le fer d'une pioche oubliée près du caveau, s'y était arraché la peau et avait ressenti avec étonnement l'ardente brûlure du froid : sa paume, ses doigts étaient à vif, et, sur le métal, les lambeaux de peau se recroquevillaient, comme fricassés dans une poêle !

Quant à Rose, malgré le soin qu'elle prenait à s'emmitoufler jusqu'aux yeux, dès le second jour de grand gel son nez avait gercé, s'était crevassé et enflé d'engelures. Dieu merci qu'elle était coquette de sa personne, la jolie Rose du Fleuve ! Elle gémissait en se regardant au petit miroir d'étain, cadeau de sa mère, la belle Anne : elle était défigurée à jamais ! elle resterait vilaine comme les sept péchés ! ça laisserait trace, pour sûr ; elle avait vu dire que le nez pouvait tomber, des fois, pour avoir engelé ! Un froid pareil, jamais elle n'avait connu !

Tout en la rassurant sur ses attraits présents et futurs, Michel avait ainsi pu obtenir qu'elle ne sortît qu'aux entours de midi, lorsque le soleil était à son plus haut. Une illusion, sans doute : neige ni glace ne fondaient, sinon de quelques gouttes, aux endroits abrités. Quand même, l'on avait l'impression d'une moindre morsure, au soleil de midi, sauf aux yeux qu'il fallait protéger contre la violence de l'éblouissement.

Les trois heures sonnaient à Boucherville lorsque Michel sortit de l'étable. La nuit était à plein tombée. Si belle nuit de lune ronde ; nuit de gel plus âpre encore que les précédentes, emplie des sèches pétarades de branches éclatées par le froid ; nuit rayonnante de neiges et de glaces bleues, de lumière pâle irradiant de la terre comme du ciel... Michel s'adossa à la porte de la grange, quoiqu'il connût le danger de l'immobilité dans ce froid démesuré.

La nuit d'août est brûlante. Le grésillement des criquets monte des buissons qui entourent le moulin du Défens. Maurillon et Michel sont étendus à plat ventre dans l'herbe desséchée, craquante et tiède. Il tousse, malgré la chaleur, le petit baron de Sainte-Maure. Il soupire :

— Je suis fort oppressé, cet été. Je meurs de chaud. Dis-moi *L'Hiver en Canada*, puisque tu le sais par cœur, ça me rafraîchira !

« Je meurs de chaud » ! Michel frissonne ; il voit son ami s'affaiblir chaque jour davantage, il a peur, il a mal, et comme par exprès, Maurillon « meurt » toujours de quelque chose : « Je meurs de rire. Je meurs de curiosité... d'impatience... de rage... Je meurs de froid... de froid... de froid ! »

Michel sursauta. Il était en train de s'engourdir, de s'endormir debout à la porte de la grange. Il allait refermer les yeux, il se trouvait si bien, un doux repos l'attendait au cœur de la beauté de cette nuit... Je meurs de froid, je meurs... Il s'entendit gémir, renonça à ramasser la lanterne qu'il avait laissé tomber et qui s'était éteinte. Il se sentait tout en glace, à présent, gelé aux os... Je meurs de froid, Rose viendra bientôt, viendra... viendra...

Le fanal accroché par Rose brillait au-dessus de la porte de leur maison. Il sembla à Michel qu'il marchait depuis des heures vers cet appel, cette lueur d'amour, lorsqu'il ouvrit enfin la porte.

Rose s'inquiéta fort en le voyant entrer sans lanterne. Il se décapota en silence à gestes lents alors que d'habitude il « dépouillait la bête », selon ses propres mots, en grand'hâte se débarrassait des peaux, des fourrures à l'odeur desquelles il ne pouvait toujours pas s'habituer. Et, ce faisant, il plaisantait gaiement : le fricot sentait bon, qu'est-ce qu'elle avait mis au pot, la bourgeoise ? La jasette avec les voisines ne lui avait pas trop rogné la langue ni rebattu les oreilles ?

Mais, ce soir, pas un mot, il semblait même éviter de la regarder ; paraissait aussi, par sa nonchalance à se dévêtir, vouloir retarder le moment où il devrait parler.

— Qu'est-ce que tu as, Michel ? Une bête est crevée ? La vieille Gentile, je parie ! Je l'ai trouvée toute languie, à midi. Non ? Pas Rousse, quand même ? Quel malheur, elle allait vêler au mois d'avril ! Non ? Doux Jésus, c'est Roqueau, je suis sûre ! Non ? Je te supplie, réponds-moi, au lieu de branler « non » de même. Qu'est-ce qui est arrivé ? Tu m'épeures...

Michel releva enfin la tête, tourna vers elle des yeux étranges, comme fixant le vide. Un regard écarquillé sur l'invisible, qui paraissait traverser Rose sans la remarquer. Elle se coula contre lui ; il ne résistait jamais à ces tendresses, à cette chaleur de leurs corps rapprochés. Elle répéta à voix caressante, paisible : « Qu'est-ce qui est survenu ? »

— Rien. Il n'est rien arrivé de malheur. Je me suis seulement arrêté un moment pour... admirer la nuit. Quelle merveille ! J'en suis tout étourdi encore.

Ne pas crier. Dominer cette envie qui la possédait de secouer, voire injurier cet extravagant, cet insensé qui « admirait » ! La Grande Rivière ! Les arbres ! Les nuages ! Les couchers de soleil ! Et, à présent, en comble de folie, s'arrêtait pour « admirer » une nuit de froid mortel au sortir du chaud de l'étable ! Ne pas crier. Il devait être encore tout engourdi de tête, dans le profond de sa cervelle, comme ces gens qui marchent en dormant et qu'il ne faut surtout pas brusquer, au risque de les mettre en attaque de nerfs.

— Oui, c'est vrai, c'est tout plein beau, la nuit. Surtout l'hiver. La soupe est prête, mon cher cœur. Bien grasse et bouillante, comme tu l'aimes. As-tu faim, mon petit Moineau ?

Il ne répondit que d'un hochement de tête, un « oui » encore absent. Son cher cœur, son petit Moineau, il ne perdait rien pour attendre ! Il recevrait sa savonnée demain, Monsieur l'« admirateur » !

Pour l'instant, Rose se tranquillisait un peu en le voyant manger d'appétit : la mort blanche* avait juste frôlé son fou de mari, elle s'était approchée tout près, on la disait ensommeilleuse et douce, traîtresse et attirante. Heureusement qu'il ne s'était pas endormi, qu'il s'était repris à temps : en quelques minutes d'inconscience immobile, un homme pouvait venir en statue de pierre, par la mort blanche...

— Tu en veux de plus, mon cher cœur ? Oui ? Ça fait plaisir, que tu trouves bon. Parce que je t'ai fricoté de la nouveauté. J'ai mis de la ventrèche bien bardée, le cochon était épais de gras... Puis de la côte de caribou pour ajouter en goût... Et aussi, ma mère faisait ça quand on recevait visite, mais ce n'était guère souvent, des boulettes de pâte avec du lard haché menu-menu. Faut pas qu'elles cuisent trop longtemps, ni à gros feu, autrement ça s'écrapoutille dans le bouillon. C'est de la cuisine d'icitte, j'étais en peur que tu n'aimes pas ; j'avais préparé des tailles de pain au cas où, puisqu'on

_____

* La mort par le froid.

n'a plus besoin d'épargner la farine, à présent. Je peux les tremper, si tu veux.

Il avait continué de manger durant qu'elle s'expliquait longuement sur une recette de cuisine. Par cette mécanique de paroles, elle tentait d'éloigner de ses pensées l'abomination : l'idée que son Michel aurait pu être à cet instant un cadavre qu'elle aurait dû traîner en hurlant jusqu'à leur maison...

— Bien vrai, tu ne veux pas de pain dans la soupe ?

Il repoussa son écuelle. Leva les yeux. Enfin un vrai regard qui croisait celui de Rose ! Dieu, qu'elle l'aimait ! Rester calme, tranquille : elle avait envie de le frapper ! À grandes volées de gifles et de poings, taler de coups ce visage, ce corps échappés à la mort.

— Ma Rose. Mon aimée ! Je te demande pardon. Je sais combien je t'ai fait peur, tu as compris ce qui a failli arriver. La soupe est... très... très bonne.

Il s'arrêta de parler, se passa la main sur le front, puis se frotta les yeux comme l'on fait pour se bien réveiller.

Rose se taisait encore, pas pour longtemps, elle le savait : trop facile de demander pardon, puis passez muscade, la soupe était délicieuse ! Elle allait crier à pleine tête, sans attendre demain... Elle allait le battre...

— Rose, je me suis conduit en insensé, et je suis déchiré, mangé de remords en songeant à toi, ma douce, mon cher amour : tu m'aurais appelé, appelé, sans recevoir réponse. Puis tu aurais couru pour me trouver dans cette indifférence des morts envers les vivants. J'ai failli t'abandonner, mon aimée, seule face à ma charogne. À ma charogne, oui, parce qu'il faut être pire qu'une bête pour risquer de mettre à ce martyre la femme qui vous aime. Ce n'est pas sur ma possible mort que je pleure, ma Rose, c'est sur ta vie à toi, si je t'avais fait endurer cela !

Le désespoir qu'il exprimait, et ces larmes qu'elle voyait couler pour la première fois, mirent Rose en bouleversement. Effacées, disparues, les montées de violence et de reproches qu'elle avait contenues à si grand'peine ! Elle ressentait seulement le désir de le consoler, le rassurer, comme une mère ferait pour son enfant — là, là, c'est fini, mon petit...

Elle se leva et vint derrière lui qui se cachait à présent le visage, comme épuisé de honte et de chagrin. D'un bras elle l'entourait aux épaules, de l'autre main caressait-ébouriffait ses cheveux, la poitrine doucement écrasée contre son large dos ; ainsi les enfants se berçaient et s'apaisaient près du sein de leur mère.

— Mon cher cœur... Mon Moineau... Tu ne pouvais pas le deviner, que c'est mauditement dangereux de rester piqué dans le froid noir. Faut être Canayen natif pour connaître ça. Ou alors demeurer depuis longtemps dans ce pays. C'est ma faute, j'aurais dû t'avertir, tu pouvais pas savoir, mon Moineau... mon petit cœur joli...

Il se dégagea de l'étreinte douce, se leva, lui fit face, bouche tordue, œil enflammé. Ce n'était pas un enfant qu'elle tentait d'apaiser : un homme, un grand mâle effrayant bramait sa colère contre lui-même. Elle se sentait minuscule, fragile, désarmée d'arguments devant cet inconnu qui la maintenait écartée de lui d'une poigne dure.

— Si-fait, je le savais ! Ne fais pas semblant de croire le contraire ! Seulement, comme reprochait mon père, je me crois toujours plus fort que tout ! Plus fort que les sergents de gabelle ! Plus fort que le curé Bruslon ! Et maintenant, plus fort que l'hiver en Canada ! Plus fort que la mort blanche !

Sa voix montait au hurlement, et il serrait, secouait les poignets de Rose avec une violence qui tournait à la brutalité. Son Michel, si aimant, si doux de prévenances, perdu dans la folie de désespoir qui le ravageait, n'avait même pas conscience de lui faire mal ! Sans importance, ces tenailles sur les poignets : ce qui la désolait, lui mordait le cœur, c'était de voir Michel en telles transes de douleur. Elle devait l'en sortir au plus vite.

— Hé ? Crois-tu donc que je vas me sauver ? Lâchemoi, je te prie, tu serres trop, je mâchure facilement. À moi de causer, à présent. On ne va pas rester là-dessus jusqu'à la fine fin des temps. Ça n'est pas une raison que tu te sois conduit en sans-dessein pour me le corner aux oreilles le restant de nos jours ! Je ne supporterais pas... Que ça n'en soit plus question, tu m'as compris ?

Michel s'était calmé, hochait la tête, l'air de dire : « D'accord. » Elle avait donc trouvé la bonne manière : le ton d'autorité sans réplique réussissait là où avaient échoué les cajôleries enfantines et berçantes. Elle jugea devoir ajouter d'un ton de moquerie, pour achever de lui ôter son remords :

— Ce que tu devras décider, quand l'idée te prendra encore d'admirer la nuit, en hiver, c'est de le faire en courant vite, la face en l'air ! De même, à force de t'ébarouir* par terre et de te relever, tu t'échaufferas bien, Monsieur Bade-à-la-Lune !

Elle avait réussi à lui tirer un sourire. Et même un « Oui, mon capitaine, affaire entendue ! » Elle devait à

---

* Tomber maladroitement.

présent montrer confiance en sa parole, là, tout de suite :

— Tu voudrais pas hucher Roqueau ? Ta voix porte mieux que la mienne, puis je tiens pas que mon nez éclate à l'entier ! Il m'énerve en pas possible, ce chien ! Tout fou-content, depuis le gros gel, il n'approche guère la maison. À midi, je l'ai vu qui courait au diable l'emporte*, sur le Fleuve. Mais appelle que je t'appelle, il n'a rien entendu. Ou fait semblant !

Michel se revêtit tout en parlant tranquillement : ce chien, il ne fallait pas qu'elle s'étonne de ses façons bizarres, elle en avait été prévenue, c'était un chien de glace. Lui, il était sûr de le lui ramener, son chien fou, parce qu'il allait lui parler de la grosse voix !

— Le fanal éclaire encore ? Je suis forte en dépenses, j'ai oublié de le rentrer.

Avant de refermer la porte, Michel se tourna vers elle. Juste ce regard d'amour infini entre le bonnet et la peau d'ours.

— Oui, ma chère femme. Il éclaire.

Il ne fut pas long à revenir, et, malgré cette courte absence, il avait fait le nécessaire pour que Rose fût toujours rassurée. Elle savait s'il remontait ou descendait la rive, et pouvait juger qu'il courait, à entendre s'éloigner ou revenir ses appels, et même les jurons dont ils étaient entrecoupés ! Et enfin, devant la porte :

— Va à ton trou, maudit chien, tu pues trop fort pour attendre une caresse de ta maîtresse !

Rose avait débarrassé la table durant ce temps. La maison était nette, le feu clair. Comme les autres soirs. Comme si rien n'était arrivé.

------

* À toute vitesse.

— Bien. Tu n'as pas oublié de rentrer le fanal. Pourquoi tu as dit « maudit chien » à Roqueau ? Et en plus, qu'il puait ?

— Parce qu'il pue la tripe de poisson : une abomination, je t'assure. Et « maudit chien » du fait qu'il se foutait de moi, approchant, puis aussitôt détalant sur le Fleuve !

— Oui, j'ai entendu que tu baptêmais* fort après lui. Pas tout bien compris, heureusement, mais ça pourrait me revenir, au printemps... Peux-tu voir à me renforcer une charnière du pétrin, celle à main droite, elle ne tient quasiment plus, et c'est demain matin que je boulange.

Elle s'était assise sur la pierre de l'âtre pour profiter de la lumière du feu, plus vive que celle de la chandelle, toujours un peu fumeuse : elle avait entrepris de l'ouvrage fin, une chemise à plastron plissé pour les dimanches de Michel, aux beaux jours. Elle bavardait tout en cousant. Elle avait d'abord pensé, sitôt repas fini, entraîner Michel vers le lit, se rassasier à longue nuit de sa vie, de son ardeur d'amour. Puis décidé que non, elle y aurait mis trop de violence en caresses et plaisir ; l'épouvante de le perdre y aurait reparu. Ils étaient bien ainsi, dans la coque chaude de leur maison, chacun à son travail, comme d'habitude.

— Tu y croyais, toi, Michel, que grand-père Boucher aurait été capable d'envoyer ce bon Monsieur Ignace, tout seul, en punition, attelé à une traîne chargée de trois cents livres de farine ?

Michel riait que bien sûr, puisque le pauvre garçon avait oublié de rejoindre à vêpres la famille ! Ça ne plaisantait pas sur la religion, un grand-père Boucher !

---

* Jurer, sacrer.

Et puis baste, ça n'était rien, de traîner trois cents livres ! Enfin... pour un bœuf !

— Ou pour un Moineau ! Rappelle-toi donc, l'an passé, cette charge de piquets que tu as tirée tout seul, et dans la poudrerie, en plus !

Oui, il s'en souvenait. Mais c'était du temps de sa jeunesse, ça ! Du temps qu'on l'avait prêté domestique pour un mois, chez la dame Jaudouin... Et pas vrai, un mois, c'était court pour faire bonne impression à maîtresse Jaudouin ! Et surtout, surtout, à sa méchante fille qui s'appelait... comment, déjà ? Blanche ? Violette ? Rose ? Oui, tout juste, elle s'appelait Rose, ça lui revenait à présent. Une jolie sainte-n'y-touche qui ne s'intéressait guère à lui...

Rose prit le temps de couper son fil avec les dents, d'enfiler une nouvelle aiguillée. Quel bonheur, pensait-elle, cette veillée ! Comme la vie est douce auprès de lui !

— Je sais ce que tu es en train de faire. De l'ironie, comme le petit Maurillon. J'aurais bien voulu le connaître. Je n'étais pas méchante, non, je croyais que tu ne me remarquais même pas. Tu vas rire, je ne te l'ai jamais dit : un moment, j'ai pensé que tu avais des vues sur maman !

— Quoi ? Eh bien, nous voilà patte à patte : moi, je croyais que tu t'étais promise à Godambert !

Elle le vit se mordre les lèvres, l'air mal content de lui, puis il grommela contre cette saloperie de cuir : ça ne tiendrait pas longtemps, son rafistolage...

— À Pierre ? Quelle idée ! C'est comme un frère, Pierre. Enfin... j'étais bien plus sotte encore que toi, vu la différence d'âge entre toi et maman. Attends que je compte... treize ans d'écart, ça vous fait !

— Et nous deux, combien ? Treize aussi, ça me semble...

— Mais, dans ce sens, ça n'est rien pareil, voyons ! Treize ans plus vieille que son homme, c'est risible ! Pourquoi pas vingt, tant que tu y es ?

— Hé, maudite marde ! Qu'est-ce que je te disais ? Il va falloir que je taille dans un morceau neuf, ce cuir est tout pourri.

— Ça n'est pas une raison de sacrer de même ! Tu prends bien vite les mauvaises manières d'icitte, je trouve.

— Excuse-moi. J'essaierai de ne plus te fâcher là-dessus. Promis ! Mais, à propos... Pourquoi m'avoir assuré que tu n'avais pas compris ce que je jurais contre le chien, mais que ça te reviendrait peut-être au printemps ? Tu gardes si longtemps rancune ? C'est un vilain péché, ça, dame Moineau. Presque aussi gros que de sacrer ! Que tu es belle et... et attirante quand tu ris de même, à gorge ouverte ! Arrête, ou tu n'auras pas ta charnière, demain !

Hé non, elle n'était pas de rancune ! Mais ça l'étonnait fort, qu'il n'ait pas compris : la javasse de Martinelle, jamais donc elle ne lui avait raconté cette histoire qui courait toutes les veillées ? Non ? Une vraie histoire, pas une menterie...

— Alors voilà. Ça fait des temps et des temps, quand les premiers gens se sont installés en Canada...

— Les Sauvages, tu veux dire ?

— Mais non ! Des gens normaux... enfin, ça n'est pas le bon mot... des gens comme nous autres, des Français, quoi !

Rose s'était reprise à temps : pour Michel, en amitié avec son Louis-Marie, les Sauvages demeuraient encore des « gens normaux », et il la croyait dans les mêmes dispositions : le temps n'était pas déjà venu de le détromper.

— Dès la première année, un gros-gros hiver. Ceux qui étaient restés en bas du Fleuve, ils ont monté* pour cabaner dans un endroit moins méchant de froid. Ils causaient entre eux, faisant route. Vers avril-mai, ils ont descendu ; ils repassaient aux mêmes endroits qu'en montant. Eh bien, figure-toi, ils entendaient leurs paroles de décembre qui avaient gelé sitôt sorties de leur bouche, et à présent tombaient sur eux comme glace fondante à cause du doux temps. Même celles...

Rose fit mine de reprendre respiration : elle avait failli dire « même celles des défunts de l'hiver ». Mais ce n'était pas un soir à évoquer la mort...

— ... même celles bien vilaines, les gros sacres à péché mortel, qui leur dégoulinaient sur la tête ! Et, comme ils ramenaient avec eux un Père jésuite, tu imagines l'effet : tout le long du chemin à confesse ! À peine donnée l'absolution à Théophraste, le sacre de Théodule s'époutissait* sur le bon Père...

Michel leva la tête, il assura que bien sûr, les noms s'accordaient parfait, dans cette histoire !

— Ça, faut reconnaître, les noms doivent être inventés. Tu penses, depuis si long de temps, on ne sait plus comme ils s'appelaient. Mais ça n'est pas d'importance, laisse-moi continuer... À toute fin, il n'en pouvait plus, le pauvre vieux Père, il était vieux, j'ai oublié de dire. À force de confesser par terre, il se ressentait de rhumatique à la pierre des genoux. Alors, dès qu'un crisse dégelé arrivait, il disait : « *Absolvo te*, Théophane », ou...

— ... ou Théodore ?

_____

* Le Saint-Laurent coulant du sud-ouest au nord-est, au Québec on « monte » toujours vers le sud, et on « descend » vers le nord.
** S'écraser.

— Ou Pierre ou Paul, ce que tu veux, en continuant de marcher. Tu m'agaces, à rire de même, je vois bien que tu n'y crois rien...

— Si-fait, ma Rose. Autant qu'au loup-garou et à la chasse-volante, c'est te dire ! Heureusement que mon frère Jacquet n'est pas venu en Canada, il aurait passé deux mois dans le confessionnal, en fin d'hiver ! Pauvre Jacquet ! Déjà qu'une fois l'an, vite fait, comme moi, ça lui suffisait de martyre !

Malgré le sourire, le ton de badinage, Rose devinait la déchirure cachée lorsqu'il parlait des siens. S'imagina en pareille situation, dans la certitude de ne jamais revoir sa mère, ses frères et sœurs. Dans l'ignorance de leur présent et de leur avenir... Était-il marié, le bon Jacquet ? La petite sœur Nanette, si coquine et jolie, avait-elle un promis ? Et l'aînée, Belle-Marie, contrariée dans ses amours avec un protestant, et de ce fait devenue laide et grinchue, restait-elle toujours vieille fille ? Ses chers parents, morts ou vivants ? Rose frissonna à l'idée qu'il ne saurait jamais. C'était par l'intermédiaire des curés que les colons avaient des nouvelles de la famille restée au pays : à Augé, le terrible Monsieur Bruslon devait être toujours en vie, les diables ne mouraient jamais... Ces abominations que Michel lui avaient contées avant leur mariage, et dont cet homme était capable !

Rose sentit monter des larmes, elle plia son ouvrage :

— Tu as fini, avec la charnière ? Oui ? Moi, je me tire les yeux sur ce cousage... Et, puisque tu ne crois pas ce que je raconte, autant se coucher et dormir.

— Se coucher, oui, ma Rose. Ça, je crois qu'il faut...

Michel connaissait la date du jour grâce au bâton que Rose entaillait chaque matin : on arrivait au 15 de janvier. Des coches plus profondes marquaient les dimanches, et deux autres, creusées davantage encore, avaient signalé Noël et le Premier de l'An. « Nous voilà en 89, avait dit Rose en souriant. On serait presque un vieux ménage ! »

Une nouvelle année, mais toujours le même isolement dans l'île, toujours la même brutalité du froid. S'y ajoutait encore, depuis quelques jours, un fort vent de nordet qui sifflait en passant sur la neige gelée, entrechoquait les branches, faisait tinter comme clochettes leurs pendeloques de glace : Michel y entendait le chant superbe de l'hiver canadien.

Il se gardait cependant de communiquer ses impressions à Rose : il avait suffisance de remords pour l'avoir bouleversée en restant immobile à contempler la nuit au risque de sa vie. Avec quel courage et quel amour elle avait tenté de cacher son angoisse, sa colère, en les masquant de moquerie et en passant la veillée comme si de rien n'était ! Et cette foi en lui dont elle avait fait preuve en l'envoyant à la recherche de Roqueau ! Il n'allait pas, de surcroît, lui infliger le souci d'une autre bizarrerie : prétendre à présent que l'hiver musiquait en Nouvelle-France !

Il courut entre la maison et l'étable : ce matin-là, le vent chantait plus fort que les jours précédents. Sous l'épaisseur du bonnet de poil lui parvenait sa voix profonde qui montait par degrés vers l'aigu, son souffle grave qui croissait jusqu'à la stridence, et descendait, et repartait, comme Michel avait entendu un jour aux

grandes orgues de l'église abbatiale, à Saint-Maixent.
Il secoua la tête ; Rose avait bien raison de le dire
« sans-dessein » : lui qui n'était pas gourmand de
messe, voilà qu'il retrouvait un cantique dans le vent
de l'hiver canadien !

Il se décapota sitôt entré dans la grange : la tiédeur
suffoquait, après la glace du dehors. Au premier coup
d'œil, il vit la vieille Gentile mal en point. Elle était
encore couchée, haletait à grand bruit, ses flancs sou-
levés au même rythme comme un soufflet de forge. La
pauvre bête était devenue maigre comme un carcan ;
depuis un mois, elle ne mangeait quasiment plus. Même
le barbotage de son, dont elle était si friande, la laissait
dans l'indifférence : elle s'en détournait après quelques
mâchonnements.

Michel s'agenouilla près d'elle, la tapota à l'enco-
lure. Elle tourna la tête vers lui, les yeux déjà vitrés,
laiteux, puis meugla faiblement. Les bêtes sentaient-
elles venir la mort ?

Il fallait agir vite, la tuer : une bête crevée, la viande
en était malsaine, immangeable, gâtée par le sang qui
ne coulait plus après la mort. L'année passée, Michel
avait été révolté par l'indifférence de Martineau à cette
tâche horrible : les cochons, la volaille, on savait de
tout temps qu'on les élevait dans ce but. Mais une
vache ! Surtout Gentile, que Rose flattait toujours de
mots affectueux : brave bête, bonne fille, ma Gentile...
Rose, tant sensible de cœur, allait en être retournée.

Il hésita un moment. Nourrir les autres bêtes, ne rien
dire, laisser Gentile à sa mort naturelle, qui ne saurait
tarder : à midi, pour la venue de Rose, elle serait déjà
un cadavre raidi. Mais comment alors la débarder* ?

---

* Tirer les troncs d'arbre en y attelant un bœuf.

Impossible, en ce temps, de sortir le bœuf pour traîner la dépouille assez loin afin qu'elle n'attirât pas les bêtes carnassières auprès de la maison ! Et puis, tant de viande perdue... Comme une insulte aux siens qui devaient misérer de soupes maigres, de pain noir, davantage encore que par le passé, depuis que lui n'était plus là pour enrichir la marmite en gibiers de braconne...

Il alla prendre une masse au fond de la grange. Ferma les yeux en l'abattant sur le front de Gentile. Tira son couteau. S'aperçut qu'il tremblait. La grosse veine battait sur le cou décharné...

Le sang gicla longtemps à jets de plus en plus faibles, sans que Gentile poussât le moindre meuglement : elle mourait douce et docile, comme elle avait vécu. Sa tête se posa lentement sur la litière engluée de rouge, ses pattes tressautèrent, c'en était fini.

Prévenir Rose : il allait passer l'entière journée à écorcher, découper, seul, la bonne vieille Gentile ; il ne savait trop comment s'y prendre ; naguère, il avait seulement aidé Martineau, avec dégoût, et s'était plié aux ordres du fermier en tâchant d'oublier ce qu'il faisait.

Il distribua la nourriture aux autres bêtes, à gestes désordonnés et rageurs. Par leur agitation, leurs cris, leur vie, elles lui rendaient plus poignante la vision de Gentile, grand corps inerte sur la fougère trempée de sang.

Prévenir Rose... Il en avait le cœur cognant.

— J'ai dû abattre Gentile.

Ni pleurs, ni gémissements : alors qu'il s'attendait à devoir la consoler, Rose s'exclama qu'il avait donc bien fait ! Quelle perte, si Gentile était passée de sa belle mort ! Une bête crevée, même la peau n'était rien de service, le cuir fendait sitôt tanné ! Ah, elle s'en voulait...

— ... J'aurais dû y penser plus tôt, je m'occupais tant d'elle, pas vrai ? En novembre, elle était encore un peu chairante, tandis qu'à présent, faudra nous dire chanceux si on tire cent cinquante livres de viande : entre la peau et les os, elle n'avait guère d'épais. D'autant que la moitié en revient à Monsieur Lambert, enfin... au manoir. Bah ! Tant pis. Soixante et quinze, pour nous deux, c'est tout suffisant ; et encore heureux, on a Roqueau pour nous aider à en venir à bout. Parce qu'on se fatigue vite, de la vache, c'est une chair à filasses... Je crois quand même que je salerai, plutôt que d'enneiger. On ne sait jamais, une année bonne et l'autre de rien, on sera peut-être contents de la trouver au saloir, l'hiver prochain, la Gentile ! Et sans que Roqueau y croque, ha ! ha ! Rien que pour nous, les filandres !

Michel avait pensé au chagrin de Rose, aux larmes qu'elle verserait sur la mort de sa « brave bête, bonne fille ». Et il la voyait tout en joie, juste au regret de ne pas avoir abattu la vache dès novembre, et supputant, en ménagère avisée, le poids de viande qu'ils allaient tirer de sa carcasse !

— Bon. Faut pas tarder. On en aura pour l'entière journée, à nous deux. Quoi ? Pourquoi tu me fais cette mine ? Pas de discute, je vais avec toi, c'est impossible à faire tout seul. L'an passé, chez nous, Jacques et Jean-Baptiste y sont restés jusqu'en mitan de nuit ; c'est vrai qu'ils ont fait les pantins, comme d'habitude ; pourtant, maman m'avait mise à les guetter*. On mangera froid,

---

* Surveiller.

tant pis, j'ai de quoi pour un dîner de chantier, on perdra moins de temps qu'à revenir manger ici.

Elle virevoltait dans la maison, courait de la maie au garde-manger, tout en parlant remplissait un panier. Le fricot, disait-elle, allait geler, pour sûr, même s'ils couraient pour joindre la grange ; mais ç'aurait temps de déglacer à la chaleur des bêtes. Le pain, avec trois livres, ça devait faire ? Un gros morceau de lard restait de leur souper d'hier au soir, Dieu merci. Du saindoux, pour commencer : une bonne graissée* remplacerait la soupe. La petite chaudière, pour tasser la neige et faire l'eau de boisson. Ah ! et puis, se sucrer le bec, quand même, elle avait failli oublier le sirop...

— Bon, tout y est, je crois. Non : une chandelle de supplément, on risque finir tard... Je m'encapote et on y va. Toi, tu portes le panier, la lampe, le briquet ; moi, je prends le tranchelard et le buffou**.

— Le... buffou ? Tu songes allumer un feu dans la grange ?

Le beau rire de Rose, moqueur et tendre ! Mais non, voyons, pas pour du feu ! Quel gentil benêt, son mari de France ! Il n'avait donc jamais dépouillé une vache, avec Martineau ?

— Si, une seule fois. Sans trop prendre attention. Je n'ai pas souvenance d'un buffou, en tout cas.

— Je parie qu'il aura soufflé en y collant la bouche, pour déprendre le cuir des chairs ! Quelle horreur ! Puis, ça a dû faire du propre, sa peau de vache : tout écharognée, j'imagine. Ça n'était pas des gens à précautions, les Martineau, lui pas plus qu'elle. Avec le buffou, en choisissant les bons endroits — je te montrerai —, on n'abîme pas. Et, de même, quand tu vou-

----

* Tartine.
** Bâton creux pour souffler le feu.

dras reprendre ton respire, je pourrai continuer à ta place, tandis qu'à même la vache, oh là là ! quelle dégoûtation !

Elle agitait le bâton, le couteau tout en parlant... Michel, en son enfance, les imaginait ainsi, les mélusines des histoires que racontait sa grand'mère : jolies fées-sorcières des eaux, souriantes et charmeuses, et en même temps brandissant les instruments du mauvais sort ! Il s'en garda la réflexion pour lui ; il aurait pu la fâcher, de cette comparaison.

Et d'ailleurs, qu'avait-il à reprocher à celle qu'il appelait la Rose du Fleuve ? N'était-elle pas, en cet instant, à l'image même de la Grande Rivière, menaçante et magnifique à la fois ? Allait-il lui tenir rancune de ne pas s'éplorer sur la mort d'une vache ? C'était lui qui, à présent, se sentait un grimacier, une fausse pièce : lorsque, par hasard, une biche s'empêtrait dans ses collets, aux bois de Cathelogne, il l'égorgeait toute vive, sans même l'assommer d'abord, sans autre état d'âme que la joie d'une belle prise. Si jolies bêtes, les biches, avec leurs yeux de femme effarée... Où se tenait la différence entre un gibier et une vache ? La différence, elle se trouvait dans la misère du Poitou face à la prospérité de la Nouvelle-France : à la Bêchée, la mort de l'unique vache eût été une catastrophe dont la famille Jamonneau eût mis des années à se remettre ; ici, une génisse allait vêler au printemps, le bœuf Liset demeurait, pour l'attelage, et Normande donnait encore du lait en suffisance pour eux deux, depuis que son veau n'était plus à la mamelle.

La Rose du Fleuve, fille d'un pays d'abondance, ne pouvait pas pleurer la perte d'une vache. Rose, jolie sorcière agitant son couteau, lui montrait seulement la générosité de la Nouvelle-France, et lui, le survenant du vieux pays, devait enfin admettre définitivement que la misère ne lui jappait plus aux trousses !

— Vas-tu te presser, enfin, Rose-Javasse ? Si on tarde, Gentile va s'enraidir, et ça sera le diable pour l'écorcher ! Couvre le feu, graisse ton nez, puis ouste, on y va ! Grouille, ma belle !

Michel se sentit à plein un habitant de Nouvelle-France en attelant sans émotion le bœuf pour tirer au centre de l'aire la vieille Gentile.

— Tu vois, Rose, je crois que tu t'es trompée. À voir comme il force, Liset, ça pourrait nous faire dans les deux cents de viande. Même plus, j'estime. Disons deux cent cinquante...

— Alors, faudra enneiger, et saler seulement à fin d'hiver, vu que je manquerais de sel pour ce poids. Tant mieux : on aura fait plus vitement.

Rose fut surprise par le froid de la maison, en rentrant : à l'habitude, en ces heures de début de nuit, la demeure était vivante de feu et de chaleur.

— Houlà ! Ça gèle à la mort, là-dedans ! Je m'en vas remonter gros feu, durant que tu iras casser la glace. Tu m'en fais la grande chaudière, et pleine à débord, parce que ça...

Michel lui coupa la parole en riant que les « parce que... », il en avait mangé en suffisance aujourd'hui ! Pour dépouiller, découper, enneiger une vache, oui, il reconnaissait avoir eu besoin des « parce que... » de la capitaine Moineau...

— ... mais, pour la glace, ma mignonne, j'ai eu le temps de remarquer — je ne suis point si sot que tu penses — que c'était une affaire qui maigrissait en fondant. Alors, comme ma Rose rose elle a tourné rouge foncé à force de tripoter la viande, il lui faudra beaucoup d'eau pour se rendre un peu présentable !

Rose le chassa, essayant de prendre un air outragé :

— Et toi, si tu te voyais ! Plus pire encore, on te croirait le boucher de Ville-Marie, tu ferais peur à l'enfer ! Allez, va !

Malgré le bruit du vent qui hurlait plus haut, plus sinistre encore que les jours précédents, Rose entendait le pic attaquant le tas de glace, non loin de la maison : tous les midis, Michel allait chercher provision au Fleuve, et les morceaux faisaient bloc, sitôt que déposés. Double ouvrage pour Michel, mais quelle sécurité de savoir la glacière à quelques pas de leur porte ! En cas de poudrerie, même durant plusieurs jours, Michel n'aurait pas à se rendre au Fleuve, et il ne serait pas obligé de tasser gros de neige pour obtenir trois fois rien d'eau !

Dans leur eau de toilette, Rose mit à tremper les vêtements souillés : ils avaient dû se changer jusqu'à la chemise. Elle recouvrit le cuveau de bois d'une toile propre, comme sa mère lui avait appris, pour les linges des femmes en leurs mois. Ça n'était là que du sang de vache, mais l'eau était devenue si épaisse de rouge que la vue en était écœurante.

Rose se sentait fraîche de propreté à présent, débarrassée, légère. Même ses cheveux n'avaient pas été épargnés de caillots, elle avait dû rincer longtemps pour s'en défaire. Elle était assise sur la pierre de l'âtre afin que sa chevelure étalée sur ses épaules séchât vite à l'ardeur du feu.

— Ça ne retardera pas à souper, mon Moineau, rassure-toi. La soupe dégèle dans les braises, durant que je me sèche. Tu devrais venir auprès du feu, toi aussi. La tignasse toute mouillée, tu vas prendre l'enrhumure de cervelle en restant loin de la cheminée.

— Non pas. Je te vois mieux d'où je me trouve : tu es si belle, de même, à l'ébouriffe...

Rose n'insista pas. Continua de soulever ses cheveux qui moussaient de frisettes en séchant. « Tu es si belle... »

La petite Rose a huit ans. La mère s'est lavé la tête, après la tuerie du cochon.

La petite Rose admire les longs cheveux qui moussent, frisottent en séchant à l'ardeur du feu. Elle y fourrage des doigts ; c'est doux, épais, agréable à tripoter ; sa mère la laisse faire.

La petite Rose est fière d'avoir la plus belle des mères. Mais elle pense aussi, un peu jalouse, que jamais elle n'atteindra cette perfection de visage, de tournure, de chevelure.

— Tu es si belle, maman, décoiffée de même. Si belle, tout le temps...

La porte de la maison s'ouvre brusque, est refermée d'un coup de pied. Le père était parti depuis un mois pour un chantier de charpente, à Québec. On ne l'attendait pas si tôt.

La petite Rose s'écarte jusqu'au fond de la pièce : le père semble coléré, davantage encore qu'à ses autres retours. Maman se lève et dit :

— Le bonjour. On ne te croyait pas si vite revenu.

Le père crie :

— D'apparence ! C'est pas sur moi qu'on espérait !

Puis il baisse la voix, et des mots qu'elle sait méchants arrivent quand même jusqu'à la petite Rose... catiche... paillasserie... devant sa fille... suivra le même chemin... cache cette crignasse, ou je...

La petite Rose ne sera jamais jolie, tant mieux. Cela fait crier de vilains mots aux pères, et les mamans ont envie de pleurer, ça se voit, en rapilotant leurs beaux cheveux sous un bonnet.

— Bon, ça y est. Mon père, il n'a jamais dit à maman qu'elle était belle. Toujours il la rabaissait, au contraire. Pauvre maman ! J'espère qu'elle se remariera avec un plus tendre de caractère. Un veuf, bien sûr, à son âge... Faudrait pas qu'il ait trop d'enfants à charge, quand même. Ni qu'il soit trop vieux, à risque que maman tombe veuve une deuxième fois.

— Et s'il n'était pas veuf ? Et s'il était beau jeune homme, sans enfants ?

Rose fit semblant de fâcherie : eh bien, ça n'était pas du joli, de moquer de même sur sa mère ; elle lui dirait, ce que son gendre imaginait d'elle, dès qu'ils pourraient se rendre à Rivière-des-Prairies...

— Allez, ne prends pas cette mine de souci : j'essayais de faire de l'ironie, moi aussi ! Tu penses, si je sais que tu plaisantes, et je ne dirai rien là-dessus à maman, vu qu'elle se vexe facilement !

Michel n'avait pas l'air très convaincu de cette affirmation. En refaisant ses nattes, Rose lui voyait l'air inquiet. Elle le rassurerait mieux en parlant d'autre chose, plutôt qu'à rajouter promesses et serments sur son silence au sujet du « beau jeune homme » qu'il avait évoqué comme futur époux de sa belle-mère ! Il avait sans doute conscience d'être allé trop loin dans la gaudriole...

— Heureusement que je roule mes tresses sous mon bonnet pour aller à messe, depuis que je suis femme mariée. Toi qui n'aimes pas ça, tu vois si j'ai eu raison : tu te souviens, ces réflexions du curé sur les nattes de la petite Josephte ? Elle en pleurait, la pauvre mignonne...

Michel hocha la tête ; il semblait encore en remords sur sa plaisanterie trop poussée. Rose continua gaiement, comme si elle n'avait rien remarqué de son inquiétude :

— Il est bileux, notre nouveau curé, on regrettera longtemps le bon Monsieur de Caumont. Je crois que je ferai comme toi et ton frère Jacquet, à présent : confesse une fois l'an, ça suffira, aux Pâques.

Elle avait réussi, enfin, à le faire rire ! À lui tirer un regard coquin !

— Ah bon ? Ça t'a donc tant pesé au cœur, de lui réciter tes gros petits péchés ? Tu rougis, vilaine ? Raconte-moi, même si je les connais... Le secret de la confession, ça n'est que pour le curé. Viens là me dire...

Rose aurait eu grand'honte de raconter à Michel son unique confession à Monsieur de La Saudraye, et cette rage de colère qu'il avait montrée sur les démons du plaisir de la chair !

— Hé non, tu te trompes : je n'ai rien eu à dire, il cause tout seul. Mais il sent mauvais de la bouche, pas croyable, il doit avoir la denture pourrie à l'entier. Bon, suffit, ça me couperait appétit. À la soupe ! Ensuite, je fricasserai un bout de foie. Frais tué, c'est un régal, avec des oignons, et c'est vitement cuit. Mieux en goût qu'après avoir passé au sel, tu vas voir !

Passé au sel... Passé au sel... Rose avait peine, soudain, à avaler sa soupe : l'abominable curé Bruslon lui serrait la gorge, brusquement, parce qu'elle avait parlé d'un morceau de viande salée !

Elle avait tant et tant insisté, durant ses fiançailles pour que Michel lui racontât l'entière vérité sur les raisons de sa fuite en Canada. Lui, s'obstinait à répondre : « J'ai défié le curé Bruslon une fois de trop... » et il changeait de conversation. Elle s'était obstinée, et pourquoi, et comment, si bien que Michel avait fini par lui céder, la prévenant d'abord que c'était affreux, trop affreux... Et elle, curieuse, avide de tout savoir sur la vie de son Michel en France, elle avait prévenu qu'attention, si ça n'était pas trop affreux, elle le croirait encore à lui cacher quelque chose...

— Bruslon a fait déterrer un vieil homme, mort depuis trois mois...
— C'est affreux..., pleure déjà Rose.

C'était un protestant qui avait abjuré quinze ans auparavant et se montrait fidèle à communion et messe. Pour faire exemple, encourager à la dénonciation des vivants, Bruslon l'a accusé de fausse conversion trois mois après son enterrement !

Bruslon fait traîner le cadavre nu sur une claie dans tous les chemins d'Augé et des hameaux. Une claie à pendre les porcs, une claie tirée par une mule.

— Quelle abomination ! chevrote Rose au travers de ses mains qui contiennent les cris d'effroi dans sa bouche.

Bruslon oblige tous les paroissiens de Saint-Grégoire d'Augé à se tenir sur le passage de l'atroce procession. Et, plus loin encore dans l'horreur, dans la profanation, il les force à jeter du sel sur la misérable dépouille. « Sur la charogne ! », tonne Bruslon. Le sel rouge* de la gabelle, le sel à couleur de sang ruisselle sur le cadavre.

— Est-ce possible, mon Dieu ? souffle Rose.

Le père de Michel le pousse, le supplie : « Fais-le, mon gars, fais-le, pense à nous autres... » Et Michel ne peut s'y résoudre. Lorsque tous ceux de sa famille sont passés, qu'ils ont jeté le sel, qu'ils se retirent, pleurant de l'abjection à laquelle ils ont été contraints, Michel puise à son tour une poignée de sel dans le seau qu'on lui tend. Et la fait tomber à terre, lentement, aux pieds de Bruslon. Le curé ne crie pas. Et même sourit. Il dit seulement : « Tu devrais pourtant, mieux que personne, savoir le prix du sel, Jamonneau... »

— Il m'a dénoncé comme faux-saunier. Trois mois plus tard, à mon retour d'Anjou**, des gens d'armes m'attendaient au moulin. Heureusement, les miens avaient été prévenus par le bon abbé Hennequin, le propre vicaire de Bruslon : ma petite sœur Nanette faisait le guet dans le bois. J'ai pu échapper aux galères ou à la corde... À Rochefort battait le tambour d'un sergent-recruteur pour les Compagnies franches de la Marine. Je suis ici, ma Rose, après avoir tant rêvé de Canada avec Maurillon, dans ma jeunesse, parce que j'ai refusé

---

* Le sel « obligatoire », taxé d'un lourd impôt, était mêlé d'impuretés qui le coloraient en rouge pour le distinguer du « faux sel » de contrebande, qui était gris ou blanc.
** La contrebande du sel était très importante entre le Poitou (nombreux marais salants) et l'Anjou.

de saler le cadavre d'un vieil homme comme on sale la viande d'un cochon...

— C'est affreux, trop affreux, sanglote Rose. Plus jamais je ne veux y repenser ! Maintenant tu es là !

Finalement, elle assura que la soupe lui suffisait pour ce soir. Elle avait trop brassé de viande, elle n'en avait plus goût...

Michel mangea seul, avec appétit, la grosse fricassée de foie et d'oignons. Rose lui prédit qu'il allait être malade, et se força à la plaisanterie :

— C'est un vrai gros péché, la gourmandise, mon petit Moineau ! Le Bon-Dieu te punira.

Chapitre 8

La nuit de l'Iroquois

Rose fut tirée d'un creux profond de sommeil, d'un anéantissement dû aux fatigues de la journée auxquelles s'était ajouté un bienheureux épuisement, suite à la fringale d'amour, de chair vivante et chaude, qui l'avait empoignée après l'évocation de Bruslon, de la claie, du sel rouge sur la dépouille d'un vieil homme tiré du repos de la tombe.

Elle n'eut pas d'abord conscience de ce qui l'avait réveillée. Il lui fallut un coulis froid sur le visage pour comprendre : Michel venait d'ouvrir la porte de leur lit.

— Tu as la colique ? (Aussitôt, une main dure sur sa bouche...) Tu... as besoin ?... Laisse-moi... Laisse-moi... Sers-toi de... mon pot. Vas-tu... me laisser ?... On est... est... en fond de nuit... tu... gèleras... à faire... dehors... ou avant... d'arriver... à la grange !

Michel soufflait : « Tais-toi, tais-toi ! » Elle avait continué quand même, bâillonnée par la paume ferme ; elle se débattait, furieuse de cette violence qu'il lui faisait pour ne pas entendre évoquer son dérangement d'entrailles et le possible recours au pot de commodité ! Elle lui en tiendrait longue rancune, de ses manières de fillette effarouchée, assorties d'une poigne de brute !

Rose finit par se taire. Un mauvais cauchemar d'étouffement... Elle allait se réveiller, loin enfoncée dans le lit, sous les couvertes, cela lui était déjà arrivé.

— Bien, ma chère femme. Je vais ôter ma main. Ne crie pas. Reste dans le lit. Moi je vais charger le fusil. Quelqu'un approche de la maison.

— Dieu Seigneur ! (Elle aussi chuchotait, aussi bas que Michel.) C'est vrai, j'entends le bruit. Non, tu m'empêcheras pas !

Rose se coula sous le bras de Michel qui tentait de lui faire barrière, elle fut à bas du lit avant lui, éclaira la chandelle... Elle suait d'effroi et se trouvait cependant, avec étonnement, dans le calme et la lucidité. Sa main ne tremblait pas en posant la chandelle sur la table. Un pas... un arrêt. Un bruissement... un silence. Le vent ne soufflait plus.

Roqueau n'avait pas aboyé, tué déjà, elle en avait la certitude, par une flèche iroquoise : le clair de lune avait permis de l'abattre depuis la rive. Et l'attente prudente, entre chaque avancée, indiquait que Michel subirait le même sort, sitôt la porte ouverte : il marchait l'arc bandé, l'Iroquois fou ! Un dément, Rose en était sûre : les Iroquois n'attaquaient jamais seuls, et jamais en profond hiver.

— Il ne faut pas que tu sortes, Michel.

— Je sais. Il ne peut rien contre la maison. Pas même y bouter le feu, vu l'épaisseur de neige. Il va aller à la grange. Et attendre.

Attendre, avec la cruelle patience de cette race maudite. Attendre, bien pourvu de nourriture, d'eau, de chaleur. Attendre que son gibier français sorte de la tanière, à bout de froid, de soif, de faim. Michel l'avait compris, lui aussi.

— Mieux vaut qu'on se rhabille, ma douce. Puis qu'on se recouche dès que j'aurai chargé le fusil. Il nous faut économiser le bois. Notre chance serait qu'il attaque la porte à la hache. Il va trouver mes cognées bien affûtées dans la grange. En laissant la chandelle allumée, je ne le raterai pas, depuis l'entrebâille du lit. C'est une cervelle fêlée qui nous vient...

— Tu sais ça aussi ?

— Oui. On peut espérer qu'il commette l'erreur de se croire capable d'utiliser en même temps la hache et l'arc. Ou le fusil : les Anglais en ont fourni d'abondance aux Iroquois, ces derniers mois, d'après Louis-Marie. Que tu es courageuse, ma femme !

Rose ne répondit pas, elle craignait, à trop parler, de ne pouvoir contenir sa peur, de se déchirer de cris et de larmes : il a tué Roqueau, ce maudit, il nous tuera pareillement... Elle prit le temps de profondes et tranquilles respirations durant qu'ils se rhabillaient tous deux.

— Et sinon ? S'il ne bûche pas la porte ?

— Sinon, j'attendrai, moi aussi. Deux-trois jours, pas davantage, pour ne pas perdre en forces. Encore heureux, le cuveau de laverie est plein ; c'est la soif qui tenaille le plus vite.

Rose ferma les yeux. Boire... ça ? Oui, elle le ferait. Michel ne la trouverait pas horrifiée de dégoût, elle sucerait cette glace de sang, elle était courageuse... courageuse...

— Puis, au coucher de lune, je sortirai. La lanterne assourdie, bien sûr, et au bout d'une perche. Quand j'ouvrirai la grange...

— Moi, j'ouvrirai. Moi, je porterai la perche...

Michel garda le silence. Il vérifiait la charge du fusil à gestes minutieux, presque maniaques. La neige ne crissait plus devant la maison. « Dis oui, mon cher amour, suppliait Rose en elle-même, que je sois tuée la première. Ne me laisse pas seule avec ce démon, et vivante... » Michel leva enfin la tête :

— Oui. Tu as raison. Si l'on doit partir, ce sera ensemble. Je te suivrai... de tout près.

Il tapotait la crosse de son fusil. « Partir ensemble... Je te suivrai... » Rose avait compris. « Vous lui pardonnerez, mon Dieu ? Vous ne nous séparerez pas dans la vie éternelle ? C'est le plus grand des péchés, se supprimer ! Vous comprendrez que c'est le diable iroquois et l'amour de moi qui l'y auront conduit ? » Elle fit semblant de se méprendre, sur le sens des mots et du geste de son mari. Sa voix était ferme, comme celle de Michel, malgré leurs chuchotis :

— C'est la seule solution. Comment veux-tu à la fois ouvrir la grange, tenir la lanterne et tirer ?

Roqueau, alors, aboya. Et Rose entendit sa propre voix devant la porte :

— Doux, Yakoro... Beau, le chien...

Elle devenait folle ; Roqueau était mort, et voici que dehors elle l'appelait par son nom sauvage, et il lui répondait de petits jappements joyeux.

— Bien, le chien... Tout doux... Tout doux...

Puis la voix changea, une voix rauque et grave suppliait :

— Ouvre, Michel, ouvre, je t'en prie ! Oh, je t'en prie ! C'est moi, Louis-Marie...

Rose hurla. Tenta en vain de retenir Michel qui levait la barre de la porte.

— C'est un sorcier ! Il prend ma voix ! Celle de Louis-Marie ! Celle de Roqueau ! N'ouvre pas, non, non, n'ouvre...

Michel dut forcer pour lui arracher le fusil qu'elle avait saisi sur la table. Il ouvrit la porte... Elle se jeta devant lui. Soupira : « Louis-Marie... » tandis que Michel grondait en repoussant le battant :

— Je ne sais pas ce qui me retient de te cogner la face, maudit ! Tu ne vois pas dans quel état tu as mis ma femme ? Tu ne pouvais pas hucher de loin, qu'on sache que c'était toi, au lieu de marcher tout doux, comme un Iroquois à l'aguet ? Puis, d'abord, qu'est-ce que tu viens fouter ici, en pleine nuit ? Oh ! Non ! Comment as-tu pu... ?

Louis-Marie avait ouvert son capot de poil. Détachait les courroies qui maintenaient contre sa poitrine la petite Josephte, tout juste vêtue d'une chemise, d'une camisole, et coiffée d'un bonnet de nuit. Rose la crut morte : sa peau dorée devenue grise, ses paupières immobiles, demi-fermées sur des yeux sans regard, la disaient dans l'autre monde. Malgré sa peur, elle ne put se contenir :

— Criminel ! Assassin ! Ça n'était pas assez de violenter cette innocente ? Fallait encore que tu l'emportes, quasi nue, par ce froid à fendre les clous ? Pire qu'une bête... Et ton ami Michel, comme tu disais, tu peux voir à sa mine qu'il est de mon avis.

— Je le vois. L'âme de Josephte est presque envolée, mais elle est là encore. Pitié pour elle, dame Moineau. Vous savez faire ce qu'il faut ? Oui ? Alors vite, et soyez bénie. Michel... j'apporte de la neige, et je m'en vais. Je t'en prie... Enferme-toi dans le lit. Si son âme revient, c'est de honte que Josephte mourra à te trouver près d'elle...

Frotté de neige à toute force, fouetté de rameaux de saule, pétri, pincé, frappé, le corps dévêtu de Josephte reprenait couleur et vie sur la table. Rose y avait mis la vigueur qu'elle savait nécessaire en pareil cas. Sa haine, son dégoût envers Louis-Marie l'avaient même aidée dans cette brutalité furieuse : il fallait s'acharner comme à une tuerie pour ranimer ce qui restait de vie dans un corps à demi gelé.

Josephte poussa enfin un gémissement. Ses yeux brillèrent d'un vrai regard, se posèrent sur Rose. Elle passa ses mains sur son corps, tenta en vain de parler, de bouger la tête. Rose devina de l'effroi, de l'affolement dans les regards de la jeune fille.

— Je suis toute seule, Josephte. Tu n'as plus rien à craindre, à présent. Tu me reconnais ?

Les paupières de Josephte battirent « oui », ses bras retombèrent près d'elle.

— Je vas te faire du mal, asteure. Essaie de ne pas te débattre, je serais obligée d'appeler mon mari pour te tenir. C'est pour ton bien, tu sais...

Deux fois baissées, les paupières. « Oui, oui », disait la douce mignonne. Comment même un Sauvage avait-il pu commettre pareil crime sur cette enfant ?

Il fallait recommencer : la neige, les rameaux de saule, les coups. Et, cette fois, sur un corps tiré de l'insensibilité. Rose avait assisté sa mère dans cette obligation affreuse, pour son jeune frère Thomas. Il hurlait, cherchait à leur échapper, elles pleuraient toutes deux, l'une de le martyriser, l'autre de le maintenir : mais la vie ne pouvait revenir définitivement que dans la pleine conscience de la douleur.

Josephte eut quelques sursauts, grinça des dents, ferma les yeux sans nullement chercher à se protéger. Pas un cri, pas un geste. Seigneur, elle allait s'endormir pour jamais...

Rose la tournait et retournait sur la table, fouettait de plus en plus fort aux endroits les plus sensibles : la tendre poitrine... la plante des pieds... le dos menu..., sans que la petite opposât la moindre résistance. À peine un frémissement de peau montrait-il un restant de vie. Dans cet abandon, cette inertie sous les coups, Rose devinait que, bientôt, elle n'aurait plus qu'un cadavre à rhabiller avant d'appeler Michel. Et le maudit Sauvage, l'assassin de cette innocente fillette était déjà loin, pour sûr ! Croyait-il donc avoir racheté son crime devant Dieu, le presque curé, en portant celle qu'il avait forcée chez son « ami Michel » avant de s'enfuir ?

— Je vas descendre à présent, dame Moineau. Vous serez mieux à main que sur la table, pour faire ça.

Rose recula, la bouche ouverte sur un hurlement qui ne sortait pas, comme si elle avait vu un mort se lever de la tombe : Josephte était debout devant elle, les mains rapprochées en pudeur au bas de son ventre. Elle souriait à Rose.

— Mais... Oh ! Dieu bon ! Tu es vivante ! Je te croyais au bord de passer, je ne te faisais rien mal ?

— Si, dame Moineau. Grand mal. Mais vous aviez dit de ne pas me débattre.

— Tu pouvais crier, au moins !

— Crier, c'est se débattre en dedans. Pardon du souci, vous pouvez continuer, dame Moineau. Je crierai, si vous voulez.

— Plus la peine, à présent ; te voilà revenue. Mais faut te couvrir chaud. Michel ? Passe-moi une couverte.

Josephte gémit un « non » d'effarement, courut s'accroupir loin de la chandelle. Rose en fut d'abord furieuse : croyait-elle donc, cette Huronne, que Michel allait profiter et la regarder toute nue ? Puis elle se calma de son irritation : la malheureuse enfant, après ce qu'elle avait enduré, devait croire tous les hommes capables de vilenies, même les Français !

Rose releva doucement Josephte, la fit asseoir loin de la cheminée, l'enroula dans la couverture qu'elle replia plusieurs fois autour des pieds nus.

— Mon mari ne t'a pas vue. Je vas monter le feu, mais ne t'en approche pas, même que ça te fera envie.

— Oui, dame Moineau.

Il fallait réchauffer doucement, à la seule chaleur du corps, et non à celle des flammes et des braises qui apportaient des pourritures noires sur le corps en ranimant trop vite le sang. Rose ajouta encore, sur les épaules de Josephte, une peau d'ours, les poils à l'intérieur : sa mère avait fait de même, pour Thomas.

Bonheureusement, il restait un peu d'eau claire dans la petite chaudière. Rose la mit à chauffer. Une tisane d'écorce de peuplier, bien bouillie, allait calmer les douleurs de Josephte, qui empireraient bientôt : son corps entier était vergeté par les cinglements des rameaux de saule, la peau était écorchée à vif par endroits, et saignait...

Saignait... Rose frissonna de haine : Sondaka, l'Aigle, l'oiseau de proie, avait déchiré la plus tendre chair de Josephte ! Sondaka, l'Aigle, Rose l'espérait à présent dévoré jusqu'aux entrailles par les bêtes de férocité auxquelles il ressemblait ! Elle en était certes débarrassée à jamais, du « bon Louis-Marie », et Michel avait compris ce que valait son « ami huron » ! Mais elle n'acceptait pas que cela fût au prix des souffrances de la petite Josephte, tant dans son corps que dans sa pureté d'innocente fillette.

Rose écrasa les écorces, coula la tisane à travers un linge. Josephte fermait les yeux, il fallait lui parler.

— J'ai mis de mes affaires à tiédir devant la cheminée. Regarde-moi. Qu'est-ce que je viens de dire ?

— Vos affaires à tiédir devant la...

— Bien. Garde les yeux ouverts, c'est trop tôt de dormir, tu n'échaufferais pas. Bois la tisane tant qu'elle est brûlante. À petites goulées, ça te tiendra réveillée. Et cause un mot, entre-temps.

« Merci, dame Moineau », après chaque gorgée. « Merci, dame Moineau », lorsque Rose tendit une autre mogue de cette tisane* qu'elle savait amère comme fiel.

— Quand tu auras fini, je te passerai du rognon de castor.

— Merci, dame Moineau.

— Parce que tu es marquée profond ; j'ai dû aller fort, comme tu as senti.

— Merci, dame Moineau.

— Réponds-moi d'autre chose, ma petite mignonne. Tu vas te bercer jusqu'à la dormie à répéter toujours : merci, dame Moineau !

— Le rognon de castor, ça soulage.

Douce enfant, si docile... N'avait-elle donc pas crié lorsque le monstre l'avait forcée, puis emportée ? Quelqu'un du manoir aurait pu venir à son secours ! La honte, supposément, qui l'avait retenue...

— Puis je t'habillerai, j'ai choisi du bien doux, que ça ne râpe pas sur toi. Réponds-moi...

— Portez pas peine, dame Moineau. Je m'habillerai toute seule.

La fine et ample chemise du mariage de Rose... Puis ses hardes les plus usagées, assouplies par le temps... Des bandes de toile enroulées sous les gros bas de laine... Malgré les précautions que Rose avaient prises en choisissant les moins rêches de ses vêtements, Josephte pleurait en s'habillant.

— Ça te fait du mal ? Ça te blesse ?

— Non, dame Moineau. C'est... J'ai peur que...

— Ma pauvre petite, je sais bien à quoi tu penses et ce chagrin, je ne peux pas t'en consoler. Mais la sei-

---

* Remède emprunté aux autochtones, contenant un principe analogue à l'aspirine.

gneuresse est bonne, elle te gardera auprès d'elle, même s'il t'a semé sa mauvaise graine pour dans neuf mois, ce criminel de Louis-Marie !

— Louis-Marie ? Oh non ! non ! Où est-il ? Je veux...

— Va, n'aie pas peur. Il doit être loin, à présent, et même écharogné par les bêtes ! Tu peux être certaine, y a plus crainte à avoir de lui. Michel ! Michel ! Je sais plus quoi faire, elle va me pâmer dans les bras ! Viens vite !

Michel fut d'un bond auprès d'elles, releva Josephte que Rose sentait toute molle, en train de s'effondrer... Il lui tapota les joues :

— Moi, je pense savoir quoi faire. Josepthe ? Josephte ? Louis-Marie, il est dans la grange, aux mille tourments sur toi, et je vas le prévenir que tu es revenue de loin, grâce aux soins de ma femme. Tu as compris ? Il est dans la grange. Pardon de te brusquer en paroles, Josephte : est-ce qu'il... t'a... emportée... à temps ?

Josephte fit signe que oui, tête baissée. Puis ajouta, en sanglots :

— Merci, maître Moineau, pour Louis-Marie. Mais... j'ai tant peur... que Monsieur Pierre... le retrouve... et le tue... pour avoir été... été empêché...

Rose s'entendait répéter : « Monsieur Pierre ? Monsieur Pierre ? » en même temps que Michel disait :

— Bien sûr que non, il n'osera même pas le chercher ! Rose... Mets cette petite avec toi, dans le lit. Moi, je vas à la grange, et demain on avisera quoi faire. Sois sûre que Josephte ne te tiendra pas rancune d'avoir pensé Louis-Marie coupable. Moi-même je l'ai cru, et pourtant je le connais bien. C'est en réfléchissant, du temps que tu mettais tout ton courage à tirer Josephte de la mort, que des choses me sont revenues en mémoire. Et j'aurais dû comprendre, dès que Louis-Marie a eu passé le seuil et sorti la fillette de son capot !

Michel allumait la lanterne tout en parlant. Puis il s'encapota, Rose répétant toujours en litanie : « Pas possible !.. Monsieur Pierre ?.. Pas possible !.. »

— Veux-tu que Roqueau vienne dans la maison ? Ça ne lui plaira guère, mais, si tu l'appelles au moment que j'ouvrirai la porte, il t'obéira.

« Oui », fit Rose de la tête, tout en continuant à dévider : « Monsieur Pierre ?... Monsieur Pierre ?... »

— Hé oui ! Tu te décides à l'appeler, ton chien ? Ça gèle la maison, de tenir la porte ouverte. Bon... Tu barres derrière moi. Ma Rose... À soleil levant, je reviendrai.

Roqueau avait obéi de mal gré. Il alla s'aplatir loin de la cheminée où les flammes montaient haut, à présent. Il grondait son mécontentement.

— Bien, le chien ! Tout doux... Tout doux...

Les mêmes mots qu'avait prononcés Louis-Marie, avec la même voix. Des doutes venaient soudain à Rose. Et s'ils avaient été bernés, entortillés, Michel et elle, par les sorcelleries de Josephte et de Louis-Marie ? Tous deux étaient de même race sauvage...

— Allez ouste, on va dans le lit. Fallait quand même qu'il soye à coucher avec toi, ton Louis-Marie, pour empêcher ce cochon de Monsieur Pierre d'y venir lui aussi !

La douce, docile Josephte se redressa avec arrogance, fixa Rose dans les yeux.

— Croyez-le ou pas, dame Moineau, ça m'est égal. On a du goût l'un pour l'autre, c'est vrai, mais Louis-Marie ne m'a jamais touchée, sauf de me porter jusque chez vous. Ça m'est égal, que vous pensiez le contraire, sous le respect et le merci que je vous dois. Dame Moineau... j'ai... j'ai envie... de dormir...

Le regard qui venait de braver Rose devenait à nouveau vague, pitoyable d'enfance et de chagrin. Rose en fut honteuse et émue.

— Oublie ça, ma petite Josephte, je te crois. La tisane commence à faire effet, allez, vite, dans le lit ! Oui, toute habillée. Remonte bien la couverte sur toi. J'étouffe le feu, et je viens. Je n'en peux plus, je suis désâmée de tous ces bouleversements ; je me coucherai habillée, moi, pareil que toi.

Josephte ne l'entendait plus : sitôt allongée, elle s'était endormie. Rose dut monter elle-même la couverture jusqu'à son nez.

Elle, en revanche, fut longue à trouver le sommeil. Elle se creusait la tête, en recherche d'un souvenir qu'elle savait là, qui remontait en images floues, incompréhensibles, qui s'évanouissait, revenait aussi insaisissable, et repartait malgré son acharnement à le retenir... Elle renonça. S'efforça de penser à Michel, rien qu'à lui, pour la première fois loin de leur lit. Dormir. « Demain on avisera », avait-il dit durant qu'elle se lamentait de « Monsieur Pierre ? » Dormir...

Et, soudain, elle trouva ce qu'elle ne cherchait plus : elle revoyait avec netteté les regards de soulagement échangés entre la seigneuresse et Madame Pierre lorsqu'elle avait refusé, tout en cris et en nerfs, que l'on « prêtât » Louis-Marie à Michel, pour domestique. Elle entendait la voix du bon grand-père Boucher interrompant son fils Pierre : « Non, non, mon fils. Ne m'attribuez pas tous les mérites, c'est vous-même qui l'avez proposé... »

La lanterne, même haut tenue, n'éclairait pas l'entier de la grange, et Michel, à l'abord, ne vit pas Louis-

Marie. Il entendit uniquement sa voix basse, désespérée, qui venait d'un coin d'ombre, vers l'enclos des
volailles.

— Je sais qu'elle est morte...

Puis, en même temps que Michel répondait qu'elle
était sauvée, bien vivante, une autre voix de Louis-
Marie, froide, assurée, effrayante de calme, couvrait la
sienne :

— Je tuerai. Même s'il faut attendre des années, je
tuerai. Je tuerai. Je tuerai. Je...

Michel dut lui hurler au visage que Josephte vivait !
Sauvée, Josephte ! pour faire taire cette tranquille, ter-
rifiante incantation de haine.

Louis-Marie resta longtemps silencieux, secoué de
frissons, les yeux fixes dans les yeux de Michel. Puis
il murmura : « Merci... », et s'écarta de la lumière
lorsque ses larmes commencèrent à couler.

Michel alla poser la lanterne sur le bord de l'abreuvoir, se dévêtit des étouffantes fourrures. Puis il s'assit,
conscient qu'il ne fallait pas brusquer Louis-Marie de
questions, tout au contraire le laisser venir à lui de son
propre gré, attendre que tarissent dans l'ombre les
pleurs de joie : en de telles circonstances, Michel savait
que lui-même n'aurait rien souhaité d'autre que le
silence et le retirement.

Attendre... L'entière nuit, s'il le fallait.

Il sursauta au contact d'une main sur son épaule :
Louis-Marie se tenait derrière lui sans qu'il l'eût
entendu se déplacer. La main étreignit fort, et longtemps. Michel demeura immobile, se garda de parler le
premier. Attendre... cette voix où tremblait encore le
bouleversement de bonheur :

— Merci à ta jeune femme et à toi. Merci dans ce

monde et dans l'éternité. Pourrons-nous jamais vous montrer suffisance de gratitude, et...

Les mots pompeux de Louis-Marie se brisèrent soudain en éclats de sanglots, en bredouillis de larmes : un très jeune homme, presque un enfant encore, pleurait derrière Michel.

— Est-ce que... vous savez... ? Je veux dire : dame Moineau... puisque toi, je vois que tu le sais... est-ce qu'elle... ton épouse, je veux dire... est-ce qu'elle me sait innocent de... ? Et pardonnez-vous que... de la peur qu'elle a eue... ? je veux dire ta femme... et toi... toi aussi, je t'ai fait peur... Et aussi... est-ce que vous... ? Comment vous... ?

Michel se leva et se tourna vers Louis-Marie qui, cette fois, demeura dans la lumière et fit de pitoyables, infructueux efforts pour arrêter ses pleurs. Michel feignit de ne point les voir. Interrompit Louis-Marie sèchement :

— Écoute, mon vieux : comment veux-tu que je réponde à trente et six questions d'un coup ? Surtout si tu ne les finis pas ! Alors, à mon tour de causer. Oui, Rose et moi on est au courant que ce n'est pas toi, le malfaisant. Pourtant, reconnais qu'à l'abord on pouvait se méprendre. On sait aussi que tu es arrivé à temps, et ça, tu en reparleras si tu en as envie. Mais, pour l'épouvante où tu as jeté ma femme, et moi avec, ça, je peux te dire que j'en garde rancune ! Alors, c'est à mon tour de questionner, et je te prie de croire que tu vas me répondre clair et net, comme moi je demande ! Un : pourquoi n'as-tu pas appelé de loin pour nous prévenir ? Deux : pourquoi t'arrêtais-tu à chaque pas ? Elle n'est point si lourde, supposément, la petite Josephte... Réponds !

Louis-Marie avait repris contenance sous l'algarade pour laquelle Michel, sur la fin, n'avait pas eu à se forcer : il se sentait réellement furieux de la façon dont Louis-Marie les avait effrayés par son approche sournoise.

Louis-Marie déclara d'abord que jamais autre que Michel ne lui avait parlé de ce ton. Assura avec humilité qu'il comprenait fort bien cette rage. Ajouta qu'aux questions un et deux, il allait répondre à l'inverse : d'abord deux, et puis un, étant donné que...

— Arrête tes grimaces de paroles ! Je ne sais pas si tu les tiens des jésuites, des Hurons ou des Iroquois, mais, crisse en plâtre, réponds-moi sans tourner de même autour du pot !

— Un : je comptais arriver jusqu'à ta grange et n'en sortir qu'au matin. Mais j'ai compris que Josephte allait mourir sans le secours immédiat de ton épouse. Deux : je m'arrêtais pour effacer mes traces qui ne devaient pas conduire les recherches sur ton île : j'en ai laissé de bien nettes dans la direction opposée, vers les collines.

— Tu crois qu'il oserait te poursuivre, ce gredin, après ce qu'il a fait ?

— Non, pas lui : le bon grand-père Boucher. Quand il découvrira notre absence, demain, le vertueux seigneur ne verra en moi qu'un scélérat entraînant dans le péché mortel une jeune fille. Il te tiendrait rigueur de m'y avoir aidé.

Michel hocha la tête : oui, il comprenait... Monsieur le fils aîné n'allait pas révéler à son père que lui seul était l'infâme, dans cette affaire !

Louis-Marie avait recouvré son calme et demanda avec une ombre de sourire :

— Êtes-vous satisfait, maître Moineau, de mes réponses aux questions un et deux ?

— Oui. Et je te demande pardon pour t'avoir parlé à la bourrasque, tout à l'heure.

Louis-Marie protesta que Michel ne lui devait nulle excuse ; au contraire, c'était lui-même qui donnait merci de ce ton haut levé. Ce ton qu'il avait déjà entendu dans la bouche de son ami français, lorsqu'il avait amené le monstre de chien dans l'île.

— ... Comme cette nuit, ta voix n'exprimait que la saine et ardente colère d'un homme envers un autre homme, son égal au-delà de la race. Et jamais je n'ai perçu cela dans les emportements d'un Français contre moi ou l'un de mes frères de peau : c'est le Sauvage qui les encolère, ce n'est pas l'homme. Bien. Je devine ce que tu penses : « Le voilà de nouveau parti à ses grimaces de paroles ! » Je me sens la force, à présent, de tout te raconter. Sans grimaces...

Lambert Boucher de Grandpré était venu visiter ses parents...

— Tu te rappelles, juste la veille de cette grosse bordée de neige qui avait enfoui ta maison...

Il ne tient pas en place, Monsieur Lambert. C'est un bougeux, un sang vif. Faire conversation devant la cheminée du manoir le lasse vite. C'est le prétexte qu'il présente à Louis-Marie en venant le rejoindre pour l'aider à l'étayage d'une grange. Il parle de sa nouvelle vie : ça n'est pas rien, d'être major de Trois-Rivières... Louis-Marie le devine tendu, cependant, et soucieux. Il trouve une animation forcée dans la voix de Monsieur Lambert, qui finit par se taire. Semble hésiter longtemps. Pose enfin la scie. Et interroge avec une brusquerie inhabituelle : « Tu es porté sur Josephte ? Et elle sur toi ? »

— Je n'ai pas répondu. J'étais en révolte et scandale d'une telle question. Il demandait cela, comment te dire... comme s'il s'était agi de bestiaux en chaleur !

Louis-Marie se tait. Contient sa rage. Pour Monsieur le major de Trois-Rivières, Josephte et lui ne sont que des domestiques sauvages, il peut se permettre de les humilier dans le profond de leurs sentiments. C'est la première fois que maître Lambert se conduit de la sorte, et de la tristesse se mêle à l'indignation de Louis-Marie qui se remet à l'ouvrage en silence. Maître Lambert demeure un moment à l'observer, peut-être a-t-il conscience de sa grossièreté, il se mord nerveusement les lèvres avant de se décider à parler : « Écoute-moi, Louis-Marie. Ta mignonne... Josephte... que c'est difficile à sortir, morguieu !... Ta petite Josephte, elle risque beaucoup... au manoir... Elle risque... de mon frère... Pierre... »

— Je l'ai cru pris de boisson. Il bégayait, suait à gouttes. Mais il a continué, en torrent de paroles fort sensées qui montraient sa pleine clarté d'esprit.

Cela est arrivé maintes fois, déjà : les jolies servantes huronnes, vitement on les marie à un colon lorsqu'elles sont grosses de la semence de Pierre. Sa mère et son épouse y sont résignées, pauvres femmes, et s'emploient seulement à éviter l'ultime malheur : que le patriarche de Boucherville connaisse la véritable nature de celui qui doit lui succéder en la seigneurie. Le saint homme maudirait le fils indigne et en périrait de chagrin.

En ce qui concerne Josephte, si attirante et belle, la seigneuresse et sa bru redoutent que Pierre ne veuille la garder près de lui, pour son amusement, en évitant de l'engrosser. Et, sous son propre toit, comment le seigneur pourra-t-il rester dans l'ignorance d'une telle ignominie ? Un jour, il surprendra Pierre...

« C'est ma mère elle-même, à bout de peines et tourments, qui m'envoie près de toi... »

— J'étais abasourdi, horrifié, et je devais faire la mine que je te vois présentement. Maître Lambert m'a secoué comme s'il voulait me réveiller à toute force...

« Voilà ce que nous avons décidé. Hum... Je veux dire : ce que nous te proposons... Pour l'heure, je chambre chez le gouverneur de Trois-Rivières, cela ne peut durer ; le major se doit d'avoir son propre train de maison. À ma prochaine permission, je demanderai à mon père, en pleine tablée, de donner son consentement au mariage de Josephte et de Louis-Marie — tu m'entends, oui ?... — afin que je prenne à mon service des domestiques sûrs, formés par mes chers parents. Il ne devrait pas s'y opposer, étant assez fier, je crois, de l'avancement en grade de son... "étourdi de Lambert". Je suis même tout à fait certain qu'il acceptera. En attendant, veille bien sur Josephte, mon garçon. Je préviendrai d'ailleurs Jean-Baptiste, avec moindres détails, naturellement : mais ce jeune homme est déjà futé sur les filles, il comprendra à mi-mots et ouvrira l'œil, lui aussi !

— J'ai veillé, ainsi que le cher Jean-Baptiste : tu te rappelles nos coups de pied sous la table lorsque ce maudit a proposé de me « prêter » à toi comme domestique ? Et sans doute la seigneuresse et sa bru, pauvres dames, veillaient pareillement. Voilà trois jours, Madame Pierre m'a dit...

« Sauve-toi, Louis-Marie, et emporte Josephte ! »
Madame Pierre supplie à basse voix avec des pleurs : « Sauvez-vous, sauvez-vous tous les deux... », puis elle part en courant, éperdue de honte et de chagrin...

— Je n'ai pas osé. Si jeune et pure, Josephte, éduquée en vierge chrétienne par les Dames de Sainte-Marie ! Comment lui expliquer les raisons d'un tel acte ? Il me fallait attendre l'aide de maître Lambert... Mais j'ai doublé de vigilance, passant deux nuits sans sommeil, tout habillé, enveloppé de pelu* sous un tas de bûches, près de la porte du réduit où elle couche. Cette nuit, je me suis endormi. Et Josephte a crié... Elle ne me savait pas près d'elle, pourtant c'est mon nom qu'elle hurlait, c'est moi qu'elle appelait à son secours.

— L'autre servante huronne, cette vieille grinchue, ne couche donc pas dans le même appentis ?

— Si. Je te l'ai dit déjà, le peuple huron est mort. La vieille Scolastique était accroupie dans un coin, et c'est moi qu'elle injuriait, et Josephte aussi, avec le parler de nos ancêtres : il lui était revenu dans son indignation contre nous deux qui osions résister au bon Monsieur Pierre...

------

* Fourrures brutes, non tannées.

Chapitre 9

La belle Anne

La fin du mois de mai éclatait en un printemps impétueux, aussi vif que l'hiver avait été rude. L'île blanche, l'île de solitude et de silence s'animait à présent de couleurs, de chants d'oiseaux et du meuglement des bêtes en pâture.

La débâcle avait été rapide : après une semaine de fracas, de tonnerre, la Grande Rivière avait retrouvé son flot, coulait sa route d'eau vers l'océan. Et sitôt disparues les glaces et les neiges, les forces de vie avaient resurgi, intactes et comme stimulées par la durée de l'engourdissement d'hiver.

Michel se rappelait les longs printemps du Poitou, embrumés des pluies d'ouest durant des jours, puis leur douceur de soleil, et les regels brutaux de la lune rousse, des saints de glace. La lenteur du printemps, en Poitou, ses hésitations, ses reculs... En Nouvelle-France, d'une seule poussée, le printemps souverain émergeait de la froidure, ressuscitait du tombeau.

Le bourgeon d'hier, clos-serré comme une coque d'œuf, s'ouvrait à jour fini sur un froissement pâle. Le lendemain, les feuilles se dressaient défripées, roides, érigées de jeunesse charnelle, les arbres étaient en amour, en désir. Les trembles, les bouleaux, les fayards, les coudres, les érables, chacun leur tour poussaient leurs teintes nuancées. Michel suivait du regard ces montées de couleurs qui commençaient au jaune clair presque automnal, puis forçaient leurs verts assourdis jusqu'aux verts vifs, rejoignant sans heurts dans le paysage les sombres aiguilles des résineux que les neiges avaient lustrées et rajeunies d'éclat.

Où étaient-ils, Sondaka l'Aigle et sa jeune compagne, pour rendre grâces à Aataentsic, leur mère la Terre, de cette éternelle renaissance, de cette majestueuse fécondité de la déesse-créatrice de leurs ancêtres ?

Michel et le jeune Huron n'avaient pas dormi, dans la grange, durant la nuit du drame. Louis-Marie, après qu'il eut renouvelé en longs détours et retours les remerciements qu'il devait à Michel — « et à ton épouse, surtout » —, avait exposé avec rigueur et clarté ce qu'il envisageait pour l'avenir :

— Si ton épouse consent que vous cachiez Josephte, si elle accepte de lui offrir ce supplément de générosité...

— En doutes-tu ? Je peux t'en donner assurance à sa place, elle a le cœur à la main, ma femme.

En ce cas, Louis-Marie va partir dès jour levé. Sans longs adieux, il craint de perdre courage aux larmes que Josephte va verser. Michel proteste : après l'avoir sauvée, Louis-Marie veut donc abandonner la jeune fille ?

— Non. Je reviendrai la chercher à fin d'hiver.

Michel se fâche. C'est tous les deux qu'ils doivent demeurer. Par un froid pareil, que les loups se réchauffent à trembler, ce qu'il risque, cet imbécile, ce fanfaron, c'est de périr en quelques jours ! Ils doivent se cacher à la grange — dans la maison, ça serait trop risqué —, ils y seront bien pour attendre le doux temps...

— Non. Pas ensemble. Oublies-tu qu'elle a été élevée par les Dames de Sainte-Marie, puis assaillie par un homme ? Il faut que je lui laisse le temps du choix. Qu'elle soit mienne par amour, et non par reconnaissance. Juste avant la débâcle, je reviendrai et me plierai à sa décision. Tu vois, cette nuit, je me retrouve en mes origines : la femme choisissait son homme, non le contraire, dans nos tribus.

Michel discute encore, argumente... Où va-t-il trouver refuge, ce Têtard de Huron ? Oui, ce Têtard, parce que lui, en France, dans le temps, son mulet s'appelait de même ! Et que ça n'existait pas, de bestiau plus obstiné-contrariant, du moins c'était ce que lui, Michel, pensait jusqu'à cette nuit, mais il venait d'en rencontrer un pire !

Où va-t-il trouver abri, Louis-Marie-Têtard ? Dès demain, cela va se propager comme mèche à feu dans la colonie : un domestique sauvage s'ensauvant de chez son maître, cela fait déjà scandale ! Et si, de surcroît, il enlève une servante de quinze ans, c'est la prison pour longtemps ! Alors, où va-t-il aller, le Têtard ? Chez les Hurons de Lorette ? Les Jésuites de là-bas vont être premiers prévenus du crime de celui dont ils voulaient faire un curé ! Nulle part il ne sera en sécurité, dans aucune ville ni bourgade. Chez les Iroquois, peut-être ? Il y sera bien reçu, leur ancien prisonnier !

Louis-Marie sourit tristement. Soupire que non, sa place n'est pas là non plus...

— J'y fus pourtant bien traité. Je devais être encore à la mamelle lorsque mon clan fut massacré

— sauf les enfants, qu'ils enlevèrent, c'est la raison pourquoi j'ignore mon âge. Je me croyais des leurs, j'y avais une famille. Tout ce que je sais sur la vie de nature, la chasse, la pêche, je le tiens d'eux. Un jour, des Jésuites sont venus : malgré les pleurs de celle que je croyais ma mère, on m'a échangé contre un prisonnier iroquois. Un troc de marchandises, en somme... J'appris ainsi que j'étais une marchandise... huronne ! Retourner près des Iroquois ? Jamais. Leur sort sera pire que le nôtre : les Anglais méprisent à tel point leurs... alliés qu'ils ne se mêlent même pas à eux dans la bataille, au contraire des Français qui nous intègrent dans leurs rangs. Même pas dignes de côtoyer les uniformes rouges, les Sauvages des Anglais. On leur donne des fusils, on les abreuve d'alcool, puis on les lance seuls, non pas en guerre, mais en massacre. *Kill ! Kill ! Kill !* Et ils tuent. Même l'enfant dans le ventre de sa mère n'est plus épargné. Ils tuent pour que le colon et le marchand anglais remplacent un jour le colon et le marchand français sur cette terre dont ils seront eux-mêmes chassés dans l'avenir. Ils n'ont pas conscience d'être devenus l'arme aveugle d'une guerre qui n'est pas la leur. Non, ma place n'est pas chez les Iroquois. Ma place n'est plus nulle part, dans ce grand pays où tous nous aurions pu vivre. Elle sera seulement près de Josephte si elle consent à me suivre dans le campement que je vas préparer loin des hommes, qu'ils soient blancs ou cuivrés de peau. Nous y vivrons de ma chasse, de ma pêche, et du troc avec les coureurs des bois. Eux, les réprouvés, les hors-la-loi, ils sont un peu nos frères.

Louis-Marie avait reparu juste avant la débâcle. Rose avait beaucoup pleuré de voir partir Josephte, elles s'étaient prises l'une l'autre d'amitié. On ne parlait plus de « dame Moineau », Rose ayant demandé à la jeune fille de l'appeler par son petit nom et de la tutoyer. En embrassant une dernière fois la jeune Huronne, Rose avait dit, en ultime essai de la convaincre :

— Je suis sûre on pourrait trouver moyen que vous restiez ensemble sans vous ensauvager de même. Tu vas... vous allez vivre bien durement. Et ça me crève le cœur, l'idée de ne plus te voir. Plus vous voir, je veux dire. Et le péché, tu songes au péché en dehors de mariage ?

— Monsieur de la Saudraye dit ça aussi, à la confession. Crois-tu qu'il parle pareillement à Monsieur Pierre Boucher de Boucherville ? Le Bon-Dieu et la Sainte-Vierge, s'ils ont envoyé Louis-Marie à mon secours, c'est que par avance Ils pardonnaient le péché de nous aimer. Tu ne vivrais pas n'importe où, n'importe comme, avec ton homme ?

Rose ne prend pas temps de réflexion avant de crier :

— Si ! Oh si !

— Tu peux comprendre alors pourquoi je pars. Le cœur triste moi aussi de perdre... une amie.

Louis-Marie et Michel ont dû les arracher à leurs embrassements et à leurs pleurs.

D'un accord non formulé, Michel et Rose ne parlaient plus de Josephte et de Louis-Marie : l'un et l'autre y auraient ravivé le chagrin de ce départ, de cette disparition définitive de leur vie.

En revanche, dix fois le jour, Michel se laissait aller à exprimer près de Rose ses étonnements, ses éblouissements, quoiqu'il la sût insensible aux magnificences de la nature canadienne : depuis toujours elles faisaient le quotidien de sa vie, elles étaient l'ordinaire de ses jours, et, de ce fait, ne présentaient aucun attrait pour elle. L'église abbatiale de Saint-Maixent, son cloître, ses vitraux, ses statues la fascinaient dans les descriptions que lui en faisait Michel : « Raconte encore comment c'était beau », lui demandait-elle souvent. Mais les ciels des saisons canadiennes, le Fleuve-roi, les arbres, les horizons infinis de son pays natal la laissaient dans l'indifférence alors que, pour Michel, il n'existait pas d'œuvre humaine atteignant une telle perfection de formes et de couleurs : la nature en Nouvelle-France était cathédrale vivante et démesurée. Il avait conscience que seule une amoureuse indulgence faisait Rose attentive lorsqu'il lui détaillait ses émerveillements, et que les « oui-oui-oui » qu'elle hochait en silence étaient plus étonnés qu'affirmatifs.

Il la sentait au contraire d'un enthousiasme sincère lorsqu'elle trouvait « superbe » de voir germer les pois, haricots, gourganes* et lentilles qui soulevaient la terre deux jours à peine après avoir été semés.

— C'est signe que la vermine s'y mettra pas cette année ! Cette cochonnerie, ça peut mener à rien une récolte !

Et « admirables », les blés-froments, orges, avoines et gros mils qui commençaient à frémir au vent.

— Regarde-moi ça si ça prospère serré ! On croirait des petits cheveux verts, asteure, mais le saccage de grain que ça va nous faire !

Et « magnifique », la coulée de sève des érables ; « incroyable », la richesse en sucre du sirop.

-----

* Grosses fèves.

— Cinquante pintes au moins, et puis j'ai pas eu à faire bouillir l'eau* longtemps, c'est venu vite épais, à pouvoir tartiner !

Rose ne voyait le printemps qu'en ménagère, ne le louait que sur ses promesses d'abondance nourricière, d'avenir préservé de disette.

Dans un seul domaine, cependant, elle ne se préoccupait pas d'utilité. Décrivait à Michel avec exaltation — « puisque tu aimes ce qui fait joli... » — la bouquetterie** qu'elle comptait aménager près de leur maison. Cela avait toujours été leur rêve, à sa mère et à elle, mais le père s'y était opposé : ça servait de quoi, les bouquets ? rageait-il... Ça se mangeait-y en soupe ou en salade ? Juste une fantaisie de bonne-à-rienne, une fanfarluche à perdre son temps ! Si elles s'avisaient d'une bouquetterie, la mère et la fille, lui, Claude Jaudouin, il y mettrait ses bœufs à la pâture, les bonnes bêtes en viendraient vite à bout, de leur caprice de bouquets !

— Mais de toi, mon Moineau, je n'ai pas à craindre. D'abord, tu cherches toujours de me faire plaisir, et puis tu aimes ce qui fait joli... Ça suffira juste que tu me bêches un morceau de terrain, du côté de midi, le long de la maison. Moi, dans le bois et le long des berges, je n'aurai qu'à me baisser pour choisir, c'en est tout plein partout. Mais, pas vrai, dans la sauvagerie, les bouquets poussent à la va-comme-ça-peut ! Moi, je les repiquerai bien en rangs, en faisant attention aux couleurs.

Les rosiers, elle les voyait au fond, près de la maison. Pas trop, c'était une affaire qui gagnait vite en fouillis, le rosier. Ensuite, devant les roses, les martagons. Quoi, Michel ne connaissait pas les martagons ? Ça venait

---

* L'eau d'érable : la sève, qui doit bouillir pour l'obtention du sirop.
** Jardinet, plate-bande de « bouquets » (fleurs).

d'un oignon et fleurissait de deux sortes : des jaunes tout jaunes, et des rouges avec un peu de violet mélangé. Après, des sabots-de-la-vierge ; ça, c'était rose et blanc. Puis, en bordure, des violettes, avec un peu de muguet peut-être... mais non, ça mortifiait trop vite, le muguet. Plutôt du petit-mélilot, et des pierres du Fleuve pour borner, des rondes-brillantes...

Si visiblement au comble de joie, sa Rose, à la description de sa bouquetterie, que Michel s'était gardé d'évoquer les prévisibles ravages qu'allait y commettre Roqueau ! Il ne serait pas besoin des bœufs poussés par un père acariâtre pour détruire les plantations : les pattes fouisseuses de Roqueau, la masse de Roqueau étalée sur les tendres verdures allaient y suffire en toute innocence ! Michel s'était promis de concilier l'amour de Rose pour son chien et pour ses bouquets : il protégerait les fleurs au moyen d'un solide treillis plus efficace que les galets roulés du Fleuve.

Si Michel se prêtait volontiers à ce désir de Rose, il y trouvait — sans le lui dire — quelque incompréhensible bizarrerie : elle n'avait que splendeurs autour d'elle et elle voulait recréer un simulacre de nature ! Elle allait contraindre, ordonner selon son vouloir ce que la terre faisait pousser dans la liberté. La bouquetterie de Rose, clôturée comme la courette des volailles, semblait par avance à Michel ridicule de mesquinerie face aux beautés absolues de l'île, du Fleuve et de ses rives. Il ne lui en ferait jamais réflexion, bien entendu. Au contraire, se forcerait à la même indulgence amoureuse que Rose, et conviendrait lui aussi : « oui-oui-oui », lorsqu'elle lui détaillerait les attraits de ses fleurs dans leur prison de piquets.

Rose était donc partie, sitôt dîner fini, en recherche de ses plants. Et lui (qui aurait dû terminer la semaille du blé d'Inde, en bout de l'île), il épierrait, bêchait, ameublissait une bande de terre le long de leur maison. C'est qu'elle se montrait tant enfiévrée, sa Rose ! Tant impatiente de voir son régiment de fleurs au garde-à-vous-fixe, comme une compagnie de soldats en attente de la revue ! Elle lui avait demandé :

— Ça pourrait peut-être patienter, ce restant de maïs à semer ? Parce que c'est juste le moment pour mes bouquets — j'ai déjà remarqué les plus beaux. Si tu me prépares la terre avec un rien de fumier, et que tu m'aides à repiquer comme je te dirai, je te garantis — on est en lune montante — ils seront à pleines fleurs dans trois semaines, même moins. Oui ? Ça peut attendre, le maïs ? Mon Michel, mon Moineau, tu es le meilleur des hommes, et je suis certaine tu seras aussi le meilleur des pères !

Le meilleur des hommes et meilleur des pères s'activait donc à défoncer, retourner et fumer une parcelle de terrain aussi dur que roc, afin que sa Rose ne fût pas contrariée d'avidité insatisfaite jusqu'au lendemain. Même s'il n'y croyait guère, aux « envies » des femmes enceintes : il avait trop entendu discuter à ce sujet sa grand-mère paternelle, la chère dame Aubina, née bourgeoisement — née Griffier, comme elle aimait le rappeler —, et sa mère, tout simplement née Marie Gautier, d'une famille de pauvres tenanciers. La douceur et le chagrin du souvenir...

La dame Aubina, chaque fois qu'elle est fâchée contre sa bru, retrousse la manche gauche à la chemise de Michel.

— Ces taches qui marquent tous vos enfants mâles, ma pauvre Marie, elles viennent d'une envie de chocolat que vous avez eue en les portant. Vous ne saviez donc pas qu'il faut se garder de toucher quelque endroit de son corps lorsqu'il vous vient des envies, étant grosse ?

La « pauvre Marie » proteste, avec humilité certes, mais s'élève quand même contre les accusations de la vieille souveraine — née Griffier ! — qui règne à la Bêchée où son fils Louis l'a accueillie après la mort de l'époux qu'elle s'était choisi en fol amour et courage : Jacques Jamonneau, simple journalier au service de l'opulent logis Griffier.

— Mère, le chocolat, ça s'en boivait...

— Buvait. Bu-vait !

— ... S'en buvait chez vous autres, dans votre jeune temps, vous aviez gros d'argent. Mais jamais on ne... buvait de ça chez les Gautier ! Comment voulez-vous que j'aie eu envie d'une affaire que je connais même pas le goût ? Et puis, sont-y tachés en vert, mes garçons ? Pourtant, pleine ou pas, j'ai toujours langui sur le farci d'oseille...

La dame Aubina toise sa bru, regard mi-méprisant mi-affligé qui décontenance la « pauvre Marie ». Laquelle finit toujours par avouer, comme elle ferait d'une faute capitale :

— Du boudin. Ça se pourrait que j'aie eu envie de boudin ! C'est-y pas de la même couleur que votre chocolat ?

— Ma pauvre Marie, que c'est grossier, des envies de boudin sur mes petits-fils ! ! Pourquoi pas de crotte de bique ?

La famille entière fait mine de ne pas entendre l'habituelle dispute sur l'élégance des envies de chocolat, la bassesse des envies de boudin. Les termes peuvent varier, le fond de la querelle reste le même ; ils s'en tiennent écartés. Tous, sauf Jacquet qui ne peut se retenir de bouffonner, chaque fois :

— Boudin ou crotte de bique, pour moi c'est bien tombé : sur une fesse !

Jacquet reçoit deux calottes, on peut même penser qu'il les a cherchées de pleine volonté, la dame Aubina — née Griffier — et la « pauvre Marie » se réconciliant dans leur commune vivacité à la représaille.

Le père, un jour, s'est porté en défense de Jacquet. A fait remarquer — « c'est pour toi que je cause, Marie » — l'inconvenance à parler de ça devant des drôles*. Et, s'étant entendu traiter de chafouin et de patte-pelue par sa mère, lui, le premier responsable de ça, justement..., il a par la suite gardé un silence prudent lorsque arrivaient les « envies » dans la conversation.

Michel prit conscience que, depuis un moment, il s'était arrêté de travailler. Appuyé au manche de sa bêche, il frottait machinalement la tache brune, à son avant-bras gauche, sur laquelle les poils ne poussaient pas. Rose aimait y caresser, disait que c'était doux comme une petite clairière au milieu de la broussaille. Chère dame Aubina, si fière, glorieuse, combien elle eût aimé Rose qui voyait une clairière — et non une envie de boudin — dans une vilaine tache de peau !

« Rose. Ma femme... » Michel se remit à bêcher : le doux-amer du souvenir, la nostalgie, chaque fois qu'ils venaient à surgir, s'estompaient vite grâce à sa Rose du Fleuve, son amour, son avenir. Et plus encore, dorénavant, avec l'enfant qu'elle attendait.

Elle en était certaine, à présent : il arriverait avant la fin de l'année. En novembre, ou décembre peut-être, elle

---

* Des enfants.

saurait mieux après avoir parlé avec sa mère... Rose avait décidé que le prochain dimanche, ils feraient leur première visite à Rivière-des-Prairies. Michel, malgré l'affection qu'il portait à sa belle-mère, redoutait la rencontre et avait tenté de dissuader Rose : c'était de l'autre côté de l'île de Montréal, Rivière-des-Prairies ! Ça faisait long de marche, après avoir costé, et pareil au retour, pour une femme en espoir ! Des cédrières à traverser, des bêtes qui risquaient lui faire peur, dans son état... Vains efforts, Rose avait seulement ri :

— Toi qui aimes tant ce pays, tu ne connais pas encore sa figure ? Tu vois si tu es vantardeux, tu me disais que Maurillon te l'avait montré sur des images.

— Sur des cartes, oui, mais ça fait si longtemps...

En vérité, il se la rappelait parfaitement, la « figure » de ce pays ! Pour justifier ses objections premières, il avait laissé parler Rose :

— Dans mon état, comme tu dis, ça te fatiguera de ramer ? Non ? Alors, ça me fatiguera pas non plus d'être assise dans le canot. Je t'explique où passer : tu contournes le bout de Saint-Joseph, tu longes l'île Sainte-Thérèse et l'île aux Asperges, puis, à main gauche, tu t'engages dans la Rivière des Prairies — là, ce sera plus dur, le courant est fort, mais la concession de maman est tout près de l'embouchure, en face l'île Bonfoin. Les Sauvages, tu sais comme ils appellent le Fleuve ?...

— Oui : la Grande Rivière. Pourquoi me demandes-tu sur ça, je l'appelle de même, moi aussi : c'est un Sauvage qui me l'a dit dès qu'on a eu costé à Québec, mais je le savais d'avance par le livre du seigneur Boucher.

Rose avait insisté : juste « la Grande Rivière », pas rien après ?

— Si. Il m'a dit : « La Grande Rivière te sera bienveillante, homme Laliberté. » Un genre de remerciement, sans doute, vu que je l'avais défendu contre un de mes camarades qui le traitait de bestiau, sans aucun motif à l'insulte.

Rose avait ri : des fois, les Sauvages, ils se montraient vrais sorciers pour dire la bonne-aventure ! Bienveillante, ça voulait dire attentionnée de gentillesse, pas vrai ? Alors ce Sauvage il avait été bon prédiseux, puisque la Grande Rivière avait mené son Moineau jusqu'à elle. Mais il avait oublié la moitié du nom — par exprès, peut-être, vu que c'était un peu risible en son entier, le nom sauvage du Fleuve : « La Grande Rivière qui marche ». Comme si l'eau était vivante ! Enfin, ça n'était pas la question, leurs façons bizarres de causer. Ce qui marcherait, le prochain dimanche, c'étaient les bras et la rame de l'homme Laliberté, et de même, sans fatigue pour une petite femme en espoir ni escurieux* à lui faire grand'peur, on joindrait Rivière-des-Prairies... Chère maman...

Michel, quoique inquiet sur la future entrevue de Rose et de sa « chère maman », la belle Anne, n'avait pu feindre d'ignorer plus longtemps les commodités de la Grande Rivière qui porterait en douceur sa Rose vers l'annonce d'une nouvelle dont il craignait fort le choc !

À chaque jour sa peine : pour l'instant, bien qu'incrédule sur les envies des futures mères, Michel devait préparer au plus vite la bouquetterie de Rose. Ne pas tenter le mauvais sort, ne pas courir le plus menu risque de voir naître leur enfant mataché de bariolages. Une envie de roses, encore, ç'aurait pu faire une jolie marque de fabrication sur le fils ou la fille de la Rose du Fleuve. Mais le rouge et le violet des martagons ! leur jaune « tout jaune » ! Même le tendre mauve des violettes !

_____
* Écureuil.

Une horreur... D'autant que Rose se frottait souvent le nez, encore irrité par le souvenir des engelures de l'hiver !

Des plaques de neige résistaient au printemps, sous les fourrés. Une neige mouillée, fondante, cavée de trouées suintant d'eau. Une grisaille sale de dégel vers laquelle Roqueau se jetait pour s'y vautrer. Il en ressortait graissé de terre épaisse, garou noir et frétillant, carnaval charbonneux guirlandé de brindilles et de feuilles mortes.

Rose le chassa : il se montrait trop affectueux, trop en recherche de caresses pour qu'elle le gardât près d'elle en cet état, au risque de revenir elle-même crottée-bourbée de sa promenade.

— Au Fleuve, Roqueau ! Au Fleuve !

Le chien comprenait tout, à présent. Saisissait la moindre inflexion de voix de sa maîtresse. « Viens ! », et il trottinait derrière elle en jappant de plaisir. « Je reviens... », et il demeurait sur place, la regardait s'éloigner en couinant sa désolation.

Rose entendit le bruit de son plongeon, et la volée de hérons qu'il avait effrayés. Le chien de glace, sitôt commencée la débâcle, avait abandonné la tranquillité des chenaux entre les îles où il avait pêché tout l'hiver sous la mince couche de gelis. Le chien de glace était devenu chien d'eau vive, aimait nager à contre-flot au plus fort du courant dès que Rose lui en donnait permission. Aujourd'hui il allait en profiter longtemps, jusqu'à l'ordre de revenir.

Rose aimait vérifier son emprise sur lui, s'assurer qu'il n'avait plus souvenance d'avoir été le « Yakoro » d'un maître sauvage. Elle le lançait au Fleuve. Aussitôt le rappelait, heureuse et fière de le voir se précipiter vers elle, superbe dans sa course ruisselante. Puis l'arrêtait net à quelques pas d'elle : « Au Fleuve ! » Il repartait, et à nouveau elle le tirait de l'eau d'un seul appel ; il lui obéissait toujours.

Ce jour-là, elle eut beau crier « Ici, Roqueau ! » jusqu'à s'égosiller, le chien ne revint pas. Elle n'était pas inquiète, sa voix devait s'étouffer dans l'épaisseur du bois ; Roqueau finirait bien par revenir de lui-même et le plus tard serait le mieux, vu l'état dans lequel il se mettait en fourrageant dans les bourbiers.

Rose avait emporté deux larges paniers d'écorce malgré les tendres moqueries, les « ironies » de Michel. Prévoyait-elle de mettre un demi-arpent de bouquets ? Elle n'avait qu'à dire, et tout de suite mon capitaine, le soldat Jamonneau, dit Laliberté, dépiquerait les choux et les raves pour faire place !

À présent, Rose se demandait si deux paniers allaient suffire pour y entasser sa récolte. Cela foisonnait dans le clair du bois, aux endroits tiédis de soleil. Elle découvrait toujours des plants plus vigoureux, plus avancés en végétation que ceux déjà amassés dans les paniers.

Elle comparait, triait, rejetait. Elle jouait à la cliente exigeante, comme les belles dames de Ville-Marie chez le marchand-mercier lorsqu'elles écartaient avec dédain le « trop simple... », le « pas assez brillant pour mon goût... », en choisissant leurs taffetas, leurs rubans, leurs dentelles et leurs bas.

Rose froissa, écrasa un plant de lis. Le remplaça par un autre aux feuilles drues et luisantes.

— Voilà ce qu'il me faut, monsieur. Pas ces méchants bas de fil gris, je veux des bas drapés de Saint-Maixent, c'est les plus beaux qu'on trouve en Nouvelle-France. J'en prendrai six paires, je vous prie.

Rose, dans la solitude du bois, se laissait aller à l'enfantillage, jouait à « la dame et au marchand » comme en son petit âge avec les fillettes du voisinage. Leurs bas drapés de Saint-Maixent ? Des enfilages de feuilles d'érable et de vinaigrier épinglées de menues brindilles. On se les entortillait autour du mollet, on faisait des mines en relevant le jupon : Ils vous vont très bien, madame ; c'est douze livres, madame ; c'est cher, madame... Le rêve des petites filles, les bas drapés de Saint-Maixent !

Rose avait raconté ce jeu à Michel qui lui parlait souvent de Saint-Maixent, jolie ville proche d'Augé. Coûtaient-ils aussi cher en France, les bas drapés ? Était-ce à venir de si loin par les bateaux qu'ils valaient presque autant qu'une vache dans la colonie ?

Michel n'avait pu lui répondre. Sa mère et ses sœurs allaient nu-pieds, l'été, tout comme les hommes. Et l'hiver, elles se trouvaient encore heureuses que la redevance au château de Vieux-Viré leur laissât assez de laine de leurs brebis pour mettre de bonnes chausses dans leurs sabots ! Eux, les hommes, ils se contentaient de paille. Alors, le prix des bas, non, il ne pouvait pas dire ce qui le montait si haut. Sauf qu'un cousin à lui, un Morisson qui avait gros de courage au travail, était manouvrier à la fabrique de bas, avec son garçon — cinq ans au moment où Michel avait quitté la France — qui enfilait les lisses sous les métiers. Le cousin appréhendait de voir grandir son fils : vers sept-huit ans, c'était le mauvais âge, trop grand pour s'accroupir sous le métier, trop petit pour actionner les lames. Ils gagnaient trois fois rien à la fabrique, le père et le fils, quoique travaillant quinze heures de rang par jour. Plus miséreux encore que ceux de la Bêchée, puisque habitant un creux-de-maison, rue des Petites-Boucheries, sans terrain pour y tenir quelques cultures potagères. Ce n'était pas la pincée de sols gagnés par le cousin et son garçon qui faisait le prix excessif de la marchandise : voilà le seul renseignement que Michel avait pu fournir à Rose sur ce point.

À l'évocation d'un petit bonhomme de cinq ans qu'on redoutait de voir grandir, Rose avait abandonné ses rêves de luxe. Les bas drapés de Saint-Maixent, leur jarretière dorée ne jetteraient jamais leur éclat sous la retrousse de sa jupe. En revanche, et sans dépocher le moindre argent, elle allait aménager une bouquetterie digne des jardins de Saint-Germain — proportions gardées —, ces jardins dont sa mère lui avait souvent décrit les alignements parfaits de fleurs et de verdures.

En pensant aux jardins du Roi, tant admirés par sa mère en sa jeunesse, il vint à Rose l'idée d'une jolie surprise qu'elle pourrait faire à sa chère maman pour leur visite du prochain dimanche : à pleins paniers, des boutures de rosiers, des martagons, des violettes, tout un trésor de bouquets pour combler enfin le vieux rêve de sa mère. Courageuse femme, seule avec cinq jeunes enfants pour l'exploitation d'une terre ! Elle avait dû garder vivace son envie de bouquetterie, et, depuis son veuvage, un homme revêche et contraireux n'y mettait plus entrave : seules l'en empêchaient de plus impérieuses nécessités à nourrir son petit monde !

Rose se promit de revenir dans le bois, le samedi, afin d'y faire provision. Thomas et Barbe étaient assez avancés d'âge — quatorze et onze ans — pour tenir la responsabilité des fleurs. Et Rose ne doutait pas d'avoir gardé suffisance d'autorité sur eux pour les obliger à bêcher et planter dès le dimanche.

Elle prévoyait quand même des renâcles de leur part, à se voir ainsi écartés de la maison. Venant de Thomas, surtout, naguère destiné au séminaire sur les « conseils » de grand-père Boucher. Il n'en avait pas la moindre vocation et à son grand soulagement, Rose et Michel avaient réussi à lui éviter la prêtrise, car ce coquin de Thomas faisait déjà le jeune coq auprès des filles ! Mais il était demeuré raisonneur comme un petit curé et saurait faire prône et sermon sur l'interdiction de travailler le dimanche... Quant à Barbe, elle allait pleurnicher de vouloir rester près de sa grande sœur...

Outre le plaisir qu'éprouverait sa mère à voir les plants en terre, Rose voyait un second avantage à mettre Thomas et Barbe à la tâche : les grandes personnes pourraient faire tranquille et franche conversation en leur absence. Ils se trouvaient à l'âge de curiosité, toujours en affût d'oreille sur ce qu'ils n'avaient pas à connaître ; ils avaient souvent agacé les deux promis de leur présence importune durant les fiançailles — à l'ordre de leur mère, bien sûr, mais poussant quand même à l'excès leur rôle de chaperons, claironnant : « Qu'est-ce que t'as dit ? » dès que l'un des deux amoureux baissait la voix pour un chuchotis de tendresse.

Quel bonheur Rose attendait de ces retrouvailles avec sa mère ! Tranquilles entre femmes à parler d'affaires de femmes... Au cas improbable où Michel, si délicat de sentiments, ne penserait pas de lui-même à les laisser en tête à tête un moment, Rose avait déjà préparé et même répété la demande qu'elle lui en ferait, sans risque de le blesser.

— Michel ? Peux-tu voir à surveiller ce qu'ils font, Barbe et Thomas ? Puis, emmène Jacques et André dehors avec toi. Ces petits mignons, faut bien que ça s'amuse, mais ils me fendent la tête avec leurs joueries de guerre.

Toute seule avec sa mère chérie et la pouponne Louise, cette petite sœur dernière — deux ans bientôt — qui rapprocherait davantage en complicité mère et fille. Même si l'une arrivait aux portes de la vieillesse, elle allait se trouver transfigurée de l'annonce que Rose allait lui faire : « C'est jeune, quarante-trois ans, pour être grand-mère. Tu es contente, maman ? »

Le soir même, les plants étaient en terre derrière une barrière en planchettes de pin dont Michel avait arrondi l'extrémité. Il s'était attaché à marquer, par ce délicat festonnage, la différence entre l'enclos des fleurs et celui des volailles — délimité quant à lui de piquets juste équarris. Cette bordure raffinée avait d'ailleurs consolé Rose d'une déconvenue : les plantations faisaient pauvre mine, feuilles molles et languies, comme attristées d'avoir été arrachées des lieux où le hasard les avait fait pousser. Michel avait tenu à rassurer son épouse.

— Ne t'inquiète pas. C'est pareil quand on repique les raves ou les choux. Sur le moment, c'est tout avachi en chiffonnaille. Une nuit de bonne rosée, et le lendemain, ça crampe comme un jeune marié !

Rose avait protesté de « oh ! » effarouchés mais visiblement hypocrites, puisque tout aussitôt elle s'était fort épouffée de la comparaison. Michel en avait profité pour la tranquilliser au sujet de Roqueau qui n'était pas revenu.

— Ou comme un chien, si tu préfères ! C'est un beau mâle, ton Roqueau, et pour l'instant le commandement de nature est plus fort que l'affection qu'il te porte. Il cherche les femelles et ça n'est pas dans l'île qu'il les rencontrera. Il va courir des jours et des jours, oublieux de mangerie, pour en trouver qui soient en chaleurs, et...

— Et oublieux de moi aussi ; c'est quand même ingrat, les bêtes !

— Non, ma Rose, sois sûre qu'il te reviendra, tout maigre-efflanqué, déchiré de morsures à cause des batailles qu'il aura menées contre d'autres mâles affriandés de la même femelle.

Rose s'était déclarée confiante sur ce point : son Roqueau, ça n'existait pas de chiens capables de le surpasser en force ! Les autres mâles allaient connaître le pointu de ses dents, pour sûr. Mais eux, qu'ils mordent Roqueau ? Autant prétendre crocher le diable ! Pas même une égratignure au retour, son Roqueau, et pour lui les plus belles chiennes !

Elle avait dit cela gaiement, tout à fait rassurée sur l'échappée de Roqueau, et même fière, guillerette à l'évocation des exploits amoureux de son chien. Elle avait quand même ajouté :

— Tu crois qu'il sera de retour avant qu'on parte chez maman ? Parce qu'il serait malheureux de ne pas me trouver, s'il reparaissait dimanche. Faut que je lui aie dit : « Je reviens... » pour qu'il attende tranquille. Enfin, presque tranquille...

Michel avait décidé d'utiliser la chaloupe plutôt que le canot, au vu du fourniment que Rose prétendait apporter chez sa mère. Ainsi, quatre paniers de bouquets avaient pu être disposés bien à plat et au large — d'autant que Rose avait cette fois conservé la motte de terre autour des racines et des oignons, expliquant à Michel :

— De même, ils ne seront pas dépaysés. Maman les verra tout de suite... hum... en belle condition. Seigneur ! Si elle savait la façon que tu m'as tourné ça : « comme un jeune marié !... », elle en serait toute retournée ! Elle a toujours été achevalée* sur les façons de causer. Et puis, maintenant, à son âge, tu penses si ça la choquerait encore plus, des bouquets qui... hum... comme un jeune marié !

Michel ramait en silence, faisant mine d'être absorbé par l'effort : une chaloupe ne se menait pas aussi aisément qu'un canot, et Rose lui avait d'ailleurs demandé de ne pas soulever la moindre éclabousse. Les bouquets s'en seraient trouvés aise, sans doute, mais elle, elle s'était habillée sur son plus fin et ne tenait pas non plus à voir ramollies en soupe les gâteries qu'elle avait cuisinées pour l'occasion : une tourtière qu'il suffirait de réchauffer tout doux pour que la pâte en redevienne croquante (les tourtes étaient passées en nombre cette année, mais, en l'absence de Tit-Claude, pauvre maman, avait soupiré Rose, personne ne la fournissait en gibier !) ; et puis des gourmandises pour les petits, du sucre à la crème, des couques à la rhubarbe, des tires d'érable** (pauvre maman, elle ne devait pas avoir du temps de reste pour apprêter des douceurs, à son âge on avait moins de rendement à l'ouvrage, c'était forcé...).

Michel pouvait donc laisser Rose parler toute seule, même s'il reconnaissait une lâcheté dans son silence. L'occasion était bonne, pourtant, lorsque Rose évoquait l'âge de sa mère, de lui faire savoir qu'Anne « la Parisienne » n'était point si chargée d'ans, qu'elle était toujours magnifique et séduisante — amoureuse et aimée en retour d'un très jeune homme...

Vingt-trois ans, à présent, Pierre Godambert qui, déjà l'an passé, connaissait de chair sa belle Anne, l'aimait aussi fort de son cœur que de ses sens, non pas en fièvre

---

* À cheval, aux sens propre et figuré. Ici : rigoureuse.
** Le sirop d'érable, jeté tout chaud dans la neige et solidifié en « tires », comme des sucres d'orge.

passagère de désir, mais en projet de mariage : il en avait fait la confidence à Michel le jour des accordailles avec Rose : « On laissera passer trois ans de veuvage pour faire taire les langues fourches, puis on se mariera. » Cela ferait trois ans, en octobre, que le père Jaudouin avait été tué par méprise : son capot de poil, ses cheveux roux et sa corpulence trapue l'avaient fait prendre pour un ours...

Pourquoi Michel s'était-il tu sur les amours d'Anne et de Pierre, auprès de sa Rose devenue femme ? Combien il se reprochait ce silence à présent qu'il était trop tard ! Il avait souvent tenté, par allusions, de laisser entrevoir à Rose la possibilité que sa mère se remariât avec un tout jeune homme. Elle avait riposté de rires ou d'indignations simulées, n'y avait vu que plaisanteries mal-venues, presque outrageantes pour sa mère : « Pourquoi pas vingt ans de moins, tant que tu y es ? » Vingt ans... juste la différence d'âge entre Pierre et sa belle Anne.

Et lui, Michel Jamonneau, qui avait bravé le curé Bruslon ; lui, le petit-fils de cette ardente, vaillante Aubina Griffier qui avait quitté richesse et famille pour l'amour d'un journalier de misère ; lui, il n'avait pas eu le courage d'une franche explication, peut-être difficile mais nécessaire, avec une petite épouse rieuse qui menaçait de le dire à maman, ce que son gendre osait penser d'elle ! Là-haut, dans son paradis, la chère dame Aubina devait cracher feu et flammes des lâchetés d'un petit-fils dont elle disait en son vivant que, de toute sa descendance, il était seul à lui ressembler !

Vers quel bouleversement, pour Rose, la chaloupe chargée de joyeux cadeaux s'en allait-elle ? Rose bavardait, badinait sans qu'il portât attention à ses paroles, il en percevait seulement le ton de gaieté et d'excitation. Vers quel saisissement l'emmenait-il, autrement redoutable pour une femme enceinte que les envies de chocolat, de boudin ou de fleurs ?

— Ta mère, elle n'a guère été gâtée en amitié par ton père, à ce que tu m'as dit.

Il tentait une dernière allusion : dans les souvenirs malheureux, Rose trouverait peut-être quelque compréhension aux nouvelles amours de sa mère...

Il lui vit l'air ahuri. Pourquoi donc il lui demandait sur ça, juste au moment qu'elle plaisantait de ce coquin de Roqueau, toujours aux trousses des chiennes en chaleurs, hein, quel tempérament ! Où qu'il avait la tête, donc, son Michel, son coureux de nuages ? Pour sûr, elle convenait que c'était lourd aux rames, une chaloupe, mais quand même, il aurait pu au moins lever l'œil au moment où elle lui avait fait remarquer qu'on voyait le bout de leur futur rang* sur la côte Sainte-Anne, à Pointe-aux-Trembles.

— Parce que... on a passé Pointe-aux-Trembles ?

— Ça fait long déjà, tête-linotte ! Va, je te tiens pas rancune, tu pensais à maman et c'est si rare, à ce qui paraît, un gendre qui affectionne sa belle-mère ! J'ai juste le temps de te raconter ce que je sais de leur ménage avant qu'on soit rendus, vu qu'on n'est guère loin, asteure. Du bien triste, tu sais : à présent que je suis femme mariée, je comprends beaucoup d'affaires qui m'échappaient quand j'étais fille...

Trop tard, dorénavant, pour interrompre Rose. Et d'ailleurs, un espoir naissait pour Michel que la « femme mariée » admît les amours présentes de sa mère comme elle comprenait ses malheurs passés.

— Tout près de Paris, elle habitait. Juste avant de mourir, son père fait écrire devant notaire qu'il la donne

---

* Concession allongée perpendiculairement au Fleuve.

Fille du Roi. Elle a pleuré, pleuré, vu qu'elle avait un petit amoureux là-bas, à Vincennes. Mais bien forcée d'obéir. Oh là-là ! Jamais je lui serai assez reconnaissante, à maman, de m'avoir laissée marier d'après mon cœur !

— C'est sûr. Elle pouvait rêver mieux pour toi qu'un pauvre soldat, et tu lui dois beaucoup.

— Laisse-moi causer, sinon je n'aurai pas fini avant qu'on arrive. Et elle vient en Canada, elle dit non à tous les prétendus, non, elle veut pas, mais, à toute fin, puisque elle était là pour ça, faut bien qu'elle se marie. Avec mon père. Et vite-vite, crainte qu'elle se dédise encore : les bans publiés une seule fois au lieu des trois qui sont obligés. Et je peux dire, même si ça n'est pas convenable de parler à mal d'un défunt, elle a été pas-de-chance de tomber sur mon père. Toujours mésavenant, critiqueux, méchant des fois. Paraîtrait — mais là, je crois à des on-dit — que maman l'aurait trompé, par revanche, dans le début du mariage. C'est le plus jeune des Chouinard qui m'a dit ça, un jour qu'on se disputait : « Ton père, il a été encorné par un capitaine ! » Moi, tu penses, à dix ans, je ne savais pas ce que ça voulait dire... Tu peux y croire, toi, que maman a... ? Attention l'arbre !... Attention !

Un tronc qui dérivait laissa à Michel le temps de trouver une réponse suffisamment ambiguë. Car, bien sûr, il « pouvait y croire », à la courte aventure vécue par la jeune Anne avec le capitaine de La Freydière, juste après le mariage : toute la colonie était au courant, l'affaire ayant été portée devant le tribunal. Il ne pensait pas, cependant, que le moment fût bien choisi pour déclarer à Rose que oui, cela était certain, Claude Jaudouin avait été cocufié par une jeune épouse mariée contre son gré. Le tronc d'arbre était loin lorsqu'il se décida.

— Qui peut répondre à cela, ma Rose ? Je peux juste te dire une chose : dans un mauvais attelage, quand un cheval coupe au harnais et s'ensauve de son côté, c'est souvent la faute de l'autre !

Rose riait de plein cœur, en tendre complicité : quel luron, son cher mari, comparer sa belle-mère à un cheval ! Elle, elle jugeait que non, ça n'était pas le genre de maman, tant redressée de moralité. Mais enfin, si elle avait... hum... fait ça dans sa jeunesse, elle y avait pour sûr excuses ! Et, après tout, ça ne...

Elle s'interrompit, cria de joie :

— Regarde ! Regarde ! Ils sont tous au bord, à nous attendre. J'avais crainte un peu que Jean-Baptiste n'ait pas porté l'annonce de notre visite, il est tant étourdi de tête ! Même Tit-Claude est là. Et aussi, mon Dieu que je suis heureuse, Pierre est venu, quelle joie de le revoir ! Je te l'ai souvent dit : comme un frère pour moi, un fils pour maman...

Michel fit semblant d'être trop absorbé par le costage pour répondre : il craignait que sa voix ne sortît qu'en bafouillis misérable, tant l'appréhension lui étranglait le gosier.

Des exclamations chaleureuses de retrouvailles, des rires et des pleurs, des paroles qui se croisaient, se mêlaient, se couvraient en cacophonie, tout le monde parlant en même temps... Et Rose assaillie d'une grappe d'enfants accrochés à son cou, ses épaules, ses jupes, les jeunes frères et sœurs voulant chacun l'embrasser encore... encore... encore... Puis ce moment de silence, ainsi qu'il en arrive après trop d'émotions, vrillé soudain par la voix aiguë de Barbe :

— Tu sais pas quoi, Rose ? On est contents-contents : maman et Pierre ils ont décidé de se marier !

La grappe d'enfants glissa du cou, des épaules, des

jupes de Rose quoiqu'elle n'eût semblé faire aucun mouvement pour s'en débarrasser. Elle arrangea sa robe, rajusta bonnet et fichu. Elle était pâle, nez pincé, lèvres blanches.

— C'est... bien. C'est très bien ! Laisse-moi, Barbette, faut que je...

Elle s'éloigna en courant, suivie de Barbe que sa mère n'avait pu retenir et qu'on entendit crier :

— T'es malade ? Attention ! Attention ! Penche-toi, tu vas gâter tes effets ! Moi, c'est pareil, je rends, quand je monte en chaloupe. Maman ! Maman ! Vous voyez pas que Rose est malade ?

— Ça n'est rien, ma Barbette, laisse ta sœur, ça va passer tout de suite.

Avant que Barbe n'eût rejoint le groupe consterné, Anne Jaudouin se pencha vers Michel et parla bas :

— C'est pour quand ?

— Vers fin d'année, elle pense.

Rose revint vite après s'être bassiné le visage. Fraîche, souriante, animée, s'excusant de ce malaise : Barbe avait raison, elle ne supportait pas, elle non plus, de dandoler sur une chaloupe ! Barbe répliqua :

— Mais ça te secoue plus que moi, beaucoup : tu es toute tremble, encore. Il doit pas avoir le bon coup de rame, ton soldat.

Rose ne laissa pas longtemps son frère Tit-Claude et Pierre Godambert à s'esclaffer. Cette chaloupe, il fallait la décharger. Attention, les bouquets : les poser à l'ombre en attendant de les repiquer demain ; maman leur dirait comme elle voulait les mettre. Dans ce torchon, doucement à ne pas écraser, c'était une tourtière...

— Alors ça nous en fera deux, se réjouit Thomas ; Pierre a tué six tourtes, l'autre hier.

— Et des tires d'érable, il en a tué aussi ?

Tous rirent de la repartie, même la petite Louise qui n'avait pu comprendre et gazouillait : « Vi-vi... Beau-toup-beautoup ! »

Michel se trouvait au comble de joie : pourquoi donc avait-il remué tant de soucis au sujet du remariage de sa belle-mère ? L'innocence de la petite Barbe, criant la joie de tous — « On est contents-contents » —, avait suffi pour émouvoir le tendre cœur de sa Rose, pour effacer le ridicule qu'elle avait naguère évoqué d'une telle différence d'âge « dans ce sens », selon sa propre expression.

Après le repas durant lequel elle se montra vive à la conversation et chaleureuse de compliments — « si, si, maman, ta tourtière est bien mieux relevée en goût que la mienne » —, Rose se laissa de nouveau accaparer par les petits sans que sa mère, à l'étonnement de Michel, y mît le holà. Il l'avait connue plus ardente d'autorité, la belle Anne. Sachant les écarter d'un seul regard lorsqu'ils importunaient à la conversation. Bah ! aujourd'hui, c'était fête, elle pouvait se laisser aller à l'indulgence, d'autant que Rose se montrait si heureuse de badiner et jouer avec ses frères et sœurs !

Tit-Claude proposa à Michel et à Pierre de faire un tour dans la concession, cette marmaille lui cassant les oreilles — et toi la pire, Rosette-follasse, ajouta Pierre. « Allez donc », répondirent mère et fille de même voix.

Sitôt passé le seuil, Godambert et Tit-Claude s'envoyèrent de joyeuses bourrades.

— Tu vois si t'avais tort, futur beau-père, de craindre sur les rebours qu'aurait ma sœur contre le remariage de maman avec toi ?

— Et toi, peut-être, tu ne redoutais pas qu'elle y trouve à mal ? J'ai juste un an de plus que toi, futur beau-fils !

Ils reconnurent chacun que oui, ils avaient eu souci des « mais... » et des « comment... » que Rose aurait pu jeter à cette annonce. Finalement, Barbe et sa langue trop affûtée avaient tout arrangé en prévenant de la nouvelle dès l'abord, en ingénuité de fillette.

— Toi, Michel, le bientôt-gendre de ce petit bonhomme Godambert, tu ne tracassais pas à l'idée de ce qu'elle allait penser et dire, et même crier, ma sœur ?

Michel aurait cru trahir Rose à l'aveu de ses alarmes. Rose ? Elle n'avait qu'attentions pour le bonheur de sa mère. Et au grand jamais, lui, il n'avait eu la moindre préoccupation à ce sujet, il connaissait trop bien sa chère épouse...

La concession était soignée, impeccable de cultures ; Michel en fit des compliments sincères ; une merveille de femme, sa belle-mère, comment donc pouvait-elle mener tant d'ouvrage, et si bien, avec la charge d'enfants en jeune âge ?

Tit-Claude répondit gravement, avec un rire au fond des yeux :

— C'est que, vois-tu, j'ai laissé le charpentage pour un temps, et engagé un valet de ferme qui, ma foi, se montre docile à la tâche. Mon idée, c'est que ma mère se remarie au plus vite avec mon domestique, pour que moi, je retourne à Québec retrouver ma promise. À Rivière-des-Prairies, on n'est pas aussi âcre sur la morale que chez le bon grand-père Boucher. N'empêche, voilà le monde cul par-dessus tête : c'est le fils qui chaperonne la mère ! Ha-ha !

Tit-Claude arrêta de plaisanter, prit Michel et Pierre aux épaules.

— La meilleure des mères... J'aurais été grandement encoléré sur Rose si elle n'avait pas compris que notre mère avait enfin droit de bonheur. Peut-être c'est d'attendre le passage des Sauvages qui l'aura adoucie de caractère, la Rose.

D'une même voix étonnée, Michel et Godambert demandèrent : quoi ? les Sauvages ? Michel, quant à lui, ressentait davantage que de l'étonnement ; de la crainte montait : ainsi, à Rivière-des-Prairies, on connaissait l'aide et l'asile que Louis-Marie et Josephte avaient reçus chez eux ? L'angoisse ne fut pas longue à se dissiper ; Tit-Claude riait.

— C'est vrai, vous n'êtes pas Canayens natifs, vous deux. On dit ça icitte pour expliquer une naissance aux petits enfants de la famille : les Sauvages ont volé un poupon nouveau-arrivé, et maman leur a repris. Alors, ils l'ont battue, c'est la cause que maman a crié et qu'asteure elle est malade au lit. On disait quoi, en France, comme attrape, aux petits enfants, pour les naissances ?

Godambert expliqua que, chez lui, on ne disait rien, les enfants savaient de tout temps que les poupons venaient du ventre des mères, comme les veaux, les agneaux, les biquets. Juste on les mettait dehors, ou chez les voisins, au moment que la mère commençait d'avoir mal... Et Michel, lui, entendait la voix de Louis-Marie : « Ma place n'est plus nulle part, dans ce grand pays où tous nous aurions pu vivre. » Le sage et juste Louis-Marie, voleur d'enfants, tourmenteur de femmes... !

— Et alors, ma petite sœur, c'est pour quand qu'elle attend les Sauvages ?

— Vers la fin d'année, je pense. Mais pas de Sauvages ! Chez nous autres, on avait les mêmes façons que chez Pierre. Même à la dixième naissance, ça sera pareil.

Pierre approuva, et Tit-Claude plaisanta que ces Français, ça n'avait pas de moralité ! Puis il ajouta après avoir regardé le ciel qui moutonnait :

— Le temps s'engraisse, apparemment. Ça serait peut-être le moment que vous vous en retourniez avant l'averse. Surtout que t'as pas le bon coup... pour la rame, comme a dit Barbe, seulement pour la rame !

Des embrassades encore avant d'embarquer. Et des demandes pressantes des petits : fallait qu'elle revienne souvent les voir, leur grande sœur, vu que chez maman on n'avait pas d'assez grosse chaloupe pour y tenir tous et aller faire visite à l'île Saint-Joseph.

— On verra, on verra. Quand Michel saura mieux ramer, peut-être, hein, ma Barbette ?

— Mais Pierre peut aller vous chercher. Avec lui, tu serais presque pas du tout malade !

— On verra, on verra... Peut-être... Sûrement...

Rose cajolait, consolait, émettait de rassurantes promesses de revenir. Anne Jaudouin tira Michel à l'écart, rayonnante de visage, tout en sourire et joie — mais ce n'était qu'apparences forcées, et la tristesse de sa voix, l'amertume de ses paroles atteignirent Michel comme un coup :

— Elle est en maudit* de mon remariage avec Pierre, je le sais, même qu'elle n'en a rien montré.

— Qu'allez-vous songer là ? J'avoue en avoir eu crainte, aussi, avant de venir, et je n'ai pas eu courage de lui en parler (Pierre m'en avait prévenu, l'an passé...). Mais non, vous vous trompez, belle-mère : voyez-la, tout heureuse et de belle humeur, ma Rose !

— Tu la connais peut-être mal encore, ta Rose. Pourras-tu dire « beau-père » à Pierre, toi ?

— Non, ça non ! Déjà que vous m'avez tanné pour que je vous appelle « belle-mère » et que je dois toujours me tourner la langue trois fois pour le sortir ! Vous êtes

_____
* En vive colère.

trop... trop jeune et belle pour une belle-mère ; et ça me soulagera fort, je dirai Anne et Pierre, à présent. Pour compense, si vous voulez, notre petit à venir — ou notre petite, on voudrait une fille —, et tous les autres d'après, ils vous diront « mémé » et « pépé », ça remettra d'équilibre ! Est-ce à votre convenance ?

Il espérait la convaincre pleinement par cette plaisanterie. Elle détourna la tête. Michel avait eu cependant le temps de voir des pleurs dans ses yeux.

— Ma convenance, elle aurait été de pas perdre ma fille pour la cause qu'on s'est pris... d'amitié, Pierre et moi. Ne lui fais pas leçon, ne l'oblige pas. Si elle doit revenir, c'est de sa pleine volonté, pas de la tienne. Bon. Faut que je me reprenne avant de lui dire au-revoir.

Elle se dirigea vers la chaloupe près de laquelle les enfants agrippaient toujours Rose. Elle souriait.

— Poussez-vous, les petits. C'est maman qui doit faire la dernière bise à sa grande fille. Merci encore pour les bouquets, ma belle mignonne, c'est réchauffant au cœur que tu aies pas oublié l'envie que j'en avais. Qu'on avait toutes deux : on n'est pas mère et fille pour rien, pas vrai ? Allez, rame, soldat ! Tu reviens quand tu veux, ma Rose.

Ils firent tous des au-revoir joyeux depuis la rive, et Rose leur répondait pareillement en agitant la main.

Elle bavarda avec animation durant le retour. Michel fit excuses de ne pas lui répondre, une chaloupe à vide ou presque n'étant pas aisée à tenir dans le courant. Oui, bien sûr, elle comprenait... Hou-là ! Quelle nouvelle, hein, maman et Pierre ? ! Enfin, ils avaient tous l'air content, c'était très-très bien. Mais quelle fatigue, des journées de même...

— Tu vois, ça me tarde d'être à la maison. Pour sûr, je les aime fort, mais c'est toute seule avec toi, mon Moineau, que je suis le mieux aise. À force de vivre dans une île, je me suis ensauvagée, faut croire. Oh là-là ! Ils sont mignons, les petits, mais ils m'ont désâmée* de leurs cris et remuements ! Ma tourtière était aussi bonne largement que celle de maman, j'ai dit le contraire pour lui faire plaisir. Barbe, crois-tu qu'elle est drôlette, à t'appeler toujours « soldat » ? Te rappelles-tu, la fois qu'elle s'est écriée à maman qu'il était mauvais en diable, le soldat, vu qu'il m'avait mordue sur les gerces de la bouche ? Et Thomas, quand il...

Michel l'écoutait en silence. Derrière cette voix aimée, qu'il sentait forcée d'enjouement, il entendait celle d'Anne : « Tu la connais peut-être mal encore, ta Rose... »

---

* Désâmer : fatiguer à l'extrême.

Chapitre 10

Un vin vieux de Bordeaux

Rose cachait à présent sa tristesse à Michel au sujet de Roqueau. La pâleur, les traits tirés que lui montrait parfois son miroir d'étain, elle les prétendait dus à cette chaleur humide qui étouffait le début du mois d'août : loin de rafraîchir l'île, le Fleuve, cet été, l'accablait de pesantes vapeurs, de longues bouffées de brumes chaudes qui faisaient la respiration pénible. Rose trouvait ainsi prétexte à sa « petite mine » lorsque Michel s'en inquiétait. Elle l'avait tant bouleversé, son Michel, la semaine passée, en le poussant dans ses derniers retranchements sur une possible réapparition de Roqueau !

Jusqu'alors, il répondait toujours : « Mais oui, bien sûr », quand elle lui demandait : « Tu crois qu'il reviendra ? », puis il s'attachait à détourner la conversation comme s'il s'était agi d'une évidence absolue : mais oui, le soleil se lèvera demain, bien sûr, tu le reverras, ton Roqueau... Ce jour-là, le cher homme avait voulu la rassurer davantage encore : sa grand-mère, la dame Aubina, lui contait souvent qu'un chien, emmené par son père en berline jusqu'à Orléans pour l'offrir à un cousin, était revenu au bout de deux mois — peut-être plus — chez les Griffier, les pattes usées-saignantes presque à l'os, vu la longueur du trajet. Il y avait loin entre Orléans et le logis Griffier, à Beauvais, près d'Augé ! À peu près comme de Ville-Marie à Québec — peut-être plus. Les chiens, ce sont des bêtes de fidélité, et...

Rose l'avait interrompu, s'était coulée dans ses bras, serrée fort contre lui :

— Mon Moineau... Je sais que tu parles en tendresse pour moi. Mais cette histoire de ta grand-mère, elle vient juste en appui de ce que moi, je pense : Roqueau, il est en route pour retrouver son premier maître, au pays des glaces. Dis-moi le vrai de ton idée à toi, Michel ; je préfère que les faux-espoirs. Ça fait plus de deux mois qu'il est parti, et de plein gré, lui. Tu crois vraiment qu'il s'en reviendra ?

— Ma douce... Ma mignonne... Non, il ne reviendra plus.

Elle avait crié, sangloté longtemps, ne s'était calmée qu'aux paroles désolées de Michel, à ses supplications... Elle se faisait du mal, sa femme chérie, et lui, cela le ravageait de douleur à la voir aussi malheureuse, il aurait mieux fait de se taire ! Mais ce n'était qu'un chien... Et l'enfant, leur enfant, il le sentait tant s'agiter, se démener, là, dans ce ventre sous sa main, l'enfant se chagrinait du chagrin de sa mère...

Rose s'était appuyée plus fort contre Michel. Jusqu'à ce jour, elle n'avait éprouvé que de doux frôlements en elle, de lents frémissements, et voilà qu'à présent une vie cognait et bousculait ses entrailles, des petits poings frappaient, de minuscules pieds donnaient des coups au même rythme affolé que son propre cœur... Elle avait attendu que le calme fût revenu avant de parler, et même de sourire :

— Tu as raison. Ça n'était qu'un chien. Voilà, ça ne fait plus la sarabande, là-dedans. Ne regrette pas de me l'avoir dit. On a mal une bonne fois, puis ça passe, c'est mieux que de languir longtemps. Les ramancheux*, ils font pareil pour redresser une entorse de membre !

Elle n'oubliait pas... La vive douleur était devenue un chagrin qu'elle ne montrait plus. Lorsque Michel demandait : « Ça va ? Je te trouve pâlotte... », elle répondait que toujours les grosses chaleurs l'avaient désâmée... Et ajoutait en riant qu'en plus, malheur, avec cette bedoune à traîner ! Son Moineau, pour faire les enfants, il était pareil que pour le bois, il voyait gros : deux ou trois moineaux, pour sûr, dans la même couvée !

Un peu de fraîcheur arrivait avant le coucher du soleil. Un souffle bienfaisant traversait alors la maison où l'on pouvait laisser grandes ouvertes les lucarnes et la porte, puisque la cheminée était vide de feu : on ne risquait pas l'incendie à cause d'un brandon échappé du foyer et attisé par le courant d'air. Michel, en effet, avait décidé que midi et soir on mangerait froid. Dé-ci-dé avec cette gentillesse, ces « ironies » qui désar-maient Rose d'arguments : avait-elle donc envie de soupe bouillante, elle, par ce temps à faire fondre en huile un caillou ? Ça lui riait au ventre, le ragoût de pattes de cochon ? les oreilles de crisse** ? la sauce de couennes ? Assurément pas, puisqu'il la voyait en cou-ler à grand'peine une menue bouchée, puis se contenter

* Rebouteux.
** Gras de porc frit.

petitement de caillé frais, de pain, de lait, de fruitage !
Alors, si elle s'obstinait à brassicoter trois fois le jour
dans sa chaudière et ses poêlons jusqu'à en venir tout
en nage, lui, il l'obligerait de manger seule les soupes !
les ragoûts ! les oreilles ! les couennes ! Le curé l'avait
dit, la femme devait obéir au mari. Ou alors, à sa
convenance, il la laissait quand même choisir, il irait
verser dans l'auge aux cochons : changement d'herbage
réjouissant les veaux, ça devait faire pareil pour les
cochons, ils seraient contents de la nouveauté !

Ce n'étaient là que fausses menaces ; Rose avait ri
en les écoutant, s'était émue, aussi, de le trouver si
attentionné d'elle. Elle avait vu cependant une sorte de
péché, un grave manquement à ses devoirs d'épouse en
ne fricotant pas trois fois le jour du chaud, du solide,
du bourratif pour son homme...

« Et toi, alors, qu'est-ce que tu mangerais ? »

Elle ne devait pas s'inquiéter là-dessus, non-non-
non ! Durant ses transports de faux-sel, il avait appris
à cuisiner tout seul du vite-attrapé et tôt-fait quand le
lapin tardait à se prendre au collet...

— Des hérissons : tu empaquètes dans l'argile, tu
mets dans la braise, et les piquasses s'arrachent avec la
terre durcie. Des escargots, des limaces : tu embroches
sur une branche verte, tu tournes au-dessus d'un bon
feu ; quand la bave arrête de frioler, c'est cuit. Les
grosses couleuvres, aussi, c'est fin de goût, mais c'est
le diable pour les dépiauter.

— Doux-Jésus ! Tu as mangé de ces saloperies, vraiment ? Même de la serpent ?

— Eh oui ! Alors tu penses, ma Rose, si ça me
contrariera de manger froid ! Allez, c'est dé-ci-dé ! Je
te permets le feu seulement le matin, avant que la
grosse chaleur soit montée.

Ainsi Rose préparait-elle dès l'aube l'entier des repas de la journée. Découvrait que le salé, les œufs durs, l'omelette aux herbes, tirés bien froids du caveau, lui flattaient l'appétit, accompagnés de laitue, de porées ou de concombres à la vinaigrette. Et, surtout, elle appréciait ce repos, cette tranquillité des fins de journée dans la maison ouverte encore à la clarté, déjà à la fraîcheur.

Elle cousait pour l'enfant à ces moments, assise à l'embrasure de la porte. Sa mère lui avait fait porter par Tit-Claude de vieilles douces toiles pour en faire des drapeaux, des chemises. Elle y avait ajouté des jupons et paletots hors d'usage pour tailler, dans ce qui restait de bons morceaux, des corps* et des bonnets épais — « puisque vous vous êtes arrangés, avait plaisanté Tit-Claude, pour faire naître ce petit malheureux à la belle saison des bonnes glaces ! » Étaient même joints, bien pliés, de minuscules vêtements que Tit-Claude et Rose avaient sans doute portés eux-mêmes avant de les voir sur Thomas... Barbe... André... Jacques... Louise...

Rose avait failli se laisser attendrir par la douceur des souvenirs, par son enfance resurgie dans ces fins cousages de sa mère... Rose, la « grande fille ». Sept ans à la naissance de Barbe...

— Tu vois, ma grande fille, faut faire à très menus points glissés des coutures bien plates et rabattues ; ça blesse vite, une peau toute neuve.

La « grande fille » demande et obtient la faveur de faire seule un bonnet. S'applique de points réguliers, invisibles — sinon par la trace de quelques gouttes de sang. Maman ne s'en fâche

---

* Corps : vêtement pour le haut du corps. A donné *corset, corselet, corsage.*

pas, c'est le métier qui rentre, ça partira en lavant... Le bonnet terminé n'a guère bonne allure, comparé à l'ouvrage parfait de maman ; il est tout froissé-bouchonné par les petites mains encore maladroites, suantes de l'effort et de l'application, et la « grande fille » s'en désole. Maman rassure, félicite :

— Je n'aurais pas fait mieux en cousage, ma belle mignonne. Tu verras la mine qu'il aura, propre lavé, amidonné et repassé. Je vas t'apprendre sur un vieux bout d'étoffe comment broder au point de poste, ça donne un genre de petites fleurs. Et ce bonnet, il fera le bonnet de baptême. Avec des roses dessus, on dira que c'est les roses de Rose...

Le bonnet minuscule posé sur le poing de Rose... Le bonnet du baptême de Barbe, comme un appel de tendresse. Et la voix gaillarde de Tit-Claude qui avait coupé net la montée d'émotion :

— Faudra peut-être que tu les rendes, ces affûtiaux de marmot ! Ça se pourrait qu'il nous arrive des petits frères ou sœurs Godambert !

Rose avait réussi à sourire.

— Bien sûr. Je m'en servirai juste de modèles. Tu remercieras fort maman. Puis tu m'excuseras auprès d'elle, on n'ira pas de sitôt à Rivière-des-Prairies. Je ne peux même plus me rendre à Boucherville pour la messe, j'ai pâmé dans l'église, le dernier dimanche de juin...

— Pas besoin d'excuses, elle se doutait. Elle a dit que tu ne fasses pas d'imprudences, par ces chaleurs. Elle a dit aussi, j'ai manqué d'oublier et j'en aurais entendu carillon, que les bouquets étaient superbes, les roses surtout, en pleines fleurs...

Rose prit conscience que, depuis un moment, elle ne cousait plus. Elle aurait voulu être auprès de Michel. Elle l'entendait siffloter en travaillant derrière la maison : il faisait une berce, et lui, si vif à l'ouvrage, il s'y tenait depuis bientôt un mois, à sa menuiserie ! Prenait des airs de mystère : tu verras, tu verras... Et pas question que Rose eût permission d'y jeter l'œil avant le fin-fini : la berce était recouverte de planches et de sacs, chaque soir, dans un coin de la grange.

Elle se mangeait d'impatience de la voir, même en cours d'œuvre, d'y imaginer une petite tête juste dépassant les couvertes : son enfant, leur enfant à eux deux. Et elle contenait ce dévorant désir. Il aurait cependant été facile de décapuchonner le berceau à un moment où Michel était éloigné pour les travaux des champs. Et lorsque, enfin donnée la permission de regarder, elle aurait su feindre la surprise, pousser des oh ! et des ah ! d'étonnement et d'admiration. C'eût été beaucoup plus facile que de dire : « Oui, tu as raison, ce n'était qu'un chien... », alors qu'elle se désespérait toujours du départ de Roqueau ! Moins âpre à sortir du gosier que ce « bon Louis-Marie », qui n'avait sauvé la chère Josephte du déshonneur que pour l'entraîner dans le péché et la sauvagerie de sa race ! Plus aisé que feindre de n'avoir pas peur en solitude ! Moins risqué que se laisser tomber en fausse pâmoison — elle en avait gardé longtemps une vilaine bosse à la tête — pour la seule raison de ne plus affronter les commères de Boucherville et les compliments chafouins, outranciers, qu'elles lui adressaient sur le futur mariage de sa mère et de Pierre : félicitations hypocrites et chargées de malveillants sous-entendus auxquelles il lui fallait cependant répondre avec aplomb et sourires que oui, elle aussi, elle se réjouissait, Pierre ferait le meilleur des maris pour sa chère maman ! Et, surtout, regarder en cachette la berce ne lui aurait pas affolé le cœur de toquements, comme il arrivait chaque fois qu'elle prononçait « maman » avec un accent chaleureux d'affection...

Comparément à ces dissimulations, ces faux-semblants de courage et de compréhension à travers lesquels elle se voulait digne de Michel, cela n'aurait été qu'une mince, enfantine désobéissance de découvrir la berce avant son achèvement. Elle aurait pu sans crainte l'avouer à Michel, il aurait fait mine de gentille gronderie : Ah, ma belle coquine !... Et pourtant, elle savait qu'elle ne le ferait pas. Il lui semblait qu'elle aurait ainsi laissé échapper le brin d'un peloton sur lequel Michel n'aurait eu qu'à tirer doucement pour en dévider tout le reste...

— Michel ! Michel ! On a de la belle visite ! Monsieur Lambert et Jean-Baptiste qui sont en train de coster !

Même cette occasion inespérée de surprendre Michel au travail avec un valable motif, elle se refusait à la saisir. Elle appelait depuis la porte, assez fort pour couvrir les cognements du maillet, assez discrètement pour qu'on ne l'entendît pas du canot que Jean-Baptiste amarrait.

— Oui, ma belle, j'ai compris. Tu es toute mignonne de ne pas avoir pointé ton joli museau de ce côté-ci. Je porte mon attirail à la grange et j'arrive. Va-t'en au-devant d'eux les accueillir !

Rose rangea son ouvrage, s'avança à la rencontre des visiteurs. Jean-Baptiste était devenu aussi grand que son frère Lambert, et, même dans sa démarche, Rose ne décelait plus aucune ressemblance avec Jacques. Ne plus jamais penser « les jumeaux », ne plus les voir en double... L'un était mort depuis bientôt un an, pour toujours fixé en enfance, face pouponne et joufflue. Et l'autre, qui s'avançait vers elle avec la même allure militaire que le major Lambert Boucher de Grandpré, l'autre se faisait homme, visage mâle déjà, que barrait la moustache blonde de tous les fils Boucher. Un adulte, à présent, Jean-Baptiste... avec, cependant, un reste des malices de naguère !

Il salua Rose avec d'excessives cérémonies. La félicita de son embonpoint : tout prospérait à merveille dans le domaine de son frère, même la belle fermière qui devait se garder pourtant de brouter trop de trèfle vert, cela donnait de l'enflure aux bestiaux...

De nul autre que Jean-Baptiste Rose n'aurait supporté cette comparaison choquante : mais leur enfance revenait, et les moqueries un peu crues dont elle faisait alors mine de se fâcher, tandis qu'à la vérité elle se trouvait enchantée de ce langage des jumeaux. Elle ne put contenir de rire, cette fois, à l'idée de ce trèfle vert qui faisait enfler les vaches, tout en donnant une petite tape à Jean-Baptiste et en s'écriant que non, mais, est-ce que ça lui passerait un jour, d'insolenter pareillement ? Puis elle se tourna, en réelle confusion, vers Lambert Boucher.

— Donnez excuse, Monsieur Lambert. Mais il est tant sans-manières*, votre frère, que j'en ai manqué de vous dire le bonjour comme j'aurais dû faire en premier.

— Sans importance, petite Rose. Michel est là ?

— Oui, monsieur. Il est à la grange. Je l'ai huché que vous arriviez.

---

* Impoli, goujat.

— Bien. Avez-vous soupé, déjà ? Non ? Parfait. Je parie que tu nous invites à votre table. Tu vois, Rose, les frères Boucher qui font visite aujourd'hui chez les Moineau sont tous les deux des... sans-manières ! Ne t'inquiète pas : la fortune du pot, comme on dit, nous conviendra parfaitement. Et nous aurons le temps de causer : j'ai même apporté un cruchon de vieux vin à la traîne derrière le canot, afin de le garder frais.

Michel avait pris tout sur lui, assurant qu'il était seul responsable, devant l'attitude consternée de Rose qui disposait sur la table les concombres, la poule bouillie, les œufs durs, la salade de pourpier, les melons, tout en se désolant de mille pardons : elle n'avait pas de chaud cuit à leur offrir, ni soupe ni sauce ni rien. Que du froid, qu'ils fassent excuse...

— C'est à cause de moi. Rose sait que, par ce temps, je n'appétisse que de fraîcheurs, de vinaigrettes et de verdures.

Jean-Baptiste avait opiné que cette chipie était donc devenue une excellente épouse aux petits soins de son homme... « Gare à toi si tu recommences les chicanes de moquerie ! » avait menacé Rose en riant. Jean-Baptiste l'avait rassurée : non, il ne moquait pas, son frère Lambert pouvait en porter témoignage ; au manoir, leur bonne mère tenait pour dogme que seuls le brûlant, le bouillant et le fumant pouvaient s'appeler « repas », et qu'elle les écœurait chaque été, depuis toujours, avec des soupes et ragoûts et rôtis dégoulinant de jus grais-seux. Que loué soit donc Michel de leur permettre enfin un souper froid ! Tout à disposition sur la table, et dans l'ordre — ou le désordre — qu'on voulait...

Tout en parlant, Jean-Baptiste écalait deux œufs de cane en les frappant l'un contre l'autre.

Le major de Grandpré, qui avait approuvé son jeune frère de hochements appuyés, déclara que, quant à lui, il entamerait par du melon : rien de tel que le melon pour se faire la bouche et apprécier le vin vieux de Bordeaux.

Il en avait saisi un quartier à deux mains et y mordait à larges dents, crachant les pépins sur le plancher. Michel voyait sa ménagère qui détournait les yeux, feignant d'être uniquement absorbée à tourner la salade... Et, quoique à demi bâillonné par son morceau de melon, Lambert Boucher déclara :

— J'ai eu la bonne surprise de...

Jean-Baptiste l'interrompit, mi-sérieux mi-narquois, en déclarant que Monsieur le Major — sauf respect — mangeait comme un cochon ! Qu'il devait attendre de donner l'assaut à la poule ou aux œufs durs pour parler la bouche pleine ! Ces deux ennemis au moins ne lui dégoulineraient point sur le menton en passant de vie à trépas !

Lambert Boucher avait convenu que son petit morveux de frère se montrait là de bon conseil. Il s'était torché la figure avec un morceau de pain, puis s'était tourné vers Rose en découpant son melon qu'il piqua ensuite proprement à la pointe du couteau pour le porter à sa bouche.

— Tous mes pardons, dame Moineau. Je reconnais avoir parfois... avoir souvent des manières de soldat en campagne. Alors tu peux imaginer mon embarras lorsqu'il me fallut, chez Monsieur le Gouverneur, manger la desserte de fruits, melons et poires, à l'aide d'une petite fourche. Un peu de vin, ma chère ?

— C'est que... jamais je n'en ai bu, monsieur !

— Juste une goutte. Cela donne, dit-on, de beaux garçons. Michel ? Oui, un Français de France ne dit jamais non au bon vin, n'est-ce pas ? Jean-Baptiste, cela t'est permis aussi, loin de l'œil paternel. Hou-ou ! Un nectar... Santé et prospérité aux Moineau présents et à venir... Je disais donc, lorsque Jean-Baptiste m'a traité de porc, que j'avais eu l'heureuse surprise — délicieuse, cette poule, avec son farci vert ! — de revoir notre cher Louis-Marie et Josephte à Trois-Rivières, cela fait un mois. Ils profitaient de l'affluence des Sauvages à la foire aux fourrures pour me rencontrer sans risques. Un peu de vin encore, Rose ? Tu vois que tu l'apprécies... Ce bon Louis-Marie ! Il dit s'appeler Sondaka, à présent. Brave garçon, mais encore croyant aux rêves de présages : il m'assura, à moi, un militaire, tenir d'un coureur anglais que la guerre était franche déclarée en Europe, depuis le mois de mai, entre la France et l'Angleterre*, et que l'Anglais chauffait à blanc ses alliés iroquois contre nous pour une attaque massive et meurtrière. À moi, un militaire ! Le Roi nous en eût avertis, et non le mauvais rêve d'un Huron ! Cher Louis-Marie...

La tête un peu molle, un peu tournante, floue et lourde à la fois... Cela n'était pas désagréable, au contraire, pensait Rose en écoutant le major de Grandpré. Elle se sentait bizarrement détachée et attentive à la fois, il parlait de ce « cher Louis-Marie » et elle cherchait sans les trouver des motifs d'en être fâchée. Elle se rappelait en avoir eu autrefois, mais lesquels ? Elle les avait perdus,

---

* Ce sera la guerre de la Ligue d'Augsbourg, qui durera huit ans. Les Anglais d'Amérique du Nord en furent informés plus tôt que les Français à cause de « leur messagerie et courrier mieux organisés ».

oubliés dans la douce brume montée en elle avec la chaleur suave du vin. Josephte... Elle se souvenait juste combien elle avait aimé Josephte...

Louis-Marie et Josephte vivaient dans la forêt du lac Saint-François. « Tu te rappelles, Michel, les dernières lignes du livre de mon père ? » Et la voix de Michel, lente, récitante : « Au lac Saint-François, qui est à environ quatorze ou quinze lieues de Montréal, il se trouve une des plus belles chênaies qui soient au monde, tant pour la beauté des arbres que pour leur grandeur. Elle a plus de vingt lieues de large, et l'on ne sait pas encore combien elle en a de long... »

On l'ignorerait encore longtemps, assurait Monsieur Lambert. Même Louis-Marie ne pouvait l'évaluer. Il savait seulement sa sauvagerie de solitude, sa richesse de gibiers à viande ou à fourrure, ses rivières poissonneuses. Il connaissait aussi ses dangers, ses fondrières mouvantes, ses bêtes carnassières, ses maringouins voraces. Seuls se risquaient en cet endroit les têtes brûlées, les plus audacieux parmi les coureurs des bois, assurés de n'y point rencontrer les « permis de traite » qui auraient pu les dépouiller ou les dénoncer. Louis-Marie troquait avec eux. Il avait ainsi été en mesure, durant l'hiver — moins âpre qu'aux rives du Fleuve —, de monter un campement de rondins dont Josephte avait fait mille louanges devant le major de Grandpré. Il ne lui manquait rien pour la commodité ; elle avait trouvé à son arrivée une chaudière en cuivre (contre cinq peaux d'orignal, c'était exagéré de prix, c'était elle à présent qui discutait du troc...), vingt livres de sel (six renards des neiges, prix convenable...), cinquante livres de semence de maïs (vingt-cinq peaux de castor...), et surtout, surtout, en offrande de noces, un nécessaire à broderie : aiguilles, ciseaux, velours, fils et perles (mais elle en ignorait la coûtance, naturellement, puisque c'était l'offrande de mariage).

— Parce... parce qu'ils... sont... sont mariés ?

Était-ce sa propre voix, bégayante, incertaine, que Rose venait d'entendre ? Sans doute, puisque Lambert Boucher lui répondait, souriant :

— En quelque sorte, oui, ma chère Rose : mariés à la façon huronne, la façon de leurs anciens dieux. Il lui a demandé : « Me choisis-tu, Orritey ? » Elle a répondu : « Je te choisis, Sondaka. »

Rose retrouva brusquement l'esprit clair, le ton assuré :

— Orritey ? Que chantez-vous là ? Elle s'appelle Josephte !

— Eh bien, à présent elle se nomme Orritey : Tourterelle. Et je te jure qu'ils sont vrai couple et vrais époux, l'aigle et la tourterelle !

— Un vrai couple ? Vous osez dire ça ? Est-ce qu'on est marié, sans curé ni messe ? Vous offensez le Bon-Dieu de péché mortel en jurant qu'ils sont vrais époux, et eux ils l'offensent pareillement ! Vous êtes... un... un mécréant, voilà ! Et Louis-Marie, et... et...

Elle suffoquait de colère, elle se dégagea du bras de Michel autour de ses épaules, se leva et courut vers la porte. Jean-Baptiste s'y tenait ; elle tenta en vain de le repousser tandis que Michel répétait : « Calme-toi, calme-toi, ma Rose... », et ajoutait d'une voix désolée :

— Donnez-lui excuse, Monsieur Lambert. C'est le vin qui l'aura mise dans les nerfs. Elle n'en avait jamais bu goutte.

— À mon tour de parler — tu permets, Michel ?

Jean-Baptiste était serein, presque souriant, et il s'adressa à Rose d'une voix douce après que Michel lui eut fait signe « oui-oui » de la tête.

— Aurais-tu préféré, belle donneuse de sermons sur les péchés mortels, que la petite Orritey demeurât Josephte, la catin de mon très catholique frère Pierre ? Va, les dieux des Hurons valent bien le nôtre, Lui qui a permis... que ce fusil, à moi prêté par Rochemont, se retrouve au-dessus de votre cheminée en place de celui de Michel : le soleil couchant a éclairé cette éraflure en demi-lune que Rochemont avait faite à la crosse. Oui, là, tu vois. Oh, je savais déjà la vérité par d'autres preuves plus criantes, mais j'ignorais que tu fusses si exigeante en religion, jusqu'à traiter Lambert et Louis-Marie de mécréants, puisque tu as juré devant Dieu que je n'avais pas... n'avais pas... Tu es menteuse et parjure et méchante créature ; Lambert et Louis-Marie valent cent fois mieux que toi !

Rose pleurait, la tête dans les bras, appuyée à la cheminée. Elle entendit Lambert Boucher, sa gaieté de bon vivant, son rire :

— Nous voilà bien, mon pauvre ami ! Mon frère et ton épouse sont ivres tous les deux. Un si bon vin, quelle gaspille de leur en avoir versé ! Et lui, il n'a pas comme Rose l'excuse d'être en...

Puis le silence, brusquement. Et la voix méconnaissable, tragique, douloureuse :

— Le fusil de Rochemont ? Michel... Dis-moi que ce n'est pas vrai !

Rose était sortie après s'être bouchonné le visage pour y essuyer les larmes : il ne fallait pas abandonner Jean-Baptiste tout seul, avait-elle assuré, et puis elle préférait laisser Michel à s'expliquer avec Monsieur Lambert, elle n'aurait su rien faire d'autre que verser et verser encore tous les pleurs qui lui remplissaient la tête...

Quoique bouleversé lui-même, Michel put raconter à Lambert Boucher l'entière vérité sur l'accident de chasse au cours duquel Jacques avait été tué, et la part que Rose et lui avaient prise — Rose surtout, appuya-t-il — à la demande du seigneur, afin de persuader Jean-Baptiste qu'il n'avait pas pu tirer sur son frère.

— Et nous l'avons fait sans remords, monsieur, sans crainte ni scrupule quant au faux serment d'en jurer devant Dieu. Cela nous paraissait — et me paraît toujours — trop injuste et trop révoltant de Sa part de permettre que le frère tuât un frère tant aimé par enfantine imprudence de l'un et l'autre...

Lambert Boucher l'insouciant, l'étourdi, ainsi que le prétendait son père, serrait les mâchoires jusqu'à grincer des dents. Lorsque enfin il parla, Michel ne put discerner la part de la douleur et celle de la colère dans sa voix... Cela lui crevait les yeux, à présent : il aurait dû comprendre plus tôt ! Il était absent au moment du drame, et seulement à fin octobre il s'était rendu chez le notaire Bénigne Basset pour y lire les dépositions de Le Verrier, de Rochemont et de Jean-Baptiste. Il s'était certes étonné, mais petitement, de la tranquillité de Jean-Baptiste qui prétendait avoir dit à Le Verrier : « Je viens d'entendre une voix qui a dit : "Ah, mon Dieu, je suis mort !", et je crois que c'est mon frère... » Il avait mis cela sur le compte de l'horreur et du saisissement du pauvre enfant...

Lambert Boucher se cognait le front des deux poings, sa voix s'enflait de sanglots contenus.

— Et pareillement j'ai laissé passer, moi qui suis militaire, que l'on pût prononcer « Ah, mon Dieu, je suis mort ! » avec la tête en bouillie et le cœur transpercé ! De la même façon, comment n'ai-je eu aucun doute en lisant qu'une seule balle, soi-disant tirée par Le Verrier, avait touché à la fois au cœur, à la tête et à l'épaule ?

— Cela aurait-il changé quelque chose, monsieur, que vous compreniez ?

— Oui, cela aurait changé. Parce que moi, je n'ai pas la tête dans le ciel, comme mon père ! Il a offert une concession à Martineau, n'est-ce pas, qui devait avoir vu le drame !

— C'était sa femme qui avait vu...

— Et à toi, le statut de colon, sur ma terre ?

— Il n'en était pas besoin, je vous prie de le croire.

— Ne te fâche pas, j'en suis plus que certain. Mais à Maître Bénigne Basset, notaire, homme important dans la colonie, mon saint homme de père faisait toute confiance quant à la discrétion, au sérieux de sa charge ! Mon saint homme de père avait dû depuis longtemps fermer ses vertueuses oreilles à la réputation de Basset, toujours bien fidèle à messe, communion et offrandes — mais si fort altéré d'esprit par le tabac et la crapule qu'il n'a plus ni raisonnement ni mémoire*, et qu'on parle de le destituer ! Ce qui aurait changé, demandes-tu, si j'avais saisi l'invraisemblance de ce fatras, sa réelle et terrible signification ? Je n'aurais, moi, offert ni concession ni fermage ni promesse d'avancement... Sachant à qui j'avais à faire, je serais passé de menaces à violences, au besoin, pour mettre en lieu sûr cette bombe ! Parce qu'enfin, où crois-tu

---

* Termes d'une lettre de M. de Tronson de 1685 (cf. Louise Dechêne, *Habitants et marchands de Montréal au XVIIe siècle*, Éditions Boréal). Basset fut destitué dans les années 1690. Quoique mentionnées dans le répertoire de ses actes, les pièces du dossier concernant la mort de Jacques Boucher ne furent retrouvées qu'au XXe siècle.

que Jean-Baptiste les ait trouvées, ces... preuves plus criantes dont il nous a parlé ? Chez Basset qui les lui aura fournies sans difficulté aucune, sauf de les retrouver dans son foutoir !

— Vous n'y songez pas, monsieur ! Jean-Baptiste est fils mineur encore, et, hors présence de son père, un notaire n'a pas pu commettre une telle faute !

— Un notaire, non ! Mais un ivrogne et un fou, oui ! Tu sembles ne pas me croire ? Je vais appeler Jean-Baptiste, et le lui faire confirmer.

Michel eut beau protester que cela était aussi inutile que cruel, à quoi bon remuer le couteau dans la plaie, Lambert Boucher assura que mieux valait crever les abcès, son métier de soldat le lui avait appris. Que, de surcroît, Jean-Baptiste s'étant montré fort grossier avec Rose, le chagrin et le vin ne suffisaient pas d'excuses, il allait devoir en présenter de plus formelles.

Sitôt que Lambert Boucher eut appelé, Jean-Baptiste et Rose apparurent ensemble à la porte, visiblement réconciliés et calmés l'un et l'autre. Et même souriants, ce qui sembla interloquer Lambert Boucher à tel point que Jean-Baptiste fut premier à parler :

— L'entier de ce que tu as dit est vrai, Lambert. J'ai tous les défauts : je soudoie les notaires, j'insulte une dame — enfin... une petite peste ! —, et, de plus, j'écoute aux portes. N'accable pas ce pauvre fou de Basset : ses paperasses ne m'ont rien appris, même si je ne peux contenir de retourner souvent les lire. Je savais, sans pouvoir expliquer ni pourquoi ni comment, mais je savais. Parce que nous étions... nous sommes toujours une seule et même personne : Jacques/Jean-Baptiste. Celui qui a crié « Ah, mon Dieu, je suis mort ! », c'est la moitié Jean-Baptiste. Celui qui dit en moi à présent « Je suis vivant ! », c'est la moitié Jacques. Nous sommes toujours ensemble, tu vois,

Lambert, comme on dit : à la vie à la mort. Sais-tu lequel des deux te parle ?

— Mon pauvre, pauvre petit...

Son frère de Grandpré qui pleurait ? Et Michel qui allongeait une mine de funérailles ? Jean-Baptiste assura ne pas en revenir : il n'y avait donc qu'une femme en attente d'enfant pour admettre ce que Rose avait tout de suite compris ? Eux, n'est-ce pas, ils étaient hommes sérieux, farcis de raison et de raisonnements, ils ne voyaient devant eux qu'un malheureux dément affolé de douleur. Seule, Rose savait la douceur de se sentir à la fois unique et double. Et, pour lui, ce serait à jamais...

— ... mais il suffit de sentiments que vous ne sauriez comprendre, même si nous y passions l'entière nuit. Une question, Lambert. Nette. Précise. Tu y seras mieux à ton affaire. Je t'ai entendu ironiser sur notre « saint homme de père ». Alors, à ton avis : est-ce l'amour paternel qui l'a guidé dans cette... hum... tromperie, comme l'amitié y a entraîné Rose et Michel ? Ou bien le souci de préserver la réputation de notre honorable et sage famille, que l'imprudence, voire la sottise de ses jumeaux aurait entachée ? SES jumeaux ! SES ! Rappelle-toi comme il appuyait fièrement sur le possessif ! Répondez, Monsieur le major de Grandpré, vous qui devez à votre grade de ne plus être « cet étourdi de Lambert » aux yeux de votre... saint homme de père !

Lambert Boucher se mordait nerveusement les lèvres, émotion ou colère, Michel ne pouvait au juste le discerner. Puis il prit Jean-Baptiste dans ses bras, le serra contre lui.

— C'est par amour, petit frère. Par amour, sois-en certain.

— Merci, Lambert. Juste la réponse que j'attendais pour m'assurer que tu étais le meilleur des frères, ce dont je me doutais déjà. Est-ce par amour aussi, la défense et la protection qu'il donne à notre grand-mère Crevier ? Non, ne dis rien. Quoi que tu puisses affirmer, nier ou démontrer, je resterai toujours dans l'incertitude. Peut-être que la vérité est double, elle aussi, et que l'amour et l'orgueil y sont jumeaux...

Jean-Baptiste changea de ton. Redevint le garçon taquineur et enjoué dans lequel se devinait encore l'enfance à fleur de peau.

— Rebouche ton cruchon de vin, mon frère. Il me semble que Michel et toi vous ayez la boisson triste. Et les cadeaux que nos amis t'ont confiés pour les remettre à Michel et à Rose, cher étourdi de Lambert, comptes-tu les rapporter au manoir pour les offrir à notre frère Pierre, avec les compliments de l'Aigle et de la Tourterelle ? Je vais les chercher, ils sont restés dans le canot, car, bien sûr, tu n'as pensé qu'à ton bien-aimé vin de Bordeaux !

Pour Michel, des raquettes confectionnées par Louis-Marie... « Admire leur forme en ovale pointu, elles t'éviteront peut-être de trébucher ; notre ami a remarqué ta patauderie sur des raquettes arrondies ! » Pour Michel encore, des peaux de renard, « moins lourdes, quoique aussi chaudes, que la peau d'ours, mais surtout moins âcres de senteur ; notre ami te sait délicat d'odorat sur la fourrure ! »

Pour Rose, une merveille, de la part de Josephte et d'Orritey... « De la part des deux, elle a bien précisé. Ferme tes yeux et tends ton poing, jolie dame ! » Sur le poing fermé de Rose, un béguin en peau de daim aussi souple que la plus fine des soies, brodé de perles de verre rouges et bleues, les contours des motifs de fleurs et de feuillage étant soulignés de fins coquillages nacrés et de plumettes blanches. L'intérieur en était doux à la main de Rose, entièrement doublé de velours violet ; aucun fil ni crin n'y dépassait qui eût pu blesser la tête fragile d'un nourrisson. Jean-Baptiste déclara que lui, qui n'était point expert en coquetteries, il n'avait jamais rien vu plus beau...

— Cela fera un exceptionnel bonnet de baptême pour mon filleul... ou ma filleule : les filles sont toujours bienvenues en Nouvelle-France. Ma petite sœur Geneviève et moi-même serions très honorés, Rose, que tu nous acceptasses comme marraine et parrain.

Rose s'écria de joie : l'honneur était pour elle et son enfant, surtout. Elle fit aussi grands éloges du bonnet, un travail de fée... de fée !... Cependant, elle savait que son enfant ne le porterait pas sur les fonts baptismaux. Malgré la croix de perles blanches qu'elle distinguait à présent dans les entrelacs de fleurs, malgré ce rappel pieux de « Josephte », le bonnet était bonnet sauvage, « Orritey » en avait trouvé les éléments dans l'offrande de mariage de Sondaka.

Lambert Boucher réclama à son tour de regarder le bonnet aux détails, lui s'y connaissait, assura-t-il, en finesses de parure : l'épouse du gouverneur Provost était brodée-fanfreluchée quasiment de la tête aux pieds, depuis sa dentelle de perruque jusqu'à la pointe de sa pantoufle en passant par la dorure rembourrée sur ses maigres agréments...

Il plaisantait tout en observant le bonnet, puis soupira en le redonnant à Rose :

— Que de délicatesse, à la fois d'art et de cœur, dans un tel cadeau... À moi, elle a offert une ceinture perlée, je la porterai aux grandes occasions. J'ai reçu des fourrures aussi, de ce putois non puant que l'on appelle ici vison, si difficile à piéger. Dieu de Dieu, comment en sommes-nous arrivés là ? Nous sommes pourtant braves gens, à être venus de France, nous y avons connu l'injustice et l'inégalité, ou bien nous les avons apprises par nos pères ! Et, à présent, quelle est leur place, aux Aigles et aux Tourterelles que nous disons « Sauvages » ? Et plus encore dans l'avenir, quelle sera leur destinée ?

Michel approuvait en silence, et Rose s'obligea à la même attitude. Après de chaleureux au-revoir, Michel raccompagna Monsieur Lambert et Jean-Baptiste à leur canot.

Un si beau clair de lune... Pour la première fois, Rose partageait sans feinte les émerveillements de Michel. Oui, le Fleuve ondulait de frisettes d'argent... Oui, le Fleuve prenait dans son flot les mille étoiles du ciel et les faisait cligner, plus brillantes encore que là-haut... Oui, c'était superbe... superbe...

Après le départ des frères Boucher, Rose avait soupiré qu'il faisait encore trop chaud pour se renfermer dans le lit... Puis elle avait été tant secouée par cette soirée, elle ne se sentait rien sommeil... Puis les paroles de Jean-Baptiste l'avaient soulagée, d'une certaine façon, mais oppressée aussi. Elle voulait de l'air, la brise de nuit s'était levée, elle avait eu envie d'aller s'asseoir un moment sur la berge.

— On peut même avoir encore plus frais, ma Rose du Fleuve, si tu veux. Allez vite, en queue de chemise ! On va gagner cette grosse roche qui dépasse, tu sais, face aux trois saules. On n'aura guère à patauger pour y atteindre, la Grande Rivière est à maigre d'eau, en cet endroit.

Combien Rose appréciait, en un tel moment, cette totale solitude qui permettait, sans que nul ne pût les voir et y trouver scandale, de trousser haut la chemise et de laisser pendre leurs jambes nues dans la bienfaisante caresse du courant ! Sur l'autre rive, à Boucherville, aucune lumière ne brillait, tous les habitants étaient couchés dans l'étouffement de leur paillasse. Là-bas, dans la bourgade du vertueux grand-père Boucher, personne n'aurait osé se mettre dans une telle mal-tenue, si délicieuse pourtant.

Dans un pareil bien-être, elle se trouvait tout alanguie, et en même temps bouillonnante de paroles ; quelque chose en elle suppliait : « Tais-toi, tais-toi ! », en vaine prière, puisqu'elle s'entendait parler, dire le caché profond, l'inavouable ; elle était incapable de résister à ce flot. L'eau pouvait-elle s'opposer au vertige des chutes dans les rapides du Fleuve ? Le silence de Michel la laissait à cet écroulement, à ce torrent de mots et à leur écume de chagrins, d'effrois et de rancunes.

— La berce ! Tout de suite, je veux la voir ! Toujours je regretterai Roqueau ; toi, tu dis ça n'était qu'un chien, et moi je mensonge que oui, tu as raison, mais ça n'est pas vrai, je l'aimais, je l'aimais ! Puis, j'ai peur, toute seule dans cette maudite île, quand tu vas à ton maudit bois ! Puis je le déteste, votre bon Louis-Marie, ça n'est qu'un Sauvage et il a traîné Josephte dans sa sauvagerie ! Puis ma mère, je lui en veux à jamais pour la honte de son remariage, elle est comme morte pour moi ! Puis la berce, je veux la voir avant qu'elle soit finie ! Je vais la voir !...

Elle sauta dans l'eau, tomba, échappa à la main de Michel qui tentait de la retenir, et courut vers la berge. Ses cheveux, et les herbes d'eau qui s'y étaient accrochées, dégoulinaient de fraîcheur sur la brûlure de son visage...

Michel savait qu'il devait attendre, la laisser se calmer. Elle s'était assise sur le banc de bois, devant la maison, et pleurait, face enfouie dans les mains. Elle n'avait eu aucune réaction lorsque Michel lui avait essuyé la tête et l'avait enveloppée dans une cape. Lui, il était trop consterné par son aveuglement pour éprouver la moindre rancœur contre Rose. Si jeune, sa petite épouse, comment avait-il pu rester dans l'incompréhension de ses angoisses ? Il en venait presque au soulagement que le vin eût enfin arraché à Rose ces cris de fond du cœur.

Elle écarta les mains de son visage : un visage paisible où les larmes coulaient sans que la moindre crispation agitât ses traits. Et sa voix était pareillement tranquille :

— Seigneur ! Qu'est-ce que je viens de faire ? Qu'est-ce que je viens de dire ? Je prenais tant attention de me montrer raisonnable, à la hauteur de toi. Et maintenant ça ne peut pas se rattraper, tu sais comment je suis et tu ne m'aimeras plus.

Michel s'assit près d'elle, l'entoura de son bras aux épaules.

— Oh si, ma Rose, je t'aime ! Et crois que je me reproche d'avoir été tant aveugle, et égoïste aussi. Pour ce qui dépend de moi, je te promets de ne plus te laisser seule et épeurée, et je t'assure que dès le printemps prochain, nous nous installerons à Pointe-aux-Trembles. Puis tu auras un chien, un tout jeune, rien qu'à toi...

Rose répondit : non, plus de chien... Sa voix était douce, lointaine, emplie du souvenir de Roqueau. Michel n'insista pas. Pour Pointe-aux-Trembles, oh oui, dès le printemps, une vie de voisinage... Plus jamais toute seule, oh non !

— Et nous allons voir la berce. C'est par orgueil que je voulais la terminer avant de te la montrer. C'est du menuisage fin, et, pour l'instant, elle balance encore... un peu carré, j'en suis en vexation !

Quoi, la berce ? Elle avait demandé de voir la berce ? Elle ne doutait pas sur la parole de Michel, mais cette sottise-là, elle ne s'en souvenait plus. Elle attendrait que l'ouvrage soit beau-fini et berçant-rond pour l'admirer ! Elle voulait rester dehors un moment, elle se sentait la tête un peu cognante encore, comme un marteau derrière le front, c'était bizarre...

Ils demeurèrent silencieux. Michel pensa que Rose allait s'endormir ainsi, la tête calée contre son épaule. Il la porterait jusqu'au lit lorsqu'elle serait dans le profond sommeil. Il raffermit son appui afin qu'elle fût mieux installée.

Elle se redressa brusquement. Resta immobile, comme à l'écoute, en alerte...

— Michel ! Ça sent le feu. Pas un feu de broussailles. Des maisons. Des maisons qui brûlent.

Cela venait du côté de la grande île de Montréal ; le vent avait forci. On aurait dû entendre le tocsin d'incendie, mais le silence rendait plus terrible encore l'âcre senteur à laquelle se mêlait à présent celle de chairs brûlées.

Cette impression de calme mortel, d'anéantissement muet dura peu, bientôt fracassée de tintements de cloches, de sonneries militaires, toute une volée funèbre derrière laquelle on entendait cependant rouler, monter, disparaître et renaître une houle de hurlements de douleur et de férocité mêlés... Rose dit à voix basse, comme si l'horreur avait pu croître encore à travers ses propres cris :

— Les Iroquois ! Louis-Marie disait vrai. Seigneur, maman, et toute la famille... Viens vite, qu'on puisse voir où c'est, depuis l'autre bord...

Michel eut peine à retenir Rose qui voulait courir pour traverser l'île. « L'enfant... Pense à l'enfant !... » Rose ralentit son allure, et lui, il entendait la voix de Louis-Marie : « Les Anglais les jettent en massacre : *Kill ! Kill !* Et ils tuent, même l'enfant au ventre de sa mère... » Si l'atrocité s'était abattue sur Rivière-des-Prairies, Rose se souviendrait-elle d'avoir dit en affreux présage : « Ma mère, elle est comme morte pour moi... » ?

C'était Lachine, en amont de Ville-Marie, qui brûlait et hurlait. Vers Lachine que convergeaient de dérisoires colonnes éclairées de flambeaux. Michel en ressentit un abominable soulagement. Rose pleurait : dès demain l'aube, elle voulait voir maman.

« Nous irons, je te promets, ma douce. »

Michel exigea de porter Rose au retour ; elle ne résista guère et s'endormit sur ses bras. Le vent portait à présent des cendres grasses et collantes, les cendres de la mort à Lachine*. Michel réentendait la voix de Louis-Marie : « Pour que le colon et le marchand anglais remplacent un jour le colon et le marchand français dans ce grand pays où tous nous aurions pu vivre... »

Quel cortège de douleurs, d'irréparables haines allait suivre ce massacre annoncé par Louis-Marie et dans

---

* Au massacre de Lachine (de 30 à 200 morts, selon les sources) répondirent d'autres massacres contre des colons anglais, en particulier à Casco, Corlaer, Salmon Falls. Pierre Boucher adopta une fillette anglaise, Elisabeth Wintworth, dont les parents avaient été victimes de l'un de ces massacres en 1693.

lequel le major de Grandpré n'avait cru voir que les errances de songes d'un bon Sauvage ?

Michel avait cru échapper à l'intolérance, à l'injustice, à la tyrannie. Et voilà que le malheur le rattrapait dans la terre promise de leur jeunesse, à Maurillon et à lui. Les rois de France et d'Angleterre en faisaient un lointain champ de bataille, indifférents aux épreuves des « braves gens » évoqués par Lambert Boucher, ces pionniers courageux qui devenaient les marionnettes sanglantes de leurs rivalités et de leurs ambitions.

Il serra plus fort Rose contre lui : « Ma femme. Mon enfant... Vous faudra-t-il connaître les horreurs que j'ai dû fuir au vieux pays ? »

Chapitre 11

Ma Rose du Fleuve...

La seigneuresse s'était portée elle-même dans l'île, canotée par son fils Ignace. Ils avaient dû appeler pour que Michel vînt ouvrir la clôture de chevaux-de-frise qui cernait à présent la maison et la grange, barricade de piquets entrecroisés, affûtés comme des lances, que doublait un fossé hérissé de pieux aigus.

Depuis la nuit de Lachine, et quoiqu'on n'eût pas eu d'autre attaque à déplorer, le seigneur avait exigé ces précautions défensives. Des guetteurs se tenaient jour et nuit sur les fortins de Boucherville, et leurs trompes auraient alerté Michel en cas de danger, lui laissant le temps de se retirer dans la maison — où trois fusils étaient toujours chargés — et d'y attendre le secours de soldats postés à Boucherville.

La seigneuresse fit grands éloges de la prudence et prévoyance de son époux — quoique, à son avis, une île quasi déserte ne pût être un objectif suffisamment conséquent pour une attaque iroquoise. Mais ces considérations n'étaient point le motif de sa visite... On dépassait la mi-novembre, et elle jugeait qu'il était temps pour Rose de se rendre sur-le-champ au manoir afin d'y attendre ses couches. La seigneuresse rappela qu'elle avait aidé à leur venue au monde tous les nouveau-nés de la seigneurie depuis la fondation de Boucherville. Elle n'y avait manqué qu'une fois, une seule, elle-même en travail, assistée de sa chère mère. La pauvre Séguine était morte d'hémorragie, et l'enfant avait été étranglé par le cordon. À plus forte raison la dame Boucher se sentait-elle en responsabilité de cette première naissance chez les fermiers de son fils de Grandpré, d'autant plus que l'enfant serait porté sur les fonts baptismaux par son fils de Niverville et par sa fille Geneviève. Elle venait donc chercher Rose pour la tenir près d'elle au manoir...

Rose tenta de discuter : sa mère, à leur dernière visite à Rivière-des-Prairies, qui datait de huit jours seulement, lui avait assuré que l'enfant ne viendrait pas avant la première semaine de décembre, largement, car il se tenait haut encore, sous les estomacs...

— ... puis maman m'a dit aussi que ça prévient à l'avance, et comme le Fleuve cette année est encore doux, Michel me conduira au manoir dès que...

La seigneuresse la coupa d'un « Ma pauvre petite ! » plus excédé que compatissant. Prétendait-elle, cette jeune écervelée, connaître à l'avance les caprices du Fleuve ? Le ton montait chez la dame Boucher.

— D'ailleurs, mariée du premier de septembre, il aurait été convenable que ton enfant naquît au début de juin plutôt qu'en grosse saison, quinze mois après les noces ! Les jeunesses d'à présent ne valent pas celles de mon temps, et je crains que ton rejeton fasse autant de difficultés pour venir au monde que tu en fis pour le concevoir. Prépare ton baluchon et suis-moi sans plus de discute.

Rose eut beau chercher du regard un secours auprès de Michel, il détournait la tête. Il paraissait terrorisé, et Rose le connaissait assez pour savoir que ni l'attitude ni le ton impérieux de la seigneuresse n'en étaient cause : il devait imaginer sa Rose dans les premières douleurs, prisonnière du Fleuve en embâcle, il voyait une jeune femme, la sienne et non « la pauvre Séguine », mourir à bout de sang auprès d'un enfant étranglé-violacé par le cordon. Il essuya la coulée de sueur à son front, sa main tremblait.

— Tu dois écouter la bonne seigneuresse, Rose, et partir tout de suite.

La dame Boucher se radoucit... Enfin une voix de sagesse et de raison ! Elle regrettait toutefois, et s'en excusa fort, que l'entêtement de cette petite l'eût amenée à évoquer devant son fils de Grosbois et devant le futur père des... des choses qu'il était indécent d'aborder auprès d'oreilles masculines.

Elle écourta aussi les au-revoir et les baisers : allons, voyons, étaient-ce des manières ?

Rose était « en visite » au manoir. Les enfants questionneurs avaient d'abord reçu des réponses évasives, elle s'ennuyait un peu dans l'île... elle voulait apprendre la broderie au passé plat... Puis on les avait fait taire d'arguments plus péremptoires, les « demoiselles et messieurs Pourquoi ? » recevraient la fessée s'ils continuaient d'importuner pareillement. Les adultes, quant à eux, feignaient d'ignorer le « pourquoi » de la présence de Rose : elle rendait une visite.

Elle sentit la première douleur à la tablée des desserts, le dernier soir de novembre. Elle mangea quelques bouchées, changea discrètement de position sur le banc. Les douleurs se rapprochaient, supportables quoique vives ; quelque chose forçait dans ses reins, ce ne pouvait être l'enfant : les enfants sortaient par où ils étaient rentrés ! Elle se sentait inquiète, mais il était impensable d'annoncer devant les hommes, les enfants, les jeunes filles qu'une douleur bizarre lui tenaillait les reins ! Elle attendit que les messieurs se fussent réunis à bavarder devant la cheminée, que les jeunes mères et tantes, aidées des servantes, eussent emmené les enfants se coucher — après la prière commune qui lui parut dix fois plus longue que les autres soirs.

La seigneuresse était seule, enfin, assise à sa table à ouvrage. Rose s'approcha d'elle et lui dit à voix basse :

— Je ne me sens pas trop d'aplomb. J'ai mal aux reins. Et... Oh ! Quelle honte ! Je... je fais pipi dans mes jupes sans pouvoir me retenir.

La seigneuresse prit le temps de plier son cousage et se leva.

— Je m'en doutais, à ta mine, depuis un moment. J'ai fait allumer bon feu dans la chambre des naissances, tout y est prêt. Dans les reins ? Oui ? Dieu l'a dit : « Tu enfanteras dans la douleur. » Mais par les reins, c'est le pire, ma pauvre enfant !

— Une fille, fort potelée ! Eh bien, ma chère Rose, je ne croyais pas qu'un petit bout de femme comme toi s'en tirerait si promptement et en faisant si peu d'embarras, surtout pour un premier !

La seigneuresse, aidée de Madame Pierre, avait frotté l'enfant d'huile douce, l'avait emmaillottée et la présentait à Rose. Elle avait eu mal, et poussé des cris sur la fin, mais point tant qu'elle l'imaginait d'après des conversations autrefois surprises. Elle aurait d'ailleurs accepté de souffrir cent fois plus pour ce bonheur qui venait de jaillir d'elle. Une fille ! L'enfant de Michel et de Rose.

— Mon mari... Michel... Je veux le voir !

— Allons, pas de caprice. Nous l'enverrons chercher par mon fils de Grosbois dès que le jour sera levé. Il faut encore nous occuper de toi.

C'était doux, apaisant. Rose était lavée, couchée dans des draps frais, la pouponne endormie auprès d'elle. La seigneuresse lui faisait boire le bouillon de poule des jeunes mères, à petites cuillerées. Madame Pierre ramassait dans un sac les linges souillés. Rose se sentait bien, en sécurité avec son enfant, auprès de ces deux femmes d'expérience. La voix aimable de la seigneuresse :

— Comment l'appellerons-nous ? Il faut au plus vite la baptiser.

La voix douce de Madame Pierre :

— Oui, qu'elle soit âme au Paradis, en cas de malheur. Dès ce matin, la baptiser.

Rose vit soudain en la seigneuresse et sa bru deux sorcières maléfiques. Elle faillit hurler. Le sommeil tranquille de l'enfant, seul, l'en empêcha. Elle ferma les yeux et s'obligea à parler calmement :

— Comme maman. Nous avons décidé de l'appeler Anne. Marie-Anne.

Michel arriva dans la grisaille de l'aube. À peine eut-il embrassé Rose et assuré que oui, leur fille était belle, et que oui, il était le plus heureux des hommes, la seigneuresse l'écarta du lit : il était temps de présenter l'enfant au parrain et à la marraine qui allaient, eux, la présenter à Dieu.

Jean-Baptiste sourit. « Elle sera plus belle que toi, Rose. » Geneviève voulut embrasser sa filleule, sa mère la retint : ce petit être n'était pas encore sa filleule et il fallait attendre que l'eau du baptême eût effacé en elle le péché originel pour lui faire un baiser.

Geneviève soupira fort mais obéit à l'ordre maternel, puis s'adressa à Rose :

— Ma pauvre, les Sauvages t'ont battue fort, tu es toute blanche. Moi, jamais je n'achèterai d'enfant. Je parie que c'est Louis-Marie qui te l'a volée : tu sais comme il a été mauvais, il a emmené Josephte ; c'est Louis-Marie, hein, qui t'a battue ?

Madame Pierre gronda doucement sa jeune belle-sœur :

— Sans doute, sans doute... Mais tu fatigues Rose, ma chère mignonne, en lui rappelant cela. Et puis, tu sais que l'on ne doit plus parler de ce méchant Louis-Marie. Ni de Josephte, elle a été méchante aussi, de partir sans notre permission.

— Cela suffit de bavardages ! (la voix de la seigneuresse était coupante...) Rose ? Quel bonnet, pour le baptême ?

— Celui aux perles, madame.

— Mais... c'est un bonnet... comment dire... ?

— Un bonnet sauvage ! termina Madame Pierre sur un ton d'horreur incrédule.

— Oui, madame. Avec une croix, vous voyez ? Puis, je veux aussi, pour la porter à la chapelle, qu'elle soit encapuchée dans le collet de son père : du renard. C'est un cadeau pour un service qu'on a rendu. Mais vous ne les connaissez pas, ils s'appellent Orritey et Sondaka, ils étaient juste de passage. Ils sont mariés et fidèles époux devant Dieu.

Rose rencontra le regard de Michel, plus vif d'amour que le plus profond des baisers, et elle se sentit enfin digne femme de ce meunier de la Bêchée, paroisse Saint-Grégoire d'Augé, qui s'était élevé contre l'intolérance et l'injustice. Sur les lèvres de Michel, elle put lire : « Ma Rose du Fleuve... Je suis fier de toi ! »

Installés à Pointe-aux-Trembles, Rose et Michel eurent encore cinq enfants : Marie, Marie-Madeleine, Anne-Marguerite, Joseph et Jacques.

Joseph devint coureur des bois et mourut à Boston sans descendance connue.

Jacques, né en 1704, continua la lignée des « Moineau », encore présents au Québec aujourd'hui.

Anne et Pierre Godambert eurent une fille, Jeanne, qui vécut un peu plus d'un mois.

Michel mourut en 1709. Quoique jeune encore, Rose ne se remaria pas, non plus que Pierre Godambert à la mort d'Anne « la Parisienne » en 1724.

Après la mort du seigneur Boucher — à quatre-vingt-quinze ans —, son fils Pierre Boucher de Boucherville fut un des rares « seigneurs » de Nouvelle-France à posséder des esclaves.

Table

Impression réalisée sur CAMERON par
BRODARD ET TAUPIN
La Flèche

pour le compte des Éditions Fayard
en janvier 1997

Imprimé en France
Dépôt légal : janvier 1997
N° d'édition : 0462 – N° d'impression : 1931R-5

ISBN : 2-213-59822-3
35-33-0022-01/0